마지막은 다정하게

II

마지막은
다정하게
수레국화꽃말 장편소설
II
D&C BOOKS

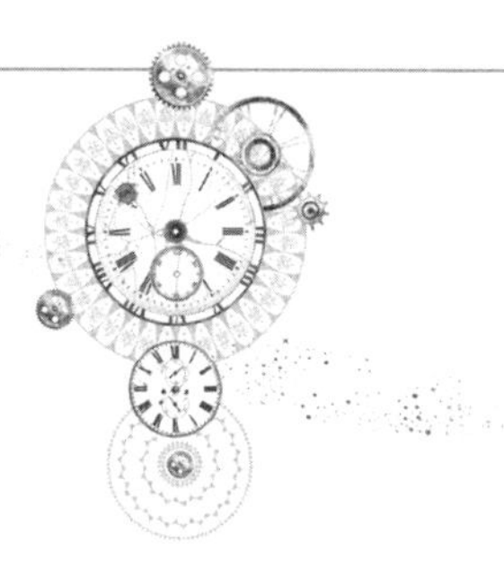

목 차

6. 과거의 그늘

6. 과거의 그늘

아그네사는 눈물을 닦고 얼른 표정을 고쳤다.

"무슨 일이신가요? 실례지만 성함이……?"

자신을 바라보고 있던 밤갈색 머리의 소녀는 울먹이며 함박웃음을 지었다.

"베아트리체! 나야. 벨라."

벨라는 아그네사의 이름을 불렀다. 아그네사는 고개를 저으며 말했다.

"저는 셀레스몬 백작가의 여식 아그네사입니다만."

반짝이는 이 보라색 눈동자를 어디서 보았는지 고개를 갸웃거리던 아그네사는 사교계에서 스쳐 간 기억을 더듬어 보았다.

상대는 이번 승전 연회장에 와서 처음 본 얼굴이었다. 심지어 황후와 황녀의 곁에 앉고 황태자와 춤도 춘 아가씨였다.

그렇게 눈에 띌 만한 사람을 다른 곳에서 보고도 모를 리는 없었다.

"아……, 혹시 제 시집을 읽어 보신 분이신가요?"

아그네사는 자신을 베아트리체라고 부른 이유를 생각하다가 시집을 생각해 냈다. 그 시집엔 펜으로 그려 넣은 자신의 자화상이 있었다. 그걸 보고 단박에 그녀를 알아보았다고 말한다 해도 믿기지는 않았겠지만.

벨라는 대답 대신 연신 고개를 끄덕거리며 눈물을 닦았다.

"부끄럽네요. 치기 어린 마음에 출간한 시집입니다. 몇 권 팔리지도 못하고 금서로 묶여서 아시는 분도 거의 없을 텐데. 그걸 보신 거예요?"

울어서 붉어진 아그네사의 눈가에 부끄러움까지 더해 새하얀 얼굴이 새빨갛게 익었다.

"봤어요. 저는 아르티드 후작가의 이사벨라 엘 아르티드입니다. 팬입니다. 제 마음에 쏙 드는 시집이었는데 시중에 돌지 않아서 안타까웠어요."

"아니에요. 차라리 잘된 일일지도 몰라요. 세상에 내놓고 보니 수준이 부끄러워서 보여 줄 용기가 나지 않더라고요."

아그네사의 말에 벨라는 고개를 마구 저었다.

"아뇨! 정말 멋진 시집이었어요!"

"말씀이라도 감사합니다."

아그네사는 쓸쓸히 고개를 저었다.

"바람이 쌀쌀하여 저는 이만……."

그녀가 발걸음을 돌리자 벨라는 다급하게 다가가 입을 열었다.

"결 고운 모래 위에 서서 발밑의 물결을 바라보면, 연하늘빛 물고기가 동심원을 그리네. 숨죽여 내려앉은 짙은 어둠이 잘 자라 다독여 주는 밤. 시를 긋고 귀를 기울이는 나의 꿈."

아그네사는 걷다 말고 뒤를 돌아보았다.

벨라는 입을 우물거리며 아그네사의 뒤를 따랐다.

"시집에서 그 시가 정말 마음에 들었어요."

아그네사는 눈이 휘둥그레졌다. 때를 놓칠세라, 벨라는 아그네사의 곁에 서서 나란히 걸으며 말했다.

"제목이 '시인은 꿈꾼다'였던가요?"

아그네사의 뺨이 더더욱 붉어지며 걸음걸이가 빨라졌다.

"같이 가요! 조금만 천천히!"

"따라오지 마세요. 부끄러워요."

"저는 정말 그 시를 읽고 감동했어요. 언젠가 꾼 꿈을 시로 읊은 거라면서요? 모래 위를 걷고 있는데 마치 물 위를 걷는 것처럼 모래가 투명하게 비쳐 보이고, 그 아래로 속이 들여다보이는 물고기들이 헤엄쳐 다니는 꿈을 꾸고 썼잖아요. 마음이 설레서 밤새 시를 쓰다 날이 밝았다면서요?"

벨라의 말에 아그네사는 발걸음을 멈췄다.

"그 이야기는 책에 쓴 적 없는데 어떻게 아셨어요?"

벨라는 순간 입을 손으로 가렸으나 이미 내뱉은 말을 주워 담을 수가 없었다. 과거의 당신이 직접 해 준 이야기라고 하면 느닷없다 느낄 것 같았다.

게다가 '내가 아는 과거에 당신은 내 친구였는데 빚에 팔려 가 창녀로 전락하고 고급 술집가를 떠돌다 빈민 구제소에서 폐결핵으로 비참히 죽을 거다'라는 말을 할 수가 없었다.

"책을 판 사람에게 그 이야기를 전해 들었어요."

아그네사는 곰곰이 생각하다 말했다.

"출간된 지 얼마 안 되어 바로 금서 목록에 들어가는 바람에 사 간 사람이 거의 없는데 어떻게 제 시집을 구입하셨죠?"

벨라는 눈만 데굴데굴 굴리다가 핑계를 대었다.

"저희 집안 집사인 루카가 구해다 준 거라 자세한 건 저도 잘 모르지만, 나중에 루카에게 어떻게 구했느냐고 물어볼게요."

"신기하네요, 정말……. 기념으로 몇 권 남겨 두고 싶었지만 결국 제게도 딱 한 권만 남아 있는걸요."

아그네사의 말에 벨라는 어색하게 웃었다.

"아하하, 어쨌거나 시가 너무나 마음에 들어서 실례했어요. 이렇게 아름다운 시를 쓰는 사람은 누구일까 궁금했는데 직접 만나게 되니 꿈만 같아요."

"칭찬이 부끄러워서 얼굴을 못 들겠어요."

아그네사는 두 손으로 얼굴을 가렸다.

그 순간이었다.

잠시 잠잠해졌던 밤하늘에 느닷없이 폭죽이 한꺼번에 떠올라 박자와 순서 없이 어지러이 불꽃을 쏟아 냈다. 요란하게 쏟아지는 폭음 소리에 너도나도 놀라 불꽃이 솟아오르는 쪽을 바라보았다.

착착착 소리와 함께 잘 훈련된 근위병들이 달려가며 소리쳤다.

"암살 기도다! 태자 전하를 보호하라!"
사람들이 암살이란 단어에 화들짝 놀라 근위병의 뒤를 따라 달렸다. 벨라는 자신의 예언(?)이 맞아떨어지자 안도의 한숨을 내쉬고는 그리 큰 소동이 아니었길 바랐다.
반면 아그네사는 황태자 암살 기도라는 말에 당황한 듯하였다.
벌어진 광경은 벨라가 호언장담한 대로였다.

황태자가 폭죽 불발탄 박스에 다가서는 순간 사고로 위장해 폭발 사고를 일으키려고 했는데 한 박자 빨리 폭발시키는 바람에 황태자는 그을음만 뒤집어쓴 채 무사할 수 있었다.
벨라는 근위병들이 범인들을 제압하고 사고를 수습하는 현장을 멀리서 바라보다가 수건으로 얼굴에 묻은 그을음을 닦고 있던 황태자의 눈과 마주쳤다.
순간 황태자는 손수건을 바닥에 홱 던지더니 흥분해서 성큼성큼 걸어왔다.
"아르티드가의 영애, 무슨 수로 이 사건을 미리 알았나?"
벨라는 인사를 공손하게 하며 말했다.
"자리를 피해서 조용한 곳에서 따로 말씀드릴……."
벨라는 황태자의 눈빛이 분노로 이글거리는 것을 보고 말꼬리를 흐렸다.
"배후가 당신인가?"
황태자가 툭 내뱉은 말에 벨라는 가슴이 철렁 내려앉았다.
근위병들의 시선이 모두 자신을 향해 있었다. 자신이 경솔했음을 깨달았다. 암살을 기도한 범인들과 한패로 오해받기 딱 좋은 상황에 놓인 것이었다.

황태자는 무섭게 벨라를 쏘아보며 말했다.

"어떻게 이 일이 있을 줄 알았지? 저들을 사주한 게 당신인가? 그래서 미리 알려 주고 구해 준 척하려 했던 것인가?"

벨라의 이마에 식은땀이 흘렀다. 이러려던 게 아니었다.

"빨리 말하라. 솔직히 말하지 않으면 고신이라도 하여 바른말을 하게 만들겠다. 제국의 황태자를 농락한 죄를 무겁게 물을 수도 있다."

'큰일 났다!'

벨라는 입술이 바짝 마르고 눈앞이 캄캄해지는 기분이 들었다.

"에……."

벨라는 주변을 두리번거렸다. 저 멀리 루카스가 다가오는 모습이 눈에 띄었다. 그 옆에는 이안과 라울린도 함께였다.

그들은 항상 벨라의 먼발치에서 떠난 적이 없었다.

저들을 행복하게 해 주기 위해, 저들의 미래에 드리운 어둠을 떨쳐 내기 위해 시작한 일이었다. 이대로 저들을 더한 어둠 속에 밀어 넣을 수는 없었다.

황태자 주변으로 근위병들이며 고위 장교와 관료들이 몰려들기 시작했다.

"황태자 전하, 괜찮으십니까?"

그 말을 하며 헐레벌떡 달려오는 나이 든 남자는 어쩐지 낯익었다. 벨라는 기억을 재빨리 더듬었다.

'왜 이리 낯이 익지?'

벨라는 인상을 찡그렸다.

'아!'

과거의 신문 기사 한 자락이 머릿속을 스쳐 갔다.

그것은 벨라가 다리 위에서 투신할 무렵 거리에 뿌려지던 것이었다.

국방 장관이자, '매국노' 헨리크 엘 하이아드, 제국에 불리한 협정을 맺어 막대한 손해를 끼치고 후환이 두려워지자 해외로 망명해 버린 자. 세 살 먹은 아이도 그 이름을 알 만큼 커다란 파문을 일으킨 자였다.

제 배만 실컷 불리고 도망간 그자의 얼굴을 신문이 아닌 실물로 보자 마치 아는 사람처럼 느껴졌던 것이다.

'아니야……, 그 사진만으로 이렇게 낯익은 것은 아니야.'

벨라는 한 손으로 자신의 뺨을 감싸 쥐었다.

루카와 이안과 라울린이 빠른 속도로 가까이 다가왔다. 문득 라울린을 보자 섬광처럼 또 다른 기억이 떠올랐다.

'장례식에서 보았어.'

그리젤리 저택에 도착한 전사 통지서 세 통. 하나는 이안, 하나는 라울린, 그리고 하나는 캐서린 엘 하이아드의 것이었다.

음울한 표정으로 다가와 딸의 전사 통지서는 자신에게 돌려 달라 말하던 남자가 있었다.

시신조차 돌아오지 못했던 비극 앞에서 그 남자는 전사 통지서를 딸의 유해 대신 소중히 품에 안고 가며 울고 있었다.

벨라는 순간적으로 헨리크 엘 하이아드에게 앞으로 당신의 딸이 라울린과 함께 전사할 것이라 말해야 하는지 망설였다. 하지만 십수 년 후에 매국노 소리를 들어 가며 망명하게 될 자이니 그를 믿을 수 없었다.

벨라는 성급하게 황태자에게 암살 시도 사건에 대해 귀띔한 것을 후회하며 입술을 깨물었다.

"저를 믿든 안 믿으시든 전하의 자유이십니다. 하지만 자작 사건으로 의심받을 일을 스스로 벌이지는 않습니다. 시시비비를 가려 제게 잘못이 있다면 저를 언제든 처벌하셔도 좋습니다만, 제가 전하를 해하여 좋을 일이 있다고 생각하십니까?"

황태자가 미간을 더더욱 찡그리며 말했다.

"암살 기도를 어찌 사전에 알고 있었느냐 물었다. 질문에 대답하지 않고 웬 엉뚱한 말을 하는 것이냐?"

벨라는 있는 용기를 모두 끌어내어 단호하게 말했다.

"범인들을 심문해 보십시오. 저는 굳이 자작 사건을 벌여 얻을 이익도 없고, 정치하는 일가친척도 없고, 돈이 궁하지도 않습니다. 제가 이 일의 배후가 된다면 좋을 일이 뭐가 있을까요?"

벨라의 말에 그는 짜증이 가득한 목소리로 말했다.

"어찌 미리 알았는지 말하라니까!"

벨라는 황태자의 눈에 떠오른 의혹의 눈빛을 놓치지 않고 주먹을 꼭 쥐며 힘을 주었다.

"전하. 전하는 1년 이내에 오르티우스 요새를 탈환하기 위하여 선봉으로 나섰다가 매복한 적의 후장식 소총 부대에 의해 전사하고 제국군은 궤멸할 것입니다. 신께서 그 일을 막으라고 제게 미리 알려 주신 겁니다. 미친 여자의 소리라고 생각하지 마시고 새겨들으십시오!"

"하!"

칼리아스는 코웃음을 쳤다. 이젠 기막히기까지 했다.

"오르티우스 요새 탈환이라니! 제국령인데 군이 그것을 뭣하러 탈환하느냐! 내 분명히 일러 두었다. 예언자인 척 헛소리하는 무리는 질리도록 보아서 새롭지도 않다고 말이다. 나를 현혹한 대가는 목숨으로 받아 내리라."

칼리아스는 칼자루에 손을 가져다 대었다. 순간 하이아드 백작이 황태자를 막아서며 말했다.

"태자 전하, 오르티우스 요새가 함락되었다는 사실은 방금 전달받은 극비 사항인데 이 여인이 어찌 알고 있는 것입니까? 지금 황제 폐하를 알현하러 가던 길인데 벌써 알고 계셨습니까?"

"뭐라?"

칼리아스의 눈빛이 형형하게 빛났다.

벨라는 저도 모르게 무릎이 덜덜 떨리기 시작했다. 막상 오르티우스 요새가 적국 플란네르의 손에 떨어졌다는 소식을 남의 입으로 듣게 되자 또 다른 두려움이 밀려왔다.

황태자는 자신을 정말로 베려던 참이었다. 하지만 하늘이 자신을 저버린 것은 아니라는 생각에 가진 모든 용기를 쥐어짜서 말했다.

"전하, 당신과 제국의 운명은 하나입니다. 미친 여자라고 생각하셔도 좋고, 사이비 예언가라 매도해도 좋습니다. 플란네르의 후장식 소총에 대해 조사해 보신 후 헛소리의 책임을 물어 처형하셔도 늦지 않으니 미래를 준비하소서. 당신께서 살아남으셔야 저와 제 가신들도 함께 무사할 수 있습니다. 제발 흘려듣지 마시고 조사부터 하시옵소서!"

벨라는 무릎을 꿇었다. 목에서 피라도 토할 듯이 간절했다.

여기서 그를 설득해야만 했다. 그러지 않으면 이안과 라울린을 살릴 수 없었다.

칼리아스의 금빛 눈동자가 날을 바짝 세운 검날처럼 날카롭게 반짝였다.

"저 여자를 지하 감옥에……."

그렇게 운을 떼던 칼리아스는 미간을 찡그렸다.

"아니다. 폐하께 상의드린 후 판단하겠다. 그때까지 도망가지 못하게 감시를 붙여 자택에서 밖으로 나가지 못하게 하라. 그리고 오늘 듣고 본 것들은 모두 함구하라."

어둠 속에서도 그의 눈빛은 빛났다.

"이 어처구니없는 이야기에 현혹될 어리석은 인간이 없기를 빌며, 이 사실이 새어 나가는 즉시 여기 있던 자 중 하나의 소행으로 알고 그대로 목을 치겠다."

칼리아스는 손을 들어 지시하고는 하이아드 백작을 앞세워 황궁으로 급하게 발걸음을 옮겼다.

"하아."

벨라는 참았던 숨을 몰아쉬며 두 손으로 바닥을 짚었다.

루카스와 이안이 양옆에서 벨라를 일으켜 세웠다.

"아가씨! 어쩌자고 이런 무모한 짓을!"

이안의 말에 벨라는 이안과 루카스, 라울린을 한번 둘러보고는 외쳤다.

"믿기 어렵겠지만 제발 날 좀 믿어 줘! 믿는 수밖엔 없어!"

"아가씨! 흥분을 가라앉히십시오! 큰일 날 뻔한 것 아십니까?"

라울린이 단호하게 말했다. 당황한 벨라에게 루카스가 다가가 말했다.

"이럴 때일수록 침착하게 말씀하십시오. 저희는 항상 아가씨의 말에 귀 기울이고 있습니다."

벨라는 루카스의 눈동자를 바라보고는 이내 용기 내어 말했다.

"할 말이 있어. 조용히 자리를 마련해 줘."

황태자와 단둘이 있을 기회란 흔치 않았다. 춤추는 동안 말하면 장난처럼 들릴까 봐 말하지 못했다. 말할 타이밍에 신중을 기했더니 오히려 최악의 순간에 말해 버린 셈이 되었다.

'……그때 황태자 전하를 처음 뵈었어. 불꽃놀이가 한창이던 승전 연회의 밤이었지. 그날따라 경비가 허술했어. 리프렛 남작가의 차남이 잡혀가는 것을 보았지. 시위만 할 요량으로 벌인 짓이라 암살 기도라고 보기엔 조금 어설픈 사건이었지만 그래도 난 그날 전하를 가까이서 볼 수 있었다는 사실이 무척 기뻤어.'

베아트리체는 꿈꾸듯 말했다.

'황태자 전하는 무척이나 멋있었지. 나 같은 하찮은 존재가 그런 기회 아니면 언제 가까이에 서 봤겠어. 불꽃놀이보다도 그날 황태자 전하를 만난 것이 나에게는 아름다운 추억이었어.'

벨라는 과거에 베아트리체가 해 준 말을 떠올려 불꽃놀이에 문제가 생길 줄을 알고 있었다.

'리프렛 남작가의 차남은 앤서니 대공에게 토지 보상을 적게 받은 일에 대해 황제 폐하께 억울함을 호소하고 싶었는데 폐하께서 알현을 허락하시지 않자 비교적 접근하기 쉬운 황태자 전하께 호소하려던 것이었대. 반역죄로 멸문의 화를 입었으니 어리석기 그지없는 일이었어.'

아그네사는 알리사 엘 그란첼에게서 금전적 도움을 받고자 온갖 잔심부름을 해 주며 릴리스 대공녀와 제시카 공녀의 근처를 맴돌았다.

그때 리프렛 남작가의 차남이 앤서니 대공의 딸인 릴리스에게 삿대질을 하다가 끌려 나갔던 소동을 직접 보아서 알고 있었다.

그 이야기를 꺼내면 쉽게 본론으로 넘어갈 수 있을 줄 알았는데 역효과로 황태자의 의심만 불러일으켰다.

'후회한들 이미 늦었다.'

벨라는 눈앞에 놓인 찻잔을 벌컥 들이켰다. 그래도 목이 바짝바짝 타들어 가는 듯했다.

이참에 그리젤리 사람들에게도 자신이 앞으로 닥칠 일들을 모두 겪어 보았음을 알려야 했다. 그런데 황태자처럼 오히려 이상한 눈으로 쳐다보게 될까 봐 두려웠다.

저도 모르게 손끝이 바르르 떨렸다. 이들에게는 절대로 오해받으면 안 되었다. 이들을 죽음의 운명으로부터 구하고 행복하게 해 주겠다는 결심으로 그간 열심히 살아왔다.

과거의 삶에서 이토록 치열하게 노력해 본 적이 없었다. 그 노력이 물거품이 되려는 순간에 도달하고 말았다.

벨라의 방에 이안, 라울린이 들어왔다.

"아무 데나 앉아. 이 늦은 밤에 모두 불러들여서 미안해. 하지만 꼭 할 말이 있어."

루카스가 제일 마지막으로 들어오며 방문을 닫았다. 벨라는 그 모습을 보며 떨리는 입술을 간신히 열었다.

"이런 소리 이상하게 들릴지 모르겠는데……."

'꼭 믿어 줘. 제발. 내가 무슨 헛소리를 하든 간에 믿어 줘.'

속으로 빌고 또 비는 벨라의 앞에 둔탁한 소리가 들렸다.

탁!

벨라의 앞에 루카스가 꺼내 든 책이 놓였다. 벨라의 일기장이었다. 그간 잘 숨겨 뒀다고 생각했는데 루카스가 그걸 말도 없이 가져오다니 깜짝 놀랐다.

"죄송합니다. 하도 허술하게 숨겨 두셔서 일부러 거기 두신 줄 알았습니다. 눈에 잘 띄더군요."

벨라의 눈이 커졌다.

루카스는 그녀가 말하기를 기다렸으나 벨라는 뭔가가 울컥한지 한참을 입술만 벙긋거리다가 간신히 쥐어짜듯 말을 꺼냈다.

"혹시 닥터 브라운 씨를 부를 생각이야? 내가 미친 것처럼 보여?"

벨라의 눈가가 촉촉하게 젖어 들었다.

"무슨 일인 겁니까? 형! 뭐라고 말 좀 해 봐! 라울린, 라울린은 이게 어떻게 된 일인지 알고 있었어?"

이안이 참다못해 외쳤다. 라울린은 팔짱을 낀 채 고개를 가로저었다.

"일단 아가씨의 말을 들어 봅시다."

루카스의 말에 그들은 모두 벨라를 바라보았다.

"대체 저희를 왜 부르신 겁니다. 일단 그 이야기부터 해 주십시오."

라울린이 듣고 있다가 한 손을 비스듬히 들며 말했다. 루카스는 말없이 벨라를 쳐다보았다. 벨라는 자신이 직접 말해야 한다는 것을 깨닫고 진지한 표정으로 입을 열었다.

"벤자민 엘 프로스트 영식의 이야기 알지? 꿈에서 미래를 보았다는……."

"그게 이 일과 무슨 관련이라도?"

라울린의 말에 벨라는 이안과 라울린을 살펴본 후 말을 이어 갔다.

"나도 미래에 닥칠 일을 알아."

이안이 벌떡 일어나 외쳤다.

"형, 기다려. 닥터 브라운 씨를 모셔 올게."

루카스는 조용히 고개를 저었다. 그리고 입 다물라는 손짓을 했다.

"형마저 왜 이래? 형도 브라운 씨에게 상담 한번 받아 볼래?"

라울린은 눈을 갸름하게 뜨며 벨라를 살펴보았다.

"정말로 미래에 닥칠 일을 안다고 생각하십니까?"

벨라는 그들을 설득해야 한다는 생각에 신경을 곤두세웠다.

"아까 내가 황태자 전하와 나눈 이야기 다 들었지?"

"다는 아닙니다. 저희가 가까이 다가갔을 땐 이미 황태자 전하께서 여차하면 아가씨를 베어 버릴 듯 화내고 계셨으니 말입니다."

이안이 참지 못하고 끼어들었다.

"오르티우스 요새가 함락되었다는 사실을 어떻게 아신 겁니까?"

"미래에서 보고 왔으니까."

"하아……."

이안이 어처구니가 없다는 듯 손바닥으로 이마를 감싸 쥐었다.

"나를 믿어야 해. 이안."

이안은 벨라에게 진정하라는 손짓을 하며 말했다.

"닥터 브라운 씨와 함께 이야기합시다."

"이안! 꼼짝하지 말고 일단 끝까지 들어!"

벨라는 벌컥 화를 냈다.

"오르티우스 요새가 함락된 후, 탈환하기 위해 이안과 라울린, 캐시가 전장에 차출되어 갈 거라고! 그리고 후장식 소총으로 무장한 플란네르의 군대가 매복해 있다가 황태자와 제국군을 궤멸시킬 거야. 동시에 페로하트가 쇠락의 길을 걷게 된단 말이야!"

벨라는 떨리는 목소리를 가다듬으며 말을 이었다.

"이안, 라울린. 당신들을 살리기 위해서, 우리 그리젤리 사람들이 격변기에 휘말려서 불행해지는 것을 막고 싶어서 그 말을 황태자 전하에게 한 거야!"

이안의 눈이 휘둥그레졌다.

"농담이 지나치신 거 아닙니까? 제가 죽다니요?"

"믿을 수 없겠지만 난 다 보았어!"

이안의 얼굴이 시뻘게졌다.

"아가씨 말씀이 일리가 있다."

침묵하고 있던 루카스가 입을 열자 이안은 그에게 따졌다.

"형까지 아가씨에게 동조하고 있으면 어떡해! 이게 말이 되는 소리야? 근거가 없잖아, 근거가!"

이안의 말에 루카스는 벨라의 일기장을 조심스레 펼쳐 보였다.

"이안, 그러지 말고 여기의 날짜를 봐라. 그리고 아가씨의 필체도. 이런 말 하는 것이 이상하게 들릴지 모르겠지만, 꽤 오래전부터 아가씨께서 이곳에 적어 온 내용을 알고 있었다. 그것은 내가 보장한다."

이안이 어처구니없다는 표정으로 벨라의 일기장을 훑어

보았다.

“진짜다. 이안. 아가씨는 이 글을 열네 살 때부터 쓰셨다. 그간 내용은 내가 쭉 확인해 보았다.”

그 말을 마친 루카스는 벨라를 향해 허리를 숙였다.

“아마도 숨기지 않으셨다면 보지 않았을 겁니다. 죄송합니다. 아가씨께서 필사적으로 숨기시기에 덮어 둘까 하다가, 후견인으로서 비밀은 없어야 하겠다는 생각에 알고도 모른 척하고 있었습니다.”

심장이 쿵 하고 떨어졌다가 다시 올라와 붙은 듯한 느낌이 들었다.

‘루카스가 일기 내용을 이미 다 알고 있었어. 그런데 내색을 전혀 하지 않았던 거였어.’

“왜 다 알면서 아무 말도 하지 않았지?”

벨라는 가슴이 뭉클해졌다.

라울린에게 일기장의 첫 페이지가 펼쳐지는 것이 부끄러웠다. 하지만 라울린과 이안에게 증명하기 위해 부끄러움을 참았다.

“처음에는…….”

루카스는 잠시 눈을 느리게 감았다가 떴다. 그리고 말을 이어 갔다.

“아가씨께서 아직 충격에서 헤어 나오지 못하여 꿈을 꾼 것을 기록하셨나 했습니다.”

루카스는 벨라의 회귀 사실을 이미 알았던 것인지도 모른다는 생각이 스쳐 갔다.

"하지만 적혀진 내용이 지나치게 현실적이었고, 그중에는 현실과 맞아떨어진 사건도 있어서 판단을 내리기 어려웠습니다."

벨라의 눈동자가 떨렸다.

그러나 루카스는 여전히 한결같은 태도로 말했다.

"아가씨의 일기장은 두서없이 쓰여 있고 날짜가 정확하지 않았지만, 어쩌면 일기장에 쓰인 내용이 일어날 수도 있겠다 싶었습니다. 그래서 아가씨께서 확신에 차서 사업 지시를 하실 때 이의를 제기하지 않았던 것입니다."

벨라는 그동안 자신의 무리한 사업 계획에도 루카스가 아무런 의심 없이 따라 준 것에 대해 생각했다.

"한데 아가씨가 언급한 내용이 적중률이 꽤 높아 빅터 브롬웰 교수님께 말씀드리고 아가씨에 대해 상담했습니다. 허락 없이 일기장에 쓰인 말을 옮겨 죄송합니다. 허물을 용서해 주시기 바랍니다."

벨라는 책상을 두 손바닥으로 내리치며 몸을 일으켰다.

"이걸 빅터 선생님께 보여 드렸다고?"

벨라의 얼굴이 홍당무처럼 붉어졌다.

'회귀 초창기의 글이라 필체가 조잡한 건 둘째치고 엄청난 오타가 적혀 있는데……. 이 일기장을 선생님께서 보시고 게거품을 물었을 게 뻔해.'

그러나 이미 엎질러진 물이었다.

루카스는 이안과 라울린을 보며 말했다.

"나로서는 아가씨께서 쓰신 이 글을 믿기 위해 시간이 필요했다. 그리고 오랫동안 지켜본 결과 아가씨의 판단을 이대로 믿고 따라도 괜찮을 거라 생각한다."

그 말을 마친 루카스는 벨라를 바라보았다.

"이 일기장을 쓰게 된 자초지종을 말씀해 주십시오."

벨라는 아직도 의혹의 시선을 보내는 이안과 라울린의 눈치를 힐끔 본 후에 느릿느릿 입을 열었다.

"나는 정이 그리웠어."

입술이 떨렸다. 지나간 회한이 밀려왔다. 자신이 과거에 잘못했던 상대들에게 과거에 지었던 실수를 사과하기란 쉽지 않았다.

"정이 그리운 나머지 이모와 숙부를 믿었어. 그리고 돈 많은 고아인 나를 고용인들이 작은 저택에 가두어 놓고 성년이 될 때까지 휘두르는 줄 알았어. 그래서 루카가 하는 말은 뭐든 반발하고 꼬아서 받아들였어. 이안이 바른말 하는 것은 무례해서라고 생각했고, 라울린은 그저 생각 없는 바람둥이인 줄 알았어."

"허걱."

"헛……, 생각 없는 바람둥이."

이안과 라울린이 인상을 썼다.

"미안해. 나름 피가 섞인 혈육이 피 한 방울 섞이지 않은 고용인들보다 나를 생각해 주는 줄 알았어."

벨라는 옷자락을 두 손으로 움켜쥐며 고개를 떨궜다.

"그저 빨리 어른이 되고 싶어서, 내가 스스로 무언가를 할 용기가 없어서 재산 위임장을 함부로 썼어. 그리고 재산은 홀랑 털린 채 길거리에 나앉았지."

창부 시절의 이야기를 라울린과 이안에게 하고 싶지는 않았다. 이미 일기장을 본 루카스는 대강 알고 있더라도 그들에게까지 그 비참한 과거 이야기를 시시콜콜 늘어놓고 싶지 않았다.

"내가 어리석었어. 나는 내가 가진 힘을 몰랐고 나는 나약하다고 믿었어. 정작 믿어야 할 사람들이 당신이란 것을 모르고……."

벨라는 어렵사리 말을 이어 갔다.

"그리고 내게 닥쳐 오는 수많은 세상 풍파를 눈으로 보고 몸으로 겪었어. 이안, 라울린, 제발 내가 무슨 허언증이라도 걸린 것처럼 바라보지 마."

그녀의 말에 이안은 얼굴을 붉히며 고개를 돌렸다.

"닥쳐 올 미래에 페로하트는 구식 전법만 믿고 현재에 만족하다가 급변하는 과학 기술에 떠밀려서 한없이 추락해. 하늘은 회색으로 혼탁해지고 산과 강은 까맣게 물들고 사람들은 병들어 가지."

벨라는 고개 돌린 이안을 바라보며 말했다.

"이안, 정신 바짝 차려야 해. 이제부터 자고 일어나면 매일 새로운 것들이 등장할 거야. 예를 들면 전화, 자동차, 전차, 전기, 전구……. 지금 내가 말하는 것이 헛소리 같으면 공증해서 어디 묻어 두었다가 그 발명품이 세상에 등장하면 하나씩 꺼내서 내가 쓴 글이 얼마나 그 물건과 닮았는지 확인해 보면 알 거야."

벨라는 팔짱 끼고 묵묵히 자신을 바라보는 라울린에게 말했다.

"라울린, 내가 전에 후장식 소총 알아보라고 했지? 종이 탄약을 쓰는 한 후장식 소총이 발전할 리는 없다고 말야. 하지만 나는 봤어. 금속 탄피의 무시무시한 위력을 말야. 그들은 땅을 파고 숨어 있다가 일시에 공격하는 방법으로 한시에 제국군을 괴멸시킬 거야."

벨라는 바싹 마른 입술을 축이며 말을 계속했다.

"언젠가 내게 말했잖아, 페로하트 제국에는 제국의 세 기둥이라 불리는 검법이 있어서 옛 방식대로 싸우는 것을 명예롭게 생각하는 경향이 있다고 말야."

라울린은 미동도 없이 그녀를 똑바로 응시하고 있었다.

"라울린. 앞으로 닥칠 미래엔 검식 같은 거 중요하지 않아. 생명을 대량으로 쉽게 죽일 수 있는 쪽으로 흘러갈 거야. 명예로운 죽음을 기대하다가 페로하트의 젊은 장병들이 비명횡사한다고!"

"프로스트 영식처럼 무슨 계시라도 받으신 겁니까?"

이안이 묻자 벨라는 마지못해 고개를 끄덕였다. 차마 다리에서 뛰어내렸다는 말을 꺼낼 수 없었다. 그리고 과거에 얼마나 비참했는지 구구절절 이야기하고 싶지도 않았다.

어쩌면 이것이 현실이고 자신이 과거라고 믿었던 것이 꿈이었을지도 모르겠다.

왜 열네 살의 그날로 돌아온 것인지 이유도 잘 모르고, 왜 하필 그놈도 그 기억을 고스란히 가지고 있는 건지 모르겠다. 그러니 그저 꿈이라고 둘러대는 편이 더 나을지도 모를 일이었다.

아무래도 이안과 라울린에게는 곧바로 받아들이기엔 버거운 내용이었는지도 모른다. 둘은 생각할 시간을 달라며 자리를 떠났다.

루카스와 단둘이 남은 벨라는 저도 모르게 눈물이 글썽여졌다.

오랫동안 가슴속에 숨겨 뒀던 비밀을 터놓자 마음속이 후련한 것이 아니라 어딘가 모르게 불안했다. 이것이 무슨 후폭풍을 일으킬지 지금은 짐작도 할 수 없었다. 그저 라울린과 이안이 믿어 주길 바랄 뿐이었다.

그리고 지금 이 순간, 루카스가 무슨 말이라도 해 주길 바랐다. 늘 미신이나 비이성적인 것에 대해 회의적이었던 루카스 본인이 과거 이야기를 꺼내기도 전에 믿는다고 말해 준 사실이 완전히 믿어지지 않았다.

'설마 돌아서서는 닥터 브라운 씨에게 상담을 청하는 것은 아니겠지.'

가장 설득하기 힘든 상대가 이미 일기장을 보고 그녀의 뜻에 따르겠다 하는 것이 이상하기만 했다.

'루카스, 정말 나를 믿는 것 맞아?'

벨라는 애절한 눈으로 루카스의 표정을 살폈다. 여전히 그의 속마음은 읽기가 어려웠다.

일기장을 다 봤다면, 그의 최후가 자신 대신에 살인죄를 뒤집어쓰고 희생하는 것임을 알게 되었을 텐데 그는 태도 변화가 전혀 없었다.

루카스는 일기장을 들어 벨라에게 건네주었다.

"어떻게 하시겠습니까?"

"으응?"

벨라는 루카스를 바라보았다.

"이 일기장에 적힌 내용, 다른 사람이 더 읽기를 바라십니까?"

"아……."

벨라는 옷자락만 만지작거렸다. 뭐라 대답해야 할지 몰랐다.

"제 머릿속에 모두 담아 두었으니 이것은 아무도 보지 못하도록 봉인해 두겠습니다."

루카스의 말에 벨라는 고개를 끄덕였다.

"고마워. 그러는 것이 좋겠어."

"그나저나, 손님께는 무어라 전해 드릴까요?"

벨라는 고개를 갸웃했다.

"셀레스몬 영애 말입니다."

벨라는 눈을 크게 떴다. 깜빡하고 있었다. 어젯밤 벨라와 함께 있었다는 이유로 얼결에 마차를 타고 급히 벨라시아 저택으로 오게 된 것이었다.

"아……, 내가 직접 이야기할게. 밤이 늦었으니 하룻밤 묵으라고 해야지."

벨라는 서둘러 아그네사가 있는 손님방으로 발걸음을 재촉했다.

“아르티드 영애!”

방에 우두커니 서 있던 아그네사는 벨라의 인기척에 크게 기뻐하였다.

“이게 무슨 일인가요? 황태자 전하께서 하신 말씀은 또 뭐고요?”

벨라는 아그네사의 손을 잡으며 말했다.

“실은 제가…….”

벨라는 그녀에게도 역시나 꿈에서 계시를 받았다고 둘러대는 편이 낫겠다는 생각을 했다.

‘꿈에서 계시를 받았다는 한마디로 벤자민이 과거의 기억을 마음대로 써먹고 다니는 것도 다들 이해해 주지 않았던가. 장황하게 이야기하느니 그것이 누구에게나 듣기 부담 없으리라.’

“꿈에서 계시를 받았답니다. 이상한 소리처럼 들리겠지만요.”

벨라는 적당히 둘러대었다.

“혹시 벤자민 엘 프로스트 영식 같은 그런 계시인가요?”

벨라는 아그네사의 말에 고개를 끄덕거렸다.

“세상에나!”

아그네사는 입을 두 손으로 가렸다.

“황태자 전하께서 말씀하셨듯이, 그 미래는 황태자 전하에 대한 계시이므로 비밀은 꼭 지켜 주세요."
벨라의 말에 아그네사는 비장한 표정을 지었다.
"일단 여기까지 오시게 한 것은 죄송해요. 워낙 극비 사항이라 셀레스몬 영애에게 당부하고 싶은 것도 있었고요. 오늘은 늦었지만 여기서 편히 주무시고 날이 밝는 대로 댁까지 모셔다드리도록 하겠습니다."
순순히 수긍하는 아그네사를 보며 벨라는 쓴웃음을 지었다. 이안도 라울린도 못 믿는 마당에 아그네사가 정말로 수긍한 것인지, 겉으로만 수긍하는 척해 준 것인지는 알 수 없었다.
다만 아쉬웠다. 그토록 그리워했던 친구였다. 벨라에게는 추억이 많이 남아 있으나 아그네사에게는 백지와도 같은 상태니 같이 나눌 회포가 없었다.
'아그네사. 아니 베아트리체. 널 얼마나 그리워한 줄 아니?'
벨라는 그 말을 입 밖으로 꺼내지 못하고 아쉬운 듯 방을 나가며 방문을 닫았다.

욕조 가득 채워진 뜨거운 물 위로 구름처럼 비누 거품이 가득한 것을 보며 아그네사는 감탄사를 내뱉었다.
'이것이 말로만 듣던 거품 입욕제구나.'
아그네사는 조심스레 뜨거운 물에 발을 담갔다. 하녀들이 목욕하는 것을 도와준다고 했으나 잠시 나가 있어 달라 하고 물리쳤다.

온몸을 천천히 목욕물에 밀어 넣고 어깨를 욕조 끝에 기댔다. 찌든 피로가 말끔히 풀어지는 듯한 기분이 들었다.

"하아."

아그네사는 깊은 한숨을 내쉬었다.

밝게 빛나는 촛불이 장식장 위에서 아롱거리고 있었고 욕실 내부는 정갈했다.

거품 입욕제가 잔뜩 놓여 있었고 그 옆에는 샴푸, 린스라고 쓰인 것이 있어서 이게 뭔가 싶어 아그네사는 손을 뻗어 그 병에 코를 대고 냄새를 킁킁 맡아 보았다. 천상의 향기인지 모를 그 아름다운 향기에 취해 버리는 것만 같았다.

'향수면 향수지 이름이 왜 샴푸, 린스?'

고개를 갸웃해 보고는 병을 내려놓았다.

'하녀들이 어떻게 사용하는지 구경해 보면 알겠지.'

거품 입욕제에서 풍기는 장미 향이 폐부 깊숙하게 스며드는 것만 같았다.

'후작가라 역시 다른가?'

아그네사는 씁쓸한 미소를 지었다. 자신이 사는 처지와는 비교도 안 되는 벨라의 모습에 어쩐지 주눅이 드는 것만 같았다.

이제 곧 사채업자에게 팔려 갈 몸인데 후작가와 어찌 감히 비교하랴 싶어 아그네사는 고개를 가로저었다.

'부럽다…….'

참았던 눈물이 다시 툭 터져 나왔다. 기분이 비참하기가 이루 말할 수 없었다.

아그네사 딴엔 무리해서 참가한 파티였다. 빚이라도 더 융통해 보려고 없는 돈을 쥐어짜 드레스를 빌려 입고 참석했기에 돌아갈 마차는커녕 에스코트해 줄 보호자도 없이 하녀 메리와 함께 마차를 얻어 타고 집으로 가야 할 판이였다.

얼떨결에 벨라를 따라오기는 하였으나 이제 집에 돌아가도 걱정이었다. '돌아가면 아마도 사채업자들이 진을 치고 기다리고 있겠지.'라는 생각에 이 밤을 지새우는 것이 두려워졌다.

'아르티드 영애에게 돈을 융통해 달라고 통사정해 볼까? 이렇게 부자인데…….'

어차피 버린 자존심, 이제 더 남은 자존심도 없는 것 같았다.

그런데 왜 이리 서글퍼지는 것일까.

어쩌면 벨라라면 선뜻 빌려줄지도 모르겠다는 생각을 했다. 하지만 시인으로서 독자라고 하는 사람에게 친분도 없는데 돈 꿔 달라 말하기 부끄러웠다.

'이번에 연장한다 해도 갚을 돈이나 있어? 운 좋게 이 순간을 모면하더라도 다음 이자 날이 당도하는걸.'

아그네사는 고개를 숙이고 흐느꼈다. 어차피 나락으로 떨어질 운명이라면 독자에게 추한 모습으로 기억되고 싶지 않았다.

'나에겐 희망이란 없어…….'

아그네사는 벨라에게 손 벌리지 않기로 마음먹었다.

다음 날 아침 일찍부터 서둘러 집으로 돌아가려고 하는 아그네사를 벨라는 아쉬운 듯 붙잡았다.

"조금 여유 있게 출발하시지……."

"아니에요. 집에서 걱정해요."

한사코 돌아가려는 아그네사를 보며 한숨을 쉰 벨라는 조용히 이안을 불렀다.

"이안, 셀레스몬 영애를 에스코트해 드려."

"네?"

벨라는 이안의 옆구리를 꾸욱 찔렀다.

"내게 소중한 분이야. 이안이 직접 댁까지 안전하게 모셔다드려."

벨라의 말에 이안은 짙은 눈썹을 찡그렸다.

"셀레스몬 백작은 딸이 어떻게 되든 말든 내 알 바 아니다 식이던데 셀레스몬가에서 직접 모시러 와야 하는 거 아닙니까? 백작가의 영애를 마차도 없이 보낸 게 누군데……."

"말조심해 이안! 백작은 백작이고 셀레스몬 영애는 셀레스몬 영애야. 두 사람을 동급으로 취급하지 말아 줘. 어서 가. 명령이야."

이안이 툴툴거리면서 모자를 고쳐 쓰고는 아그네사 쪽으로 걸어갔다.

"셀레스몬 영애? 저는 아르티드 후작가의 부집사 이안 버틀러입니다."

이안이 다가서자 키와 체격이 주는 존재감만으로도 주눅이 든 아그네사는 한사코 손을 저었다.

"괜찮습니다. 저는 메리와 함께 돌아가면 되어요. 돌아가셔요. 호의는 감사합니다만 걱정을 끼쳐 드릴 수는 없습니다."

짐가방이라고는 달랑 화장을 고치는 정도의 손가방 하나뿐인 아그네사의 모습을 이안은 찌푸린 표정으로 쓰윽 훑어보았다.

백작가 영애라는데 보아하니 마차도 없고 운송편도 빌리지 못한 것 같았다. 그나마 데려온 하녀라도 있다고는 하지만 그 하녀의 차림새도 영 형편이 없었다.

딱 봐도 답이 나왔다. 대충 셀레스몬 백작가의 꼬라지가 어떤지 익히 알고 있는데 셀레스몬 백작의 딸은 썩어도 준치라고 목에 힘을 준 채 꼿꼿한 자세로 도움을 받지 않으려고 버티고 서 있었다.

보면 볼수록 목구멍까지 셀레스몬 백작에 대한 욕지기가 튀어나올 것 같았다. 아무리 그래도 그렇지 딸 신세를 어찌 이렇게 만들어 놓는 건지 좋게 봐 주려 해도 봐 줄 수가 없었다.

맥없이 고개 숙이고 있는 아그네사도 못마땅했다. 자기 아버지가 그런 헛짓거리를 하고 다니면 적극적으로 막았어야지 수동적으로 처분만 기다리는 신세인 것이 마음에 들지 않았다.

"쳇……."

이안은 주머니에 손을 찔러 넣은 채 서 있다가 작은 마차가 한 대 도착하자 아그네사가 마차에 오르는 것을 도왔다.

"얼른 타시죠. 주소가 어떻게 됩니까?"

"소로스 5번가입니다."

아그네사가 입을 열기도 전에 하녀 메리가 재빨리 주소를 불었다.

"출발."

이안이 마부를 재촉하자 달그락거리며 낡은 마차가 출발했다.

자존심이 아픈 아그네사는 고개를 창 쪽으로 돌리고 아무 말도 하지 않았다. 이안 역시 뭐가 그리 못마땅한지 잔뜩 찌푸린 얼굴로 반대편 창 쪽을 쳐다보았다.

메리만이 사이에서 어색한 미소만 흘리며 뭐라도 이야깃거리를 만들기 위해 애썼다.

자갈이 많은 길을 달리는지 낡은 마차가 심하게 삐걱거리며 좌우로 흔들렸다. 덜컹거릴 때마다 좌석에 엉덩이를 부딪쳐 아픈 메리는 연신 엉덩이를 문지르다가 입을 열었다.

"아이쿠! 마차가 많이 흔들거리네요. 쓰읍, 아파라."

마차가 덜컹하더니 엉덩이가 붕 떴다 좌석에 쾅 하니 떨어져 내렸다. 키가 큰 이안은 천장에 머리를 박고 말았다.

"말을 콧구멍으로 모나, 에이……."

저도 모르게 입에서 험한 말이 튀어나올 뻔하였으나 이안은 간신히 참았다. 형에게 말투 고치라고 여러 차례 지적받아서 조심하고는 있으나 이런 순간이면 제 버릇 개 못 준다고 한마디씩 비표준어가 튀어나오려 했다.

귀족이라고 해 봐야 벨라밖에 가까이하지 않아 아그네사 앞에서는 조심하려고 했으나 순간 이마가 너무 아파서 잊어버렸다.

"콧구멍…… 큽…….”

메리가 이안의 말에 그만 킥킥거리고 웃고 말았다.

다 웃기도 전에 다시 마차는 공중으로 붕 떴다가 바닥으로 쿵 하고 떨어지길 반복해 그들의 엉덩이가 멍들 때까지 지치지도 않고 흔들거렸다.

아그네사와 메리는 엉덩이만 봉변을 당했지만, 이안은 엉덩이와 이마를 수시로 부딪쳐 참다못해 창밖으로 고개를 내밀고 소리쳤다.

"말 똑바로 안 몰아! 우씨!"

빽 하고 내지르는 큰 소리에 아그네사는 흠칫 놀라서는 이안을 흘겨보았다. 그러나 이안은 아랑곳하지 않고 다시 또 마차가 덜컹거리자 마부에게 소리 질렀다.

아그네사는 이안의 고성에 화들짝 놀란 가슴을 진정시키려 애썼다.

"목소리가 우렁차시군요."

아그네사의 말에 이안은 그녀를 힐끔 한번 쳐다보았다.

"그런 소리 많이 듣습니다."

그러고는 다시 창밖을 내다보며 마부가 말 모는 것을 욕했다.

열심히 욕을 퍼부어 준 탓에 마차는 덜 흔들리고 평탄하게 달리기 시작했다. 그러나 이안의 입에서 연신 터져 나오는 고함에 아그네사는 미간을 찡그린 채 두 손을 모으고 놀란 가슴을 진정시켜야만 했다.

이제 그만하라는 의미로 아그네사는 콜록거려 보았으나 이안은 창밖으로 고개를 내민 채 좀처럼 아그네사를 쳐다보지 않았다. 그저 마부가 제대로 모는지 장난질인지 매의 눈으로 노려보고 있었다.

"그리젤리 같았으면 당장 해고일 텐데. 주인이 잘 안 온다고 마차를 이따위로 관리해?"

그러나 마차 탓만 할 수는 없을 듯했다. 유독 길 포장 상태가 나쁜 셀레스몬가의 저택에 도착했다.

이안은 마차에서 내려 아그네사의 손을 잡아 부축해 주다가 저택 쪽을 힐끔 바라보았다.

누가 철문을 떼어 갔는지 문이 없었다. 심지어 유리창도 다 떼어 가고 없는, 스산한 기운이 풍겨져 왔다.

"신세 많이 졌습니다. 아르티드 영애께는 배려에 감사드린다고 전해 주세요."

아그네사는 이안이 무엇을 보고 놀라는지 다 안다는 듯 씁쓸한 미소를 지으며 정중히 인사했다.

"이게 대체 어찌 된 일입니까?"

보기 흉한 저택의 모습에 할 말을 잊은 이안에게 아그네사는 귀밑을 붉히며 그저 고개 숙여 잘 가란 인사를 할 뿐이었다.

"사람이 질문하면 대답을 해 주셔야 할 거 아닙니까?"
이안의 말에 아그네사는 서글픈 미소를 지으며 고개를 저었다.
"망하긴 했지만 그래도 귀족으로서의 긍지는 잃고 싶지 않습니다. 못 본 척해 주세요."
이안은 황망히 서 있다가 이내 입을 열었다.
"혹시 사채업자가 떼어 갔습니까? 값나가는 것이라도 차압해 간다고?"
아그네사는 입을 꾹 다문 채 더 이상 말하지 않았다. 이안은 어처구니가 없어 저택을 한 번 더 쓰윽 훑어보고는 마른세수를 하듯 얼굴을 쓸었다.
"와아……, 해도 너무하네. 그래도 사람 사는 집인데 문하고 유리창을 다 떼어 가면 문단속은 어떻게 하고 비바람은 어떻게 막으라고!"
아그네사는 미간을 찡그렸다.
"이만 가 보세요. 그럼 실례지만 먼저 들어가 보겠습니다."
이안이 뒤따라 들어가려 하자 그녀는 뒤돌아보며 정색했다.
"어딜 따라 들어오시나요? 저는 당신을 집 안으로 초대한 적 없습니다. 없어 보이는 귀족이라 만만해 보이시나요? 더 이상 들어오지 마십시오. 그 이상의 참견은 무례하다고 생각하지 않습니까?"
조금 전까지 주눅 들어 어깨를 움츠리고 있던 아그네사는 그 순간만큼은 귀족의 남은 자존심을 다 끌어모아 이안을 노려보았다.

그저 안타까운 마음에 따라 들어가 보려던 이안은 마치 자신을 무단 침입자 내지는 예비 범죄자를 바라보는 듯 원망스럽게 노려보는 아그네사의 눈빛에 주춤했다. 여차하면 아그네사는 살려 달라고 소리 지를 듯한 기세였다.

"저는……, 그게 아니고……."

변명하듯 말하는 이안에게 그녀는 있는 힘껏 소리쳤다.

"그만 가 보시라고요!"

이안은 기가 막혀서 코웃음을 쳤다.

다 허물어져 가는 유령의 집 같은 데에서 단벌 드레스를 입고 연회장에 온 주제에 귀족이라고 앙칼지게 고개를 세우는 모습이 가소로웠다.

졸지에 치한 취급을 받은 것 같아 기분이 불쾌해진 이안은 그녀가 문짝도 없는 저택 안으로 사라진 후로도 한참을 그 방향을 노려보고는 에잇 하고 발걸음을 돌렸다.

마차에 올라타고 막 출발하려던 즈음에 갑자기 저택에서 와장창하는 파열음이 들려왔다.

"제발 그것만은 안 돼요! 제발!"

악을 쓰듯 울부짖는 아그네사의 목소리에 이안은 잠시 고민했다.

그래도 벨라 아가씨께서 관심을 보이던 사람인데 그냥 지나치면 안 된다는 생각과 이 지경에 놓인 주제에도 끝까지 고고한 척 자존심을 앞세우던 아그네사의 허례허식이 이안의 마음을 불편하게 했다.

"에이 씨."

이안은 바닥에 침을 한 번 찍 내뱉고는 모자를 고쳐 쓰며 저택 안으로 달려갔다.

벨라는 간밤에 잠을 이루지 못하고 뒤척거렸다. 회귀 사실을 고백한 이후 알 수 없는 떨림이 지속되었다. 이안과 라울린이 믿어 주지 않을까 봐 떨리는 것은 아니었다.

지금까지 정해진 시간 속을 살아온 것이나 마찬가지였다. 여태까지의 삶은 무슨 일이 벌어질지 미리 알고 살아온 것이나 이제 황태자가 살아남는다면 역사는 다르게 바뀔 것이었다.

다가올 다른 방향의 삶은 과연 어찌 되는 걸까 하는 두려움이 밀려왔다.

황태자가 살아남는다 해서 전쟁이 일어나지 않는 것은 아니었다. 어쩌면 이안과 라울린은 다른 이유로 전사할 수도 있다.

아는 미래를 바꾸는 것과 모르는 앞날을 바꾸는 것은 차원이 달랐다. 내가 해낼 수 있을까 하는 생각에 벨라는 쉽게 잠을 청할 수가 없었다.

꿈을 꾸었다.

눈을 떠 보니 시퍼런 강물 속. 그 속에 영원히 갇혀 있었다. 벗어나려고 버둥거렸지만 어디가 위이고 어디가 아래인 지도 가늠이 되지 않았다.

나는 똑바로 서 있는 걸까.

여기는 어디일까.

얼마 동안 여기에 갇혀 있었던 걸까.

고개를 들어 보니 새하얀 빛이 보였다.

저쪽이 위인 걸까.

그러나 다시 아래를 보니 노란빛이 보였다.

기묘했다.

그 노란빛은 어쩐지 익숙했다. 영혼에 아로새겨진 듯한 밝음.

……이리로 내려와. 이곳으로 와.

무언의 목소리가 속삭이는 듯했다.

아니야. 저 하얀빛을 따라가야 수면 위로 숨을 쉴 수 있어.

아니야. 노란빛이 너를 돌아가게 해 줄 거야.

자. 어디로 갈래?

벨라는 끝내 결정을 내리지 못했다. 대신 누가 속삭이는 것인지 알기 위해 고개를 열심히 돌려 보았다.

아빠의 목소리인 걸까?

아니야…….

비슷한데 달라.

누구지?

부스스하니 눈을 떠 보니 이미 늦은 아침이었고 아그네사가 떠난다는 말에 부랴부랴 일어나 그녀를 배웅해야만 했다.

과거엔 먼저 다가와 줬던 아그네사였는데 어쩐지 지금은 무언가 벽이 가로막혀 있어 다가가기 힘든 느낌이었다.

그녀를 붙잡아 둘 핑계가 없어서 잠시 고민하다가 집까지 에스코트를 이안에게 맡겼다.

느지막한 아침 겸 점심 식사를 마친 후, 앞으로 어찌해야 하나 한숨을 내쉴 무렵이었다.

바깥이 시끌시끌했다. 이안이 돌아왔나 싶었으나 그러기엔 많은 사람의 목소리가 들려왔다.

벨라는 1층 계단 아래를 힐끔 내려다보고는 지나가던 하녀를 불러 세웠다.

"왜 이렇게 어수선해?"

"아가씨, 어디선가 사채업자들이 몰려온 모양이에요."

"사채업자?"

"이안 님께서 사채업자들과 시비가 붙어서 그들이 손해배상을 하라며 몰려왔습니다."

"엑?"

대충 단장을 마친 벨라는 계단 아래로 내려왔다. 험상궂게 생긴 사람들이 복도 한편에 웅성거리며 서 있었다.

응접실로 쓰는 큰 방으로 들어서자 더 많은 낯선 이들과 라울린을 비롯한 경비대원들, 변호사와 그의 수하들이 뭐라 뭐라 한참 실랑이를 하고 있었다. 복도에는 울먹였는지 코끝이 발그레해진 아그네사가 벨라를 보고 고개를 더욱더 숙였다.

"라울린, 무슨 일이야?"

벨라가 라울린을 보고 아는 척하자 그가 난감한 표정을 지으며 말했다.

"이안이 기물 파손을 하고 사람들을 두들겨 패 놨습니다. 상대 측이 손해 배상을 요구하며 떼로 몰려왔고요. 거의 상황은 마무리되었고, 이안이 부순 탁자 몇 개와 치료비만 부담하는 쪽으로 결론지어졌습니다."

벨라는 미간을 찡그리며 물었다.

"이안은 어디 있어?"

"당연히 치안 경비대에 잡혀갔죠. 이런 사고를 치고 멀쩡할 리가 없잖습니까? 이제 이안을 데리러 갈 겁니다."

라울린의 말에 벨라는 입꼬리를 실룩거렸다.

"에스코트 한번 거하게 했네."

유치장에 갇힌 이안은 모자를 얼굴에 얹고 깍지 낀 손을 베고 태평하게 자는 듯했다.

루카스와 벨라가 치안 경비대와 이야기하는 사이, 바깥에 놓인 의자에 앉아서 안절부절못하는 쪽은 아그네사였다. 시계를 힐끔 바라보았다. 또 저택으로 사채업자들이 몰려올 시간이었다.

이번엔 최종적으로 경고했던 그 시간. 어떻게든 돈을 마련하지 않으면 이제 각서에 쓰인 대로 사창가로라도 팔려 갈 상황이다.

아그네사는 입술을 깨물었다. 어차피 망한 인생, 다른 사람에게 이 흉한 몰골을 들킨 것도 창피하지만 더 이상 꿀 꿈도 남아 있지 않다는 것이 서글펐다.

사채업자에게 매일같이 시달렸다.

그들은 협박하며 하루에 하나씩 창문과 문짝을 떼어 갔다.

차라리 도박하다 이 지경에 이른 것이면 억울하지도 않을 거였다.

아버지는 늘 말했다.

'인생은 한 방이야. 이제는 기술이 급격하게 발전하는 세상이라 먼저 선점하는 사람이 승리하는 거라고! 이 사업은 반드시 대박을 칠 거야. 성공하지 않을 수가 없어! 증기 기관을 발명한 사람도 봐 봐. 돈방석에 앉았잖아! 이제 필요한 것은 미래를 내다보는 혜안이야! 시대의 흐름을 읽는 자가 돈을 거머쥐게 되어 있다고!'

아버지가 손대는 사업마다 모두 크게 번창하긴 했다. 물론 아버지가 망한 후에 나타난 다른 사람이 벌었다.

아버지는 늘 시대를 앞서갔고 시장의 반응은 뭐 저런 어처구니없는 것을 팔려 하는가 하는 식이었다. 그런데 희한하게 그 사업을 아버지가 손 뗀 뒤 다른 사람이 하면 크게 번창했다.

'나는 시대를 잘못 타고났어. 분명히 나에게도 기회가 올 거야! 나는 내 감을 믿어!'

아버지는 어설픈 발명가였고 꿈과 희망은 있었으나, 그게 시장에 팔릴 만하게 상품화시키지를 못하고 늘 남 좋은 일만 시키고 말았다.

'이번 영사기 사업이 마지막이야! 정말 마지막으로 모든 것을 걸겠어. 그래서 그간 진 모든 빚을 갚을 거다!'

이번에도 모든 식구가 뜯어말렸으나 아버지는 자신이 옳다는 것을 증명한다며 신용 불량 상태에서 무리하게 조건을 내걸고 돈을 빌렸다.

영지와 재산은 이미 앞선 대출들로 가압류당한 지 오래고, 남은 것은 딸이라도 재산 대신 내건다는 차용 증명서였다.

이 한 방으로 차압된 영지와 재산까지 다 되찾으면 된다던 아버지는 영사기 사업을 말아먹고 난 후 잠적해 버렸다.

그리고 연회장에서 마주친 것이었다. 아버지에게 원망의 말을 쏟아 내기도 전에 아버지는 어디론가 숨어 버렸다. 고개를 돌리면 나타났다가 다시 쳐다보면 숨었다가 숨바꼭질 끝에 어느 순간부터는 영영 나타나지 않았다.

아그네사는 멍하니 천장을 바라보고 있다가 고개를 돌려 이안을 바라보았다.

터진 입술은 괜찮은지 말을 걸고 싶은데 자존심 때문에 말을 건네지는 못하고, 그렇다고 신세 진 셈인데 모른 체할 수도 없고 해서 난감했다.

하도 사채업자에게 시달린 나머지, 차라리 사창가로 팔려 가고 나면 더 이상 빚 독촉은 당하지 않으리란 생각에 마음이 편안해지는 것은 아이러니가 아닐 수 없었다.

아그네사는 자신의 무릎에 올려진 찢어진 수첩을 내려다

보았다.

이안이 참다못해 아그네사의 저택에 뛰쳐 들어갔을 때, 사채업자들이 그나마 얼마 남지 않은 가재도구들을 빼내 가고 있었다.

"다 가져가면 우리는 어떻게 하라고요. 제발!"

아그네사가 목청 터져라 외치면서 사채업자들을 말려 보았다.

"가족들이 도주하면 그만 아닌가?"

그들은 인정사정 봐주지 않았다.

어머니와 여동생이 울면서 벌벌 떨었고, 멍하니 사채업자들을 바라보던 아그네사는 그들이 고풍스러운 책상을 빼내 가는 것을 보며 소리쳤다.

"안 돼요! 그건 가져가지 마세요!"

아그네사가 가로막는 것은 책상 때문이 아니라 서랍에 든 수첩 탓이었다.

그 수첩엔 아그네사가 힘든 시절을 이겨 내기 위해 적어 내려간 미공개 시들이 적혀 있었다. 빼곡하게 채워진 시들이 사채업자들 손에 책상과 함께 들려 나가고 있었다.

"제발! 그것만이라도 돌려주세요! 수첩 가져가서 뭐 하시게요! 책 아니에요! 제 수첩이라고요!"

아그네사는 필사적으로 수첩을 되찾으려고 애썼다. 그러나 그들은 혹시 그 수첩에 돈이라도 끼워 두었나 싶었는지 아그네사의 손길을 뿌리쳤다.

그녀는 뒤로 떠밀리며 엉덩방아를 찧어야만 했다. 그 와중에 화분이 엎어지며 와장창 소리가 났다.

그나마 아껴 기르던 이름 모를 들꽃이 담긴 화분이 산산이 부서졌다. 흙을 뒤집어쓴 채 꺾어진 꽃송이들이 아그네사의 가슴을 찢어지게 했다.

아그네사는 그 망가진 꽃송이를 움켜쥐며 눈물을 흘렸다.

"제발……, 그 수첩은 제 보물이라고요. 단 하나뿐인 보물……."

그때였다. 이안이 안으로 뛰어든 것은.

"고귀한 분께 일개 사채업자들이 감히 무슨 행패냐!"

이안이 소리 지르자 든든한 지원군이라도 도착한 것처럼 가슴이 뛴 것도 사실이었으나 그가 자신의 편을 들어 봤자 헛수고임을 깨달았다.

어차피 돈을 융통하지 못해 사채업자들에게 끌려가야 했다. 고용인도 몇 남아 있지 않았지만, 그들조차도 사채업자에게 찍소리도 없이 바라만 보고 있는데 이안이 나서서 좋은 꼴을 볼 리가 없었다.

아그네사는 고개를 숙이며 이안에게 말했다.

"돌아가세요. 당신이 끼어들 일 아닙니다."

그게 오히려 배려라 생각했다.

저들은 질 나쁜 상대이고 다수였다. 이안은 혼자이지 않은가. 게다가 알게 된 지 얼마 안 된 남의 집 고용인이었다.

이안은 도와주려고 뛰어들었다가 오히려 자신더러 잘못했다는 듯 시선을 피하는 아그네사를 보고 짜증이 일었다.

"나 원 참, 내가 뭐라고 여기를……. 알겠습니다. 아가씨 혼자 잘 해결해 보십시오. 제삼자는 빠져 드립니다."

그 모습을 보며 사채업자 하나가 이죽거렸다.

"제삼자는 빠져 드립니다……, 우히히힛! 기사도 나셨네. 어디 보자. 이게 보물이라 했나? 옜다 보물, 여깄수다!"

비아냥거리듯 아그네사의 수첩을 내밀었다. 아그네사가 그걸 보고 반갑다는 듯 일어나 손을 뻗자 줄 듯하던 손을 뒤로 뺀 사채업자가 아그네사의 위아래를 훑어보며 말했다.

"보물을 주면 당신은 뭘 줄 건데?"

아그네사는 순간 아무 말도 하지 못하고 입술을 파르르 떨었다. 사채업자의 끈끈한 시선이 아그네사의 몸을 노골적으로 훑어 내려왔다.

"그 무도회란 것 귀족 나으리들끼리 손잡고 춤추다 눈맞으면 으슥한 데로 사라지는 거라지? 한창 재밌게 놀다 오셨나 보네. 항상 궁금했어. 귀족들은 그 안에 뭘 입었는지, 다른 귀족 나으리들은 볼 만큼 보셨겠지? 나도……."

사채업자는 더 이상 말을 잇지 못했다. 이안이 주먹으로 이를 부러뜨려 버렸다.

처음엔 그 입을 잘못 놀린 사채업자만 두들겨 패려던 것이었는데 다른 사채업자들까지 끼어들면서 난투극이 벌어졌다.

문제는 그 와중에 사채업자들이 압수해 가려던 고가구들은 너덜너덜하게 박살이 나 버렸고, 미친 말처럼 날뛰어서 들이받고 발로 차고 둘러메고 던져 버린 탓에 가뜩이나 없는 살림살이에 남아난 것이 없었다.

더더군다나 가관인 건 다 두들겨 팬 후에 이안이 남긴 말이었다.

"그런데 이 사람들 왜 제게 덤벼드는 겁니까?"

그 난리 통에 아그네사의 소중한 수첩은 물통에 빠졌다. 수건으로 닦고 말리는 데도 잉크는 순식간에 번져 나가 수첩을 검게 물들였다. 속상해진 아그네사의 눈가에 눈물이 번져 나갔다.

저택에서 합의한 자들과는 별개로, 맞은 자들이 절대로 합의 안 해 준다고 난리 쳤다.

"우리는 일방적으로 구타를 당했고, 앞뒤 안 가리고 폭력을 행사한 것은 저쪽이라고!"

그러나 사채업자들은 열댓 명은 족히 넘는 숫자였고, 이안은 옷이 엉망진창으로 뜯겨 있었기에 치안관들은 보고서를 작성하면서도 코웃음을 쳤다.

"허허, 당신들은 옷만 때리고 몸은 안 때렸다고?"

그 시끄러운 소란에 누워 있던 이안이 벌떡 일어나 카악 하고 피가 섞인 침을 바닥에 뱉었다. 그리고 유치장 창살을 조용히 철컹철컹 흔들며 그들을 매섭게 노려보았다.

사채업자들은 마구 떠들어 대다가 이안의 그 눈빛에 압도되었는지 말꼬리를 흐리며 눈치를 살피기 시작했다.

이안이 고개를 까닥거릴 때마다 목에서 우득 소리가 났다.

"이봐요, 셀레스몬 영애, 아가씨야말로 할 말이 많을 것 같은데 왜 조용한 겁니까? 일이 이렇게 된 김에 따지시라고요!"

아그네사는 놀란 토끼 눈을 하고 주변을 둘러보았다.

사채업자들과 치안관과 다른 유치장에 갇힌 이들 모두 일제히 아그네사를 쳐다보았다.

아그네사가 아무 말 못 하고 있자 이안이 버럭 소리를 질렀다.

"아가씨 바보입니까? 이들이 불법 채권 추심 하러 왔잖습니까?"

이안은 자기 일처럼 화를 냈다.

"아무리 당신 아버지가 빚 갚는 시일을 늦추는 조건으로 당신을 계약서에 담보로 걸었다고는 하지만, 당신은 엄밀히 말해서 제삼자입니다! 그 누구도 제삼자에게 채무를 이행하라고 독촉할 수가 없는 겁니다! 어디서 그런 엉터리 문서를 작성해서 협박이냐고 큰소리쳐야 할 거 아닙니까?"

이안은 고개를 돌리고 외쳤다.

"이봐요! 치안관 나으리! 저 사채업자들 다 불법 협박을 일삼은 범죄자들이란 말입니다! 저놈들 잡아 처넣지 않고 뭐 하는 겁니까!"

일껏 잠잠해져 있던 사채업자들이 욕지거리를 하며 이안이 갇혀 있는 철장 근처로 가서 주먹질, 발길질하는 시늉을 했으나 정작 이안이 노려보자 들었던 주먹을 슬그머니 내려놓았다.

"그대로 사창가 팔려 갈 겁니까? 저들 이야기를 들어 보니 사채의 담보로 아가씨를 걸었다면서요."

이안의 말에 아그네사는 고개를 숙였다.

"어쩔 수 없어요. 돈을 융통하는 데에 실패했으니까."

"그러니까 지금 우리 아가씨에게 말씀해 보시라고요. 해법이 생길지 누가 압니까?"

"이미 알아볼 만큼 알아본……."

아그네사의 말에 이안은 코웃음을 쳤다.

"알아보긴 뭘 알아봤습니까?"

"저는……."

아그네사는 우물쭈물했다.

누군 사채업자들에게 시달리고 싶어 시달렸겠는가. 그러나 그들을 피할 방법도, 호소할 데도 없었다. 어차피 아버지는 빚을 갚지 못할 것이었다.

"진짜 이대로 팔려 가실 겁니까?"

이안이 버럭 소리 질렀다.

이안이 내지르는 소리에 아그네사는 정신이 번쩍 들었다.

치안관은 루카스와 이야기를 한참 나누더니 곧 열쇠를 가지고 와서 이안을 풀어 주었다.

아직 태양이 정오를 지나지는 못했지만 눈 부신 햇살을

창가에 드리우고 있었다.

그 햇살을 등 뒤에 받으며 벨라 엘 아르티드는 머금은 홍차 한 모금의 향을 입 안 가득 혀로 꾹꾹 눌러 삼켰다. 그녀의 길고 위로 휘어진 풍성한 속눈썹이 고운 눈매와 참 잘 어울렸다.

투명하다 못해 초롱초롱하게 빛나는 보라색 눈동자가 참으로 아름다웠다.

아그네사는 모든 것이 부러웠다. 그녀의 미모도, 지위도, 재력도, 고용인들도, 이 저택도.

우아한 손동작으로 벨라가 찻잔을 내려놓았다. 투명한 도자기 같은 뽀얀 피부가 눈부셨다. 아그네사는 아무 말 없이 자신을 바라보는 벨라가 경멸의 눈빛을 띨까 봐 조용히 숨을 멈추고 그녀의 대답을 기다렸다.

겨우 어제저녁에 안면을 텄다. 게다가 자신의 시집을 읽은 애독자라고 소개하지 않았나. 그녀의 호감을 이렇게 돈을 꾸어 달란 말로 걷어차 버리는 것이 가슴 아팠다.

아그네사는 숙인 고개를 더더욱 수그렸다.

"루카."

침묵 끝에 벨라는 집사를 불렀다.

"셀레스몬가의 부채가 얼마나 되나요?"

"지금 사채업자들이 말하는 금액은……."

"아니, 단순히 오늘 갚아야 하는 금액 말고, 셀레스몬가의 전체 부채."

루카스는 물 흐르듯 대답했다.

"셀레스몬가의 장원인 론셋 지방 토지는 중앙 정부 은행에 가압류되어 있는 상태이며, 표면상의 부채 금액은 중앙 정부 은행 기준 133글리카, 비공식적인 금융까지 합쳐서 570글리카이며, 이 중 사채업자들에게 분할 판매된 채권까지 합치면 1280글리카 규모입니다. 그 외에 셀레스몬 백작께서 개인적으로 주변 지인들에게 융통한 금액은 340글리카, 생활고로 셀레스몬 백작 부인께서 친정과 사교계 지인을 통해 융통하신 금액은 50글리카. 체납된 세금과 각종 벌금이 180글리카. 도합……."

루카스는 마치 보고서를 보고 읽듯 셀레스몬 가문의 부채를 낱낱이 읊조렸다.

심지어 아그네사 자신도 루카스의 말에 화들짝 놀랄 지경이었다. 자신도 그 정도까지 빚이 있을 줄을 모르고 사채업자들이 들고 온 증서상의 금액만 알고 있었다.

1글리카는 웬만한 집 한 채 가격이었다. 그의 입에서 나오는 금액이라면 자신뿐만 아니라 온 식구를 사채업자에게 세 번, 네 번은 고쳐 팔아도 다 못 갚을 금액이었다.

실낱같던 희망마저 뚝 하고 끊어지는 기분이었다. 어느 정도여야 눈물이라도 나올 것이었다.

그저 얼굴만 하얗게 질려 바들바들 떠는 아그네사를 조용히 바라보던 벨라가 입을 열었다.

"왜 그렇게 놀라세요?"

굳이 말을 꺼낼 필요도 없어 보였다.

"저를 만나길 청하셨으면 말씀을 하세요."

그저 눈물을 참으려고 입술만 깨무는 아그네사에게 벨라는 조용히 다가갔다. 그러고는 그녀의 두 손을 잡았다.

"이 빚을 연장하지 못해서 사채업자들에게 험한 꼴을 당하시려던 참이었다죠. 제가 도울 일 없을까요?"

아그네사는 이 빚을 연장한다 해도 갚을 자신이 없었다. 다정하게 붙잡는 벨라의 손길에 그만 서러움이 복받치고 말았다.

벨라는 아그네사가 애처로워서 그만 와락 끌어안아 주었다. 아그네사는 소리도 내지 못하고 눈을 감은 채 울고 있었다.

한참 울게 둔 벨라는 아그네사를 다독이며 귓가에 속삭였다.

"제가 아는 사람이 해 준 이야기인데요, 민들레는 밟혀도 핀대요. 그 자리에 나길 원했던 것도 아니고 보아 주는 사람이 없어도 끈질기게 다시 활짝 핀대요. 그런 상황에서 끝내 환하게 피어나는 것이 세상을 향한 가장 큰 복수랬어요."

펑펑 울기만 하던 아그네사는 그녀의 말에 멍하니 멈추어 섰다.

"복수?"

"네. 복수요. 작정하고 밟는데도 오기로 더 환하고 아름답게 피어나는 복수요. 아그네사, 아니 베아트리체. 아름다운 시를 쓰는 시인 베아트리체 엘 롬바르트로 살아가는 복수요."

벨라의 말에 아그네사는 어처구니가 없다는 듯 너털웃음을 터뜨렸다.

"당장 빚을 갚지 못해 사창가로 팔려 가게 생겼는데 그게 지금 무슨 말씀이세요. 설령 나중에 민들레처럼 피어난다

한들 지금은 여전히 치욕스러움을 견뎌야 하는데 말이죠."

"법률 자문 구해 봤어요?"

"네?"

"아까 이안이 말해 줬다면서요. 불법 채권 추심이라고요. 애초에 대금 상환 기간을 늦춰 주겠다는 조건으로 셀레스몬 영애를 담보로 건 조건 자체가 성립할 수 없어요. 아무리 가족이라 해도 셀레스몬 영애는 제삼자예요. 빚은 셀레스몬 백작께서 지었지 아가씨가 지은 빚은 아니에요."

"저도 주변에 물어봤는데 그래도 빚을 갚는 것이 우선이라고 아무도 저희를 도와주지 않던걸요? 불법 채권 추심에 해당해도 딱히 그것을 막아 줄 법이 없다고 하더군요."

아그네사는 힘없이 대답했다.

"게다가, 그 빚 중 일부는 제가 시집을 낸다고 끌어다 쓴 것도 있어서 말이에요. 제 책임도 있어요. 어차피 막대한 빚이라 갚을 엄두도 나지 않고요."

"이럴 때 필요한 게 법률 지식이라고요."

벨라는 안타까워하며 말했다.

"아버지는 늘 빚쟁이들을 피해 도망 다니기 때문에 그들이 늘 집으로 찾아와요. 땅과 집을 버릴 수도 없고, 그곳을 떠나면 갈 곳도 없어서 빚쟁이들과 사는 것이 이젠 일상이 되어 버렸어요. 그들을 물리치려고 갖은 노력을 다했다고요. 그런데 빚이 있는 한, 그들은 무덤까지도 쫓아올 거라고요."

아그네사는 무거운 한숨을 내뱉었다.

"그러느니 저라도 한 몸 희생해서 어머니와 동생들이 조금 덜 힘들게 지낼 수 있다면……."

아그네사는 말을 다 잇지 못하고 고개를 숙였다.

벨라는 그런 아그네사의 고개를 들게 하며 눈을 곧바로 바라보았다.

"그딴 가문, 버려요."

아그네사는 눈을 크게 떴다.

"말씀이 지나치시군요! 남의 가족이라고 그렇게 함부로 말씀하시면 안 되죠! 저더러 지금 제 아버지처럼 제 한 몸만 추스르고 도망가라고요? 그러면 빚쟁이들은 저 대신 어머니와 동생들을 괴롭힐 거예요. 그들을 지옥에 내버려 두고서 저는 편할 것 같은가요?"

마지막 남은 자존심까지 구겨지는 것 같아서 아그네사는 발끈했다.

"제 말뜻은 셀레스몬이라는 성을 버리라는 뜻이에요."

벨라는 미간을 찡그리며 단호하게 말했다.

"베아트리체 엘 롬바르트로 살아가라는 거예요."

벨라의 눈에 과거의 아그네사가 보였다.

그녀는 창부 생활을 하며 아끼고 아껴서 돈을 모았다. 제법 큰돈이었다. 그리고 가족들에게 주라고 방계 친척에게 전달을 부탁했다.

그리고 그 방계 친척은 돈을 전달하지 않고 쓱싹 먹어 치웠다.

나중에 그 소식을 들은 그녀는 술집 건달을 동원해 그 방계 친척을 잡아 왔으나 그자의 논리가 가관이었다.

'셀레스몬가의 장남이 모든 것을 물려받는 이유는 방계 친척들도 그 울타리 안에서 보호해 줘야 하는 의무를 져서라고! 우리들을 제대로 보호해 주지 못했으니 그 돈은 그간 받지 못한 보호비 삼아 나누어 가졌다는데 뭐가 문제야?'

심지어 그 소문을 들은 다른 방계 친척까지 술집 하데스를 수소문해서 찾아와서는 보호비를 누군 주고 누군 안 주느냐고 따지기까지 했다.

어차피 기댈 곳 없는 가문, 빚도 재산이라고 자식에게 고스란히 전달될 거면, 차라리 그 재산 상속을 거절해 버리고 그 이름도 버린 채 가문을 따로 파 버리는 편이 나을 것이었다.

"빚도 재산이에요. 재산 상속을 포기해 버리고 셀레스몬가와 절연하세요. 그리고 롬바르트가의 가주가 되어서 식구들을 보호하세요. 당신은 할 수 있어요. 그렇게 하기 위한 법적 절차는 저희 아르티드가의 고문 변호사가 도와주게 하겠어요."

벨라는 단호하게 말했다.

"그리고 자립할 때까지 그리젤리에 가족과 함께 머무세요. 식비야 나중에 자립하면 갚는다고 치고요. 시집을 내다가 진 빚은 제가 돈을 빌려드릴 테니 천천히 갚으시면 되고요. 그러면 제게 그리 큰 신세를 지지 않고도 충분히 민들레처럼 일어서실 수 있을 거예요."

벨라의 말에 아그네사는 말도 안 된다는 듯한 표정을 지었다.

"롬바르트 성을 사용했다는 이유만으로 시집이 출간하자마자 금지당하고 망했어요. 그런데 그 성을 다시 쓰라고요?"

"출간 금지당한 것은 풀면 되죠."

벨라는 확신에 찬 표정으로 말했다.

무슨 일이 있었는지, 라울린은 심각한 표정으로 와서는 부하들에게 이런저런 책자를 찾아오라고 심부름을 보냈다.

캐시는 사무실에서 출석 일지를 적다가 그를 힐끔 쳐다보았다. 라울린은 언제나 그녀를 유령처럼 취급했다. 마치 철저하게 기억에 없는 것처럼.

그런 그가 서운했지만, 오늘따라 그가 손으로 턱을 괴고 다른 한쪽 손으로 팔꿈치를 받친 채 서성이는 것을 보니 무언가 큰 고민거리가 생겼는지 신경이 쓰였다.

무슨 일인지 물어볼까 하는 생각이 잠시 스쳤다.

하지만 용기 내어 물어도 "아냐. 신경 쓸 것 없어. 하던 일이나 마저 해."라는 대답만 돌아올 것이 뻔했다.

처음 이곳에 올 때는 쫓겨나지만 않아도 어디랴 싶었다.

그만큼 라울린이 모질게 정 떼던 지난날의 상처가 새록새록 떠올랐다. 사실 그간 그의 행동이 사무치도록 섭섭했던 지라, 이곳으로 오는 발걸음이 쉽지는 않았다.

역시나 소개장을 들고 이곳에 왔을 때 라울린의 거부 반응은 격렬했지만, 레이디 아르티드의 허락에 이후론 아무 말이 없었다. 그저 다른 병사 1, 2와 똑같은 취급일 뿐이었다.

무심할 정도로 남 취급하는 것 또한 묘하게 서러웠다.

'정말로 날 잊어버렸던 거야? 내 존재가 당신에겐 그런 정도의 의미밖에 없었어?'

캐시는 마음속으로 외쳤다. 그러나 그를 바라보고 있는 것이 들킬까 봐 시선이 마주치지 않게 고개를 숙이고 출석일지만 바라보았다.

캐시는 지금도 눈을 감으면 그를 처음 저택에서 보았던 때가 생생하게 기억났다.

"이봐, 라울린. 부탁이 있네. 내게 말괄량이 딸이 하나 있는데 나를 이어 군대에서 일하고 싶다고 난리네. 일단 검술 실력이라도 있어야 한다고 으름장을 놓았더니 혼자 몰래 검술을 배우고 있더구만. 결코 포기할 생각이 없어 보여. 무용담에 대한 환상마저 있지."

결코 엿들으려던 것은 아니었다. 단지 그들이 들어오기 전에 미처 나가지 못했을 뿐.

"어때, 자네가 그 아이와 맞대결해서 묵사발 좀 내주게. 호되게 데면 검을 손에 쥘 생각도 못 할 것 아닌가. 두 번 다시 검이라면 넌더리가 나게 해 줄 수 있겠나? 내 딸에게 재능이 없다는 것을 단단히 확인시켜 줬으면 하네."

헨리크가 라울린에게 신신당부하는 말을 숨어서 엿들은 캐서린은 이를 갈았다.

'대체 어떤 놈팡이인지 도리어 내가 묵사발을 내주리라.'

여자 운운하며 조신하기만을 바라는 아버지가 원망스러웠다. 위로 두 오라버니에게는 국가의 부름, 귀족의 의무 어쩌구저쩌구하며 그렇게 열심히 기사가 되라 재촉하더니, 두 오빠가 전사하자 마지막 남은 막내아들은 안으로 싸고돌았다. 대를 이어야 한다나 어쨌다나.

'때는 이때다' 하고 자신이 국가의 부름을 대신하겠다고 캐서린이 나섰다가 눈물 쏙 빠지게 혼났다.

하지만 일찍 전사한 두 오빠에 대한 동경이 있는 캐서린으로서는 검술을 배우고 싶었다.

무엇보다 검술 배우는 게 좋았다. 검술을 배우는 순간에는 위의 두 오라버니가 꼭 살아 숨 쉬는 것만 같았다. 오라버니와 검술 대련을 하며 느꼈던 자유로움을 잊을 수 없었다.

'그런데 뭐? 재능이 없다는 것을 단단히 확인시켜 주라고? 나도 한 실력 한다고!'

이를 북북 갈며 나선 수련장에 상대로 선 남자는 보기 드문 미남이었다. 짙은 벌꿀빛 금발에 청보라색의 눈동자를 지닌 그에게 순간적으로 마음이 설렜으나, '생긴 건 어디서 기생오라비 같은 인간을 데려다 놓고, 지면 더욱 수치스러울 거라 여겨 골라 잡았나?' 하는 생각에 캐서린은 적당히 못 하는 척하다가 허를 찔러 일순간에 나가떨어지게 하리라 마음먹었다.

서툰 척하려고 검을 치켜든 순간, 그대로 댕강 하고 검이 공중으로 날아가 버렸다.

그가 어찌나 세게 내리쳤는지 손목에 전해 오는 충격파를 감당하지 못하고 칼자루를 놓치자마자 동시에 칼은 뱅글뱅글 회전하며 푸른 하늘에 한 줄기 빛으로 사라져 버렸다.

어리둥절해진 캐서린은 자신이 서툰 척하려다가 화를 자초했다고 생각해 두 번째엔 검을 단단히 쥐었다.

그가 선공을 양보했고, 캐서린은 먼저 그에게 달려들어 찌르려 했다.

분명 앞에 있었던 그가 어느새 바로 옆을 스쳐 캐서린의 뒤를 노렸다.

허를 찔린 캐서린은 간신히 몸을 틀어 그의 공격을 막았고 퉁겨지듯 뒷걸음질 쳐 그를 공격하려 했지만, 그는 전광석화와 같이 왼쪽 오른쪽에 나타나 캐서린을 궁지로 몰아넣었다.

공격은커녕 그를 막아 내기도 버거웠다.

그 짧은 몇 합의 대결에 캐서린의 머리는 산발이 되었고 땀과 먼지로 뒤범벅이 되었다.

그 순간이었다. 그는 칼을 제멋대로 칼집에 집어넣더니 헨리크에게 갔다.

'분하다!'

검술 시합에서 손도 못 쓰고 농락당하듯 이런 무력한 모습을 아버지에게 보이게 되다니 혀를 깨물고 싶었다.

그 기생오라비 같은 남자는 헨리크에게 다가가 웃으며 말했다.

"따님은 상당한 재능을 타고났습니다. 이대로 검술 시키시죠?"

과거의 추억을 떠올리다가 딸깍하고 문 여는 소리에 캐시는 정신 차렸다. 사실상 여기사가 되기 위한 길은 라울린이 열어 주었다. 그런 그가 어떻게 잊힐 리가.

"이거면 됩니까?"

기사 미키가 라울린이 요구한 책자와 서류들을 가져와 라울린의 자리에 내려놓았다.

"하나가 빠진 것 같은데. 녹색 띠가 둘린 장부, 창고에서 왼쪽 선반 제일 위의 상자에 든 것."

"아! 죄송합니다. 마저 가져오겠습니다."

미키는 서둘러 다시 나갔고 반쯤 열린 문으로 누군가가 똑똑똑 노크를 했다.

캐시는 그쪽을 쳐다보았다. 처음 보는 여자라 조금은 당황스러웠다. 그러나 여자는 라울린과 친한 척했다.

"라울린, 지금도 바빠요? 샌드위치 좀 드시라고 만들어 왔는데."

캐시는 얼른 출석 일지를 덮고 밖으로 나갔다.

라울린과 그 여자가 수작 부리는 꼴은 별로 보고 싶지 않은 광경이었다. 과거에 라울린은 보란 듯이 이 여자 저 여자 꿰차고 다니며 캐시에게 상처를 주었다.

왜 그런 행동을 했는지 이유를 아는 지금이라도 결코 두 번 다시 겪기 싫었다. 그가 캐시의 가슴을 또 무너뜨리기 전에 자리를 뜨는 편이 나았다.

캐시가 나가는 것을 본 라울린은 미간을 찡그리고 서류만 훌훌 넘겨보았다.

"거기 두고 나가십시오. 감사히 잘 먹겠습니다. 보시다시피 할 일이 밀려서 이만."

그답지 않게 퉁명스러운 목소리였다.

그녀는 눈을 갸름하게 뜨고는 라울린을 바라보다가 한마디 던졌다.

"혹시 전에 이야기했던 여자가 저 여자 맞죠?"

라울린은 대답이 없었다. 그녀는 라울린에게 다가가 그가 든 서류를 손가락으로 걸어 내려 자신을 바라보게 했다.

"곤란하니까 못 들은 척하는 거죠? 그렇죠?"

라울린의 청보라색 눈동자가 무심하게 그녀를 향했다.

"지금 일하는 것 안 보입니까? 방해받고 싶지 않은데 말입니다."

"과거의 인연이라면서요. 그런데 이렇게 가까운 데서 일할 줄은 꿈에도 몰랐네요. 벨라시아에 왔는데도 저를 찾지 않는 거예요?"

그녀가 교태를 부리자 라울린은 서류를 팔락거리며 털듯이 가볍게 들어 올렸다.

"우리야말로 무슨 사이라도 됩니까? 샌드위치나 만들어서 가져오는 사이? 바쁘니까 이만 가 주셨으면 합니다만. 일에 지장 있으니 다음부터는 이런 식으로 드나드는 것은 불가합니다."

라울린의 말에 여자는 입술을 삐죽이며 밖으로 나갔다.

열린 문틈으로 저 멀리 캐시의 뒷모습이 보였다. 다른 경비병과 이야기 중이었다.

경비병과 이야기하던 캐시는 문득 뒤통수가 따가움을 느끼고 돌아보았지만, 라울린은 관심 없는 척 시선을 돌렸다.

신경 쓰고 싶지 않았지만, 자꾸만 벨라가 미래를 말했던 내용이 마음에 걸렸다.

'따라오지 말라고 가둬 놓고 출발했는데도 기어코 탈출해서 따라와 내가 죽은 곳에서 전사한다…….'

라울린의 눈이 한껏 흐려졌다.

행복하게 잘살기를 바라서 힘들게 끊은 인연이었다.

'그런데…….'

"누가 신경 쓴대요? 그러니 상관하지 마요."

퉁명스러운 말과는 달리 한껏 웃음을 띤 캐서린의 얼굴이 봄날의 햇살만큼이나 눈이 부셨다.

"저는 아버지가 누구인지도 모르는 평민의 자식입니다. 아가씨와는 급이 맞지 않습니다."

"그래서요?"

라울린이 난처해하거나 말거나, 캐서린은 손을 내밀어 그의 어깨에 붙은 머리카락을 떼어 주었다.

"예쁜 벌꿀빛 금발이에요. 이 머리카락 내가 가져도 돼요?"

그의 머리카락을 햇빛에 비춰 보이며 마치 황금 실이라도 얻은 양 기뻐하는 캐서린의 손에서 라울린은 얼른 자신의 머리카락을 빼앗아 갔다.

"앗. 너무해! 그건 내가 주웠으니 내 것이라고요!"

캐서린은 라울린의 손에 든 머리카락을 되찾으려고 손을 뻗었다.

"대체 이런 쓸데없는 것을 왜?"

"이렇게 적극적으로 대시했는데 까여 보기는 처음이네요. 그래도 저 매력 없단 소리는 들어 본 적이 없는데. 내가 맘에 들지 않아요?"

캐서린은 도통 곁을 주지 않는 라울린이 서운해서 눈물을 글썽였다.

"그런 게 아니라……."

한숨을 쉬며 난감해하는 라울린에게 캐서린은 눈빛을 흐리며 말했다.

"턱밑의 그 흉터, 카드모스 섬 전투에서 동료 네 명을 구하고 얻은 영광의 상처라면서요. 그 공로로 기사 작위를 받았고요. 아버지께 들었어요. 당시 당신의 공이 무척 컸다고……."

그가 진심으로 탐났다.

"아무것도 아닌 사람이 평민이란 신분을 극복하고 기사 작위를 받을 리는 없잖아요. 걱정 마요. 아버지는 저를 무척 사랑하시고, 당신의 재능을 높이 여기세요. 충분히 설득 가능하다고요. 제가 아버지를 설득하면 그때는 제 진심을 알아주실래요?"

"하지만 아가씨……!"

무언가 말을 꺼내기도 전에 캐서린은 갑자기 두 팔로 라울린의 목을 덥석 감아 안고 그의 입술에 자신의 입술을 포갰다. 라울린의 눈이 커졌다.

"아얏!"

캐서린은 잽싸게 라울린의 머리카락 몇 가닥을 뽑아 들고 날쌘 동작으로 도망치며 손을 흔들었다.

"주지 않으니 직접 가져가요! 라울린! 선물 고마워요! 펜던트에 넣어서 평생 간직할 거예요!"

맹랑한 아가씨의 기습 키스에 머리카락까지 쥐어뜯긴 라울린은 할 말을 잊은 채 그저 눈앞에서 사라져 가는 해맑은 표정의 캐서린을 바라볼 뿐이었다.

그리고 시야에서 캐서린이 사라지자 엄지손가락으로 자신의 입술을 살며시 쓸어 보았다.

너무나 순수해서 부담스럽기까지 한 캐서린의 사랑이 어쩐지 자신을 정화하는 것처럼 순백의 빛으로 가슴에 와닿은 순간이었다.

라울린은 저도 모르게 엄지손가락으로 자신의 입술을 살며시 쓸어내리고 있었다.

아직도 그때의 그 입맞춤의 느낌이 입술에 선명했다.

여자와의 첫 키스는 아니었으나, 여자가 먼저 달려들어 덥석 입술을 훔치고 달아나기는 처음이어서 어쩐지 첫 키스처럼 심장이 순수해지는 기분이었다.

그런 그녀가, 세월의 풍파에 닳고 닳아서 새까맣게 그을리고 사내처럼 짧은 머리를 하고 눈앞에 서 있었다. 손 내밀면 닿을 자리에…….

캐시는 경비병과 이야기하고 있다가 아까 그 여자가 쌩하니 찬바람을 일으키며 나가는 모습을 바라보았다. 여자는 뾰로통한 입술을 앵돌아지게 다물고 있어서 누가 봐도 단단히 삐진 듯했다.

"어? 벌써 가시게요?"

경비병이 그녀에게 아는 척했으나 여자는 뒤도 돌아보지 않고 사라져 갔다.

뒤이어 라울린이 걸어 나와 경비병을 향해 소리쳤다.

"누가 아무나 저택에 허락 없이 들이라고 했나! 여기 벨라시아에서는 경비를 이따위로 서나? 이따가 정신 교육 제대로 시켜 주지!"

화들짝 놀라는 경비병들은 안중에도 없는지 라울린은 다시 서류를 들춰 보며 황급히 사무실 안으로 들어갔다.

캐시는 저도 모르게 안도의 숨을 내쉬곤 피식 웃었다. 지나치게 어깨에 힘을 주고 있다가 일순간 맥이 풀린 기분이었다.

라울린은 전에 썼던 작전은 되풀이하지 않을 모양이었다.

그것만 해도 다행이었다. 다시 눈물 흘리고 싶지는 않았다. 정을 떼기 위해 온갖 여자를 끌어들여 끼고 다니던 모습은 두 번 다시 보고 싶지 않았다.

캐시는 라울린과 연인이던 시절을 떠올렸다. 검술 선생과 제자로 마주했던 그 당시. 지금 생각하면 부끄럽지만, 검날을 주고받으며 함께하는 그 모든 시간이 사랑의 밀어와도 같이 느껴졌던 시절이었다.

그는 그 당시엔 빈틈이 없었다. 마치 잘 벼려진 검날처럼, 건드리기만 해도 베일 것 같은 날카로운 살기가 감돌았다. 그때도 지금처럼 농담은 잘 던지는 편이었지만 어딘가 예리해서 듣는 사람 어딘가를 뜨끔하게 하는 부분이 있었다.

그런 그가 좋았다. 쉽게 곁을 허락하지 않던 그의 어깨에 처음으로 손을 얹었던 날의 두근거림이 아직도 생생한 기분이었다.

"딸아. 들리는 소문에 네 검술 선생에게 연심을 품은 것 같다는 말이 있더구나. 단도직입적으로 물어보마. 캐서린, 그를 마음에 두었느냐?"

아버지 헨리크가 딸을 서재로 불러내 물었다.

뭐라 대답을 해야 할지 망설이는 캐서린에게 헨리크가 마저 입을 열었다.

"사랑하는 딸아, 이 아비는 네가 손에 검을 들지 않기를 바랐다."

그 말을 하며 헨리크는 보고 있던 서류를 덮었다.

"그저 평범한 여염집 영애들처럼, 좋은 가문에 시집가서 편안하고 안락한 삶을 살길 바랐다. 그러나 네 뜻이 너무나 확고하여 차마 꿈을 꺾지 못하고 검술 교습을 허락했다마는, 그것은 그저 일종의 교양과도 같은 것일 뿐, 손에 피를 묻히는 일을 시키려고 배우게 한 것은 아니다."

헨리크의 얼굴은 잔뜩 경직되어 있었다.

"혹시라도, 네게 좋지 않은 소문이 돌아 장래에 너의 혼삿길에 지장을 줄 거라면 검술을 그만 배우도록 할 것이다."

"아버지!"

청천벽력과도 같은 소리였다. 처음에는 검술을 배우기 위해서였지만, 지금은 하루도 그를 보지 못한다는 것은 상상할 수도 없었다.

"아버지 보시기에 부끄러운 적은 단 한 번도 없었습니다! 그저 소문이 돌 염려가 있다는 이유만으로 그만 배우라는 것은 안 됩니다! 이제 와서 다른 선생을 구해다 배운다는 것이 더 어렵습니다!"

캐서린은 아버지를 설득하기 위해 애썼다.

"더군다나 아버지께서 신뢰하는 부하 아닙니까? 다른 사람은 몰라도 그자는 믿을 만하다고 몇 번이나 칭찬하지 않으셨습니까?"

캐서린의 말에 헨리크는 딸의 얼굴을 빤히 바라보다가 입을 열었다.

"그야, 부하일 때의 이야기이고……."

헨리크는 정색했다.

"캐서린, 그는 아비가 누군지도 모르는 천한 출신이다. 들리는 말에 의하면 어두운 뒷골목에서 온갖 잔심부름을 하다 하급 병사를 따라 소년병이 되어서 전장에서 자랐다고도 한다."

헨리크의 눈살이 찌푸려졌다.

"실력이 좋을지는 모르나 정식 교육을 받은 적도 없고, 글도 독학으로 스스로 깨쳤다고 한다. 제법 공을 쌓아 지금의 위치에 올랐다고는 하나 그 번드르르한 가면 뒤에 어떤 일그러진 면이 있을지 모를 일이다."

그는 깊은 한숨을 토해 낸 후 말을 이어 갔다.

"본디 사람이란 근본에서 벗어날 수 없는 법이다. 농담 잘하고 유쾌해 보이니 사람 좋게 느껴지겠지만, 그런 자와 염문이 돌아 봐야 너만 손해다."

아버지의 목소리는 냉랭했다.

"이제 배울 만큼 배웠으니 너 혼자 연습해도 되지 않느냐. 더 이상 선생이 필요한 수준은 아닌 것 같은데."

라울린을 그만두게 한다는 뜻을 내포하는 말에 캐서린은 펄쩍 뛰다시피 했다.

"애초에 일부러 정식 검법을 익히지 않은 사람과 대결하게 하여 제 자존심을 꺾어 놓으시려 했던 것 다 압니다. 그 후에도 어디 가서 검술 배웠다는 소리 하지 못하게 그에게 배우도록 하신 것도요!"

캐서린은 저도 모르게 높아지는 목소리를 낮추려고 애썼다.

"하지만 그는 천부적인 재능을 타고났어요! 아버지도 아시잖아요!"

자신의 진심이 아버지에게도 닿기를 바랐다.

"그는 어깨너머로 본 것만으로도 그 검법을 오랫동안 익힌 사람보다도 정확하게 핵심을 꿰뚫습니다."

캐서린은 그 어느 때보다도 절실히 신께 간곡히 바랐다. 아버지를 설득해 마음을 돌리고 싶었다.

"그보다 더 요점 정리를 잘해서 절 가르쳐 줄 수 있는 사람도 없을뿐더러, 심심풀이로 다른 사람들과 대련시켜 보셔서 아시잖습니까? 어지간한 병사들은 제가 다 이깁니다. 저의 부족한 점을 끊임없이 일깨워 주고 저를 바른길로 이끌어 주는 것은 라울린밖에 할 수 없는 일입니다."

헨리크는 눈썹을 찡그리며 못마땅한 표정으로 딸을 바라보았다.

"캐서린! 그자는 군인이다. 전장에서 공을 세우는 것만이 그 비천한 신분에서 거머쥘 수 있는 유일한 출셋길이다. 여기에 묶어 놓아서 그에게 공을 세울 기회를 뺏는다고는 생각하지 않느냐?"

헨리크의 목소리는 노기를 띠고 있었다.

"그는 야심이 크다. 그 형편없는 핏줄로서 올라갈 수 있는 최대한의 기회를 노리고 있어. 그의 속마음을 잘 아는 나로서는 더 두고 볼 수가 없다!"

그 뒤는 당연히도 사랑의 도피행이었다.

사랑만으로 모든 것을 다 극복할 수 있을 줄 알았던 둘에게는 고난의 연속이었다. 특히나 가난을 처음 겪어 보는 캐시는 무척이나 고통스러웠고, 라울린은 그 모습을 지켜보기 힘들어했었다.

출산 때가 다 되어서 라울린은 캐시를 강제로 하이아드 백작가로 되돌려 보냈다.

캐시는 눈을 감았다.

아이를 낳았더니 아이는 보여 주지도 않고 어머니가 데려가 버렸다. 그러더니 사산했다고 전했다.

그리고 라울린이 마지막으로 남긴 말을 떠올렸다.

'미안한 말이지만, 모두 장난이었습니다. 당신이 지체 높은 귀족 집안 딸이어서, 당신의 재산과 지위가 탐나서 슬며시 손을 내밀었을 뿐인데 덥석 붙잡고 딸려 오더군요.'

그가 눈웃음을 지었다.

'사실 재미있었습니다. 그저 사탕발림 조금 해 주고 눈웃음만 지어 주어도 가슴 설레 하는 당신의 모습이 웃겼습니다. 그저 재미로 당신을 유혹했고, 당신은 그것이 사랑이라 착각했을 뿐입니다.'

그의 말 한마디 한마디가 비수처럼 캐서린의 가슴에 와서 박혔다.

'하지만 저는 당신 아버지께서 말씀하시듯, 근본 없고 품성도 천박한 평민일 뿐입니다. 제게 뭘 기대하셨습니까? 이제라도 가면이 벗겨진 것은 아쉽지만, 더 이상 볼 재미도 없으니 전 이만 떠나가겠습니다.'

그가 후련하다는 듯 웃어 보였다. 캐서린은 심장이 산산이 조각나 부서져 내리는 기분에 절망했다.

'가망 없는데 여기서 깐족거려 봐야 좋을 일도 없고, 당신 말고도 멍청한 귀족 영애는 널리고도 널렸으니까 그런 골빈 여자 하나 골라잡아서 신분 상승하는 것이 제 꿈입니다.'

그는 잔인한 말만 골라서 했다.

'어차피 망친 몸, 그렇다고 함부로 굴리다가 인생 망치지 마시고, 길 가다 똥 밟았다 생각하고 저 따위는 기억에서 지우십시오.'

그는 하이아드 가문의 저택에서 뛰쳐나간 후로, 온갖 여자와 염문을 뿌리고 다닌다는 소문이 돌았다. 그 소식에 얼마나 절망했던가.

그러나 이상했다. 신분 상승이 목적이라며 멍청한 귀족 영애를 찾으련다는 거창한 그의 포부에도 불구하고 그는 가정을 꾸리기에 적합하지 않은 여자만 상대로 염문을 뿌렸다.

자꾸만 쏟아지는 과거의 기억에 캐시는 눈을 느리게 떴다 감았다.

그때 얼마나 하늘이 무너지는 것 같았던가. 얼마나 그를 원망했던가.

라울린과 사귀었던 여성에게 들은 말을 떠올렸다.

'……오는 여자 안 막고 가는 여자 안 붙잡겠다는 말을 뻔뻔하게도 해 대곤 했죠. 하지만 미워할 수는 없었어요. 정말로 사랑에 빠졌다고 생각한 적이 있었는데, 그 여자의 신세를 망쳐 놓은 것은 진정한 사랑이 아니었던 것 같다고, 두 번 다시 사랑 타령 따위는 할 생각이 없다나요.'

'적당히 놀아 줄 거라면 어떤 여자든 오케이라고 하더군요. 그 말에 왜 그리 마음이 설레던지. 혹시라도 나라면 그 마음 돌릴까 싶은 희망을 품고 열심히 대시해 보았지만, 웬걸, 정말 진지함 따위는 눈곱만큼도 없더라고요.'

'헤어질 때조차 진지함은커녕 일말의 미안함도 없던데요?'

마음을 잡지 못해 방황하던 어느 날, 아버지와 비서가 은밀히 하는 이야기를 본의 아니게 엿들은 적이 있었다.

"라울린, 그놈이 여기저기 추천장을 써 달라고 하는 모양인데, 그놈이 가서 요구할 수 있는 모든 경로를 차단해. 반드시. 그놈이 이 나라에서 절대로 발붙일 곳 없게. 그저 돈만 많이 주면 할 수 있는 용병단 외엔 갈 데 없게 만들어서 전장에서 쥐도 새도 모르게 죽게 만들어. 녀석에게 번듯한 직업을 갖지 못하도록 모든 수단과 방법을 동원해."

비서가 대답했다.

"그래도 장관님의 지저분한 뒷일들을 많이 처리해 주지 않았습니까? 그러다가 그자가 그 일들을 확 불어 버리면 어찌하실 겁니까?"

"그 일들은 걱정하지 마, 나와는 관계없는 일이라 딱 잡아떼면 그만이고, 그놈에겐 약점이 있으니까. 카라가 내 호적에 올라 있는 한, 카라를 위해서 녀석은 내게 음해를 가하지 못할 것이다. 카라를 내 딸로 입적시키는 대가로 녀석이 떠나가기로 약조한 것이니까."

"카라 아가씨가요? 대체 왜……? 카라 아가씨는 장관님의 늦둥이 딸이 아닙니까? 그런데 그와 무슨 상관이 있습니까?"

"실은…… 카라는 딸이 아니라 손녀라네."

"손녀요?"

"캐서린에게는 아이를 낳자마자 죽었다고 말했지만, 실은 아이를 빼돌려서 라울린에게 데려가라 했었지."

"그런데 데려가기를 거절한 것입니까?"

"아니. 녀석은 데려가려고 했었지. 사실 우리 집안에 대대로 유전병으로 구순구개열을 지니고 태어나는 경우가 종종 있다는 건 자네가 더 잘 알지 않나. 하지만 대외적으로는 비밀이지. 차라리 카라가 토끼 입술로 태어난 게 다행이었네."

그는 목소리를 낮춰 속삭이듯 말했다.

"라울린에게 말했다네. 천박한 피를 이어받아서 이 아이가 기형으로 태어났다고 말야. 이런 기형이 군인 아비를 따라 전장을 어미 없이 떠돌면 어찌 되겠는지 한마디 던졌더니 바로 내게 무릎 꿇고 애원하더군. 그래서 카라를 내 딸로 입적하는 조건으로 녀석에게 두 번 다시 캐서린 근처에 얼씬도 하지 말라 하였네."

그날부로 캐시는 긴 머리를 짧게 자르고 가출했다. 그리고 라울린을 찾기로 마음먹었다.

헨리크의 농간으로 모든 출셋길이 막혀 버린 라울린을 찾기란 쉽지 않은 일이었다. 그가 어디로 잠적했는지 찾는 데 애먹었다.

하지만 드디어 찾았다. 정계와는 동떨어진 아르티드 후작가에서.

캐서린은 혼자 서글픈 미소를 입가에 띠웠다.

사무실에서 라울린은 들여다보던 서류를 책상 위에 내려놓았다. 서류에 집중해야 하는데 자꾸만 정신이 흐트러졌다.

승전 연회 마지막 날 헨리크 엘 하이아드 백작이 한 말이 마음에 걸렸다.

벨라를 뒤따라가려는데 하이아드 백작이 순간 으슥한 방향으로 그의 어깨를 밀쳤다. 은밀한 이야기를 하겠다는 신호였다.

라울린은 잠시 루카스에게 상황을 말하고 하이아드 백작이 이끄는 곳으로 갔다.

두 사람의 사이에는 무거운 침묵이 짙게 내려앉았다.

그 침묵을 먼저 깬 것은 헨리크였다.

"어디서든 네놈은 바퀴벌레처럼 잘도 살아남아 있으리란 생각은 했지만, 생각보다는 가까이에서 있었군. 내 눈에 두 번 다시 띄지 말라 했던 말을 잊었나?"

라울린은 무심한 듯한 눈으로 헨리크의 얼굴을 바라보다가 피식 웃으며 말했다.

"아. 밥은 먹고 살아야 하니까요. 나름 공무 수행 중입니다. 워낙 실력이 출중한 몸이라 쓰일 곳은 있었습니다만."

"배은망덕한 놈!"

침을 내뱉듯 말하며 헨리크는 우악스럽게 구긴 얼굴로 라울린을 노려보았다.

"배은이라니요. 이렇게 충실하게 당신께서 말씀하신 대로 숨죽여 살아가고 있는데 말입니다."

라울린의 말이 끝나자마자 헨리크가 입을 열었다.

"숨도 쉬지 말고 살아가는 것이 좋을 것이다. 그렇지 않으면 카라는……."

그 뒷말을 듣지 않겠다는 것처럼 라울린이 중간에 말허리를 잘랐다.

"캐서린 아가씨가 제 밑에 들어와서 견습 기사직을 수행하고 있다는 것 아십니까? 지금이라도 데려가십시오."

"그 더러운 입으로 내 딸 이름도 입에 담지 마라!"

헨리크는 흥분해서 자신의 콧수염에 침방울이 튄 것도 모른 채 소리쳤다.

"무슨 농간을 부려 그런 것인지는 몰라도 에이든 엘 카스웰 포르위네 기사단장과 척을 질 수가 없어서 잠시 눈감아 주고 있는 것뿐. 혹여 손끝 하나라도 댔다가는 카라는……."

라울린은 허탈하게 웃으며 머리카락을 쓸어 올렸다.

"거참, 카라, 카라, 카라……. 말끝마다 협박이시군요. 그렇게 하실 거라면 왜 손녀를 딸로 입적하셨습니까? 말씀은 그리하셔도 털끝 하나 다치게 하지 않으시리란 것을 잘 압니다."

"허튼소리 하지 마라! 그 반반한 얼굴과 얄팍한 실력으로 세상 무서운 줄 모르는 모양인데, 용케도 궁벽한 시골에 일

자리 구했다 해서 그걸로 끝이라고 생각하지 마라! 너 같은 평민 나부랭이는 그 어디에도 발붙일 데 없게 해 줄 테니!"

부르르 떨며 말하는 헨리크를 물끄러미 바라보던 라울린은 웃으며 고개를 저었다.

"그 얄팍한 실력을 실컷 이용해 먹을 때는 언제고, 이젠 버린 카드라 이겁니까? 어쩌죠? 제가 모시는 가문은 정치와는 그다지 상관이 없어서 말입니다. 어쨌거나 아가씨께선 충실히 기사직을 수행 중이십니다. 지금이라도 늦지 않았습니다. 떠메 가시려거든 당장 데려가십시오."

"허! 캐시의 앞길을 막을 수가 없어서 마지못해 두는 것뿐, 정식 기사가 되면 너와도 영원히 안녕이다. 너야말로 쥐새끼처럼 숨죽여 지내라. 예의 주시할 것이다!"

헨리크가 분노로 눈을 크게 부라리자 라울린은 예의 빈정거리는 미소로 화답했다.

"다시는 눈에 띄지 말라는 엄명을 아주 자알 수행 중인데 그마저도 불만이시군요. 아. 그럼 눈에 띄어 달라는 뜻입니까?"

헨리크는 에잇 하는 소리를 내뱉더니 제 분을 못 이기고 몸을 어둠 속으로 획 돌렸다.

라울린은 그날을 떠올리며 마른세수하듯 얼굴을 손으로 쓸어내렸다.

인연이란 참으로 질긴 놈이었다.

기사 미키가 라울린이 말한 녹색 띠를 두른 장부를 가지고 왔다.

라울린은 장부를 받아 들고는 그에게 지시를 내렸다.

"오늘의 훈련은 모두 네가 전담해라."

"네? 제가 전담합니까?"

순박하고 건장한 시골 총각같이 생긴 사내가 라울린을 쳐다보며 어리둥절했다.

"그래, 미키. 아무나 들여보내는 경비병들 정신 교육도 좀 하고, 오늘은 나를 부르지 마라."

라울린은 이제 장부를 들여다보기 시작했다.

"그런데 대장. 그게 뭡니까?"

미키는 라울린을 신기하다는 듯한 눈으로 바라보았다.

"제국군의 전술 전략에 대한 자료다. 생각할 것이 있어서 이것들을 들여다봐야 하니 방해하지 마."

"넵. 알겠습니다."

미키가 나간 후 라울린은 책자를 이것저것 펼쳐 놓으며 두 손을 깍지 끼워 턱을 괴고 생각에 잠겼다.

교대하기 전, 기사 제스로가 출석 일지를 작성하러 사무실에 들어왔다.

마침 잘되었다는 듯 라울린은 제스로에게 말을 걸었다.

"전투에서 가장 요긴한 존재가 무엇이지?"

"기병대요."

"그래. 제국군의 전술에서 가장 중요한 건 기병과 보병, 포병의 활용인데 이 중에서도 가장 핵심은 기병대지."

기병은 전체 보병 병력의 6분의 1 정도의 비중이면서도 전투 중 전천후 기능을 발휘하는 존재였다. 하지만 키우는데 드는 시간과 비용에다, 말이라는 생명체가 인간의 뜻대로 움직이지만은 않는 만큼 수많은 변수가 생기므로 기병을 엄호할 포병의 역할 또한 중요했으며 전쟁 시 포병대가 이동하기 위해 전투에 수많은 제약이 발생하곤 했다.

총이란 탄약과 탄환을 긴 막대로 깊숙하게 쑤셔 넣어 장전한 후 편대를 형성하여 열과 횡을 맞추어 전장으로 진군하는 것이 순서였다.

라울린은 잠시 전투 현장을 떠올렸다.

뒤에서 포병들이 전진을 위해 지원 사격을 한다. 자욱한 포탄 연기 속에 겁에 질린 제1열들이 나란히 서서 자신이 가야 할 길을 바라본다.

그리고 전진을 알리는 북소리와 군악대의 음악에 맞추어 대열이 전진하면 맨 앞은 총알받이로 쓰러져 가고 뒤에 서 있던 자들이 그대로 서서 지휘관의 지휘에 따라 적 진형을 향해 총을 쏜다. 그리고 전진.

맨 처음 총을 쏜 자들은 장전을 위해 잠시 멈춰 선다. 그러면 제2열이 앞으로 나아가며 다시 지휘관의 지휘에 따라 일제 사격. 총을 다 쏜 이들은 다시 장전을 위해 뒤로 물러서고, 그 사이 제3열이 앞으로 돌격한다.

"제스로, 총 놔두고 총검으로 싸우는 이유가 뭐지?"

라울린의 말에 제스로는 별 웃긴 소리를 다 한다는 듯 시큰둥하게 대답했다.

"적과 근접해지면 총알을 장전할 여유가 없어서죠. 뒤지기 싫으면 당연히 총검으로, 총검마저 없으면 맨몸으로라도 싸워야죠."

라울린의 상상이 이어졌다.

그러다가 지휘관의 지휘에 따라 기병대가 돌진한다. 날랜 말에 탄 기병들은 육탄전이 벌어지는 그 좁은 사이를 긴 장창으로 헤집으며 무차별적인 학살을 거행한다.

"육탄전에서 제국군이 150년 이상 승리만 한 비결이 뭐지?"

라울린의 말에 제스로는 일지에 자신의 이름 부분과 날짜의 교차점에 서명하며 성의 없이 대답했다.

"페로하트의 정예병들을 따를 자가 없으니까요. 제국을 떠받치는 세 기둥이라 불리는 가문의 신기에 가까운 검술 실력으로 보병조차 기병 이상의 몫을 담당하니까요."

특히나 그들의 검법 중에서 숙련되면 능히 몇 초 만에 50여 미터는 미끄러지듯이 질주해 총병의 목 앞까지 갈 수 있는 검식이 있었다. 적의 총병은 최대한 페로하트의 정예 부대와는 70미터 이상 거리를 유지하지 않으면 즉사였다.

"그래서, 실전에서 제국의 세 기둥 가문의 사병들을 보면 무슨 생각이 들던가?"

라울린의 말에 제스로는 혹시 듣는 사람 없나 주변을 살펴본 후에 안심하고 라울린에게 말했다.

"자부심이 지나쳐서 꼴통 짓을 일삼죠. 아무리 빨라도 총알 자체를 피할 수 있는 건 아닌데 총 알기를 너무 우습게 알다가 꼭 꼴통 짓을 한다니까요."

라울린은 제스로의 말에 크게 웃었다.

"총으로 사람 죽이는 건 우아하지 못하다고 야만인 취급을 하는데, 전쟁터가 무슨 무도회장도 아니고 예의나 격식을 거기서 왜 따집니까?"

제스로는 쌓인 게 많다는 듯 투덜거렸다.

"수 세기를 이어 온 화려하고 우아한 살인 기술. 개나 주라지. 서사시와 낭만. 귀족 가문의 긍지, 당장 사람이 죽어 나자빠지는데 배때기 부른 소리죠."

라울린은 제스로의 표정을 보며 낄낄거리고 웃다가 이내 웃음기를 지웠다.

'후장식 소총이라니. 매복전의 양상으로 탈바꿈한다니…….'

기존의 후장식 소총은 뒤에서 탄약을 장전한다 쳐도 발사 시에 종이 탄피가 찢어져 뜨거운 화약 가스가 총병의 얼굴에 화상을 입혔고, 사거리도 겨우 50미터 남짓.

페로하트의 정예부대원에게 걸리면 총 한 번 제대로 쏴 보기도 전에 도륙이 났다.

라울린은 종이 탄피로 인한 단점이 개선되고 사거리가 전장식 소총만큼 70미터가량으로 개량된 후장식 소총으로 인해 벌어질 새로운 전투의 한 장면을 머릿속에 상상했다.

숨죽여 엎드린 매복 부대가 땅속에 구덩이를 파고 위장해서 숨어 있다.

전투에서 가장 큰 역할을 하는 것은 더 이상 검술도, 기병, 보병, 포병 간의 적절한 배치 조합도 아니었다.

"말 그대로 일방적 학살이 가능하겠군……."

라울린의 혼잣말에 제스로는 나가려다 말고 고개를 갸웃했다.

“무슨 말씀입니까?”

라울린은 제스로에게 지나가는 말처럼 말했다.

“종이 탄피가 아니라 금속 탄피를 쓴다면 후장식 소총 부대가 우리 제국군에게 타격을 줄 수 있을까 하는 말이다.”

“그건 좀 복잡하겠는데요? 후장식이 그 빌어먹을 종이 탄피에서 뜨거운 가스가 새어 나온다는 단점 빼곤 여러모로 편리한 건 사실이니까요. 그건 전장식 소총과는 달리 들고 기어 다닐 수도 있잖습니까? 제국군과 개량된 후장식 소총 부대가 맞붙으면 승패는 가늠하기 힘들겠습니다. 그러면 후방 지원하는 포병이 더 중요해지겠는걸요?”

라울린은 제스로의 말에 진지한 표정을 지었다.

‘그렇지. 종이 탄피 문제를 개선할 기술력이면 폭약의 개발도 지금으로선 상상할 수 없는 방향으로 흘러갈 수도 있고……, 만약 내가 그 모든 것을 가졌다면 나는 부대와 무기를 어떻게 운용했을까? 내가 알고 있던 상식이란 것이 모두 쓸모가 없어지는 순간, 무엇을 우선해야 하는가?’

라울린은 지도 위에 성냥개비들을 임의로 배치하며 턱을 괴고 바라보다가 눈을 지그시 감았다.

더는 말이 없자 제스로는 눈치를 보다가 교대 시간을 위해 밖으로 나갔다.

지금은 편하게 그리젤리의 경비나 맡으며 하릴없이 지내는 한량 같은 신세이지만 비교적 어린 나이에 전쟁터에 나가 거듭되는 살육전에서 살아남은 존재였다.

라울린은 자욱한 피 냄새와 화약 냄새와 피 튀기는 과거의 기억들을 차분히 끄집어내었다.

애초에 전쟁이란, 누군가의 뜻을 관철하기 위해 상대를 죽이고 얻어 내는 승부였다. 남는 것은 앞과 뒤로 산처럼 쌓인 시체와 핏물 구덩이. 그리고 날리는 파리 떼 아니던가.

자신은 평민의 맨 밑바닥에서부터 사람을 많이 죽인 순서로 이 자리까지 올라온 자였기에 그런 귀족 가문의 우아한 살육법은 잘 모를 수도 있다.

하지만 라울린은 확신했다.

아무리 고상을 떨어도 어쨌거나 상대방이 빨리 죽기를 바라는 것은 똑같다는 것이었다.

'화려한 검술 검식을 써서 죽이든, 총알로 한 방에 죽이든, 둔기로 마구 때려 흉하고 고통스럽게 죽이든, 죽음 앞에 무엇이 다른가.'

벨라 엘 아르티드가 보고 온 미래의 풍경이 무엇인지 자신은 본 적이 없으므로 정확히는 알 수 없었다.

'다만 그저 효율적으로 많이 죽이는 방식을 택한 플란네르와, 수 세기 전엔 효율적이었을, 이제는 겉멋이 된 살육 방식을 고수하는 페로하트의 운명이 엇갈릴 것이다.'

라울린은 자신이 숱하게 보아 왔던 전투 장면들을 떠올렸다.

"자, 상상해 보라고. 기마대는 패션도 고상하지. 근사하고 날랜 전투마는 기본이고. 기다란 장검을 모두 앞으로 세워 고슴도치처럼 내달린다고. 그게 바로 기마병의 특장점, 신속한 기습이지."

라울린은 듣는 사람이 있는 것처럼 중얼거렸다.

"지금까지는 무적이었잖아? 어차피 페로하트 세 기둥님들께서 쓰시는 검술은 그 가문의 사병들만 쓰는 것이어서 일반적이지도 않고, 육탄전이 벌어졌을 때나 무적이지. 실전은 기병을 어느 방향으로, 어떤 식으로 운용해 적진을 흩뜨려 놓느냐가 핵심. 포병과 보병은 기병이 최대한 활용될 수 있게 보조적으로 배치해야 승기를 잡을 수 있다고."

총이란 늘 세워서 장전해야 하는 것이었기에 숨는 것에도 제약이 있고 이동에도 제약이 있다. 따라서 기병의 빠른 속도로 상대를 제압해 버리면 총도 무용지물이었다.

그런데.

기병이 기습해 들어오자 적진이 텅 비어 있다.

라울린은 언젠가 있을, 바로 자신이 죽는다는 그 전투를 상상했다.

"일단 달린 말은 바로 멈출 수 없고, 뒤따라 달려오는 말들이 있어 쉽게 멈추기도 어렵다. 순간 매복해 있던 적병들이 총구만 드러내어 일제 사격을 가한다. 후……."

라울린은 고개를 저었다.

어디에 매복해 있는지 예상하지 못하면 일방적으로 살육당할 수밖에 없었다.

"상대가 구덩이에 숨어 총만 쏘아 댄다면, 게다가 사거리까지 개량되어 넓어지면 제국의 세 기둥이라 해도 쓸모없다. 그러면 적이나 아군이나 전진하지 못하고 방어에만 급급하게 되겠지. 그땐 먼저 총알 떨어지는 쪽이 진다."

라울린은 자신이 사령관이라면 원거리 무기를 사용할 것

이란 생각을 했다.

“구덩이 속의 적을 통째로 폭살 시킬 강력한 화력의 무기가 없는 한 승패는 예측 불가. 근접하는 것을 허락할 수 없다면 다들 대량 살상 무기를 개발하는 쪽에 승부를 걸지도…….”

후장식 소총을 개량할 정도의 기술력이라면 지금으로서는 불가능하다고 생각한 개념의 폭탄이 생길지도 모르고, 기마병의 신속함을 대체할 다른 전술이 생길지도 모를 일이었다.

‘앞으로의 전쟁이란 그저 사람을 손쉽게 빠르고 많이 죽일 수 있는 방향으로 무시무시하게 변모한단 말인가. 그래도 너무 빨라……. 세상이 변하리라 막연히 생각은 했지만, 예상했던 것보다도 급격하게 변할 것이라니…….’

라울린은 손끝으로 책상을 톡톡 치며 신경질적으로 생각을 쥐어짰다.

“총알이 뚫지 못할 만한 방어 장비도 생겨나겠지? 그런 것이 있다면 어떤 형태를 갖추고 있을까? 상상이 가능해?”

라울린은 미간을 잔뜩 찡그린 채 생각하고 또 생각했다.

‘지금 시제품으로 개발된 것 중에서, 무겁거나 효율이 떨어지거나 비싸서 상용화되지 못한 발명품들 목록을 살펴보면 미래에 대한 힌트가 생겨날까?’

라울린은 책상 위를 멍하니 노려보고 있다가 자신이 가져온 여러 자료 사이에 낀 팜플렛을 유심히 보았다.

[세계 만국 박람회]

‘당신을 최첨단의 미래 세계로 초대합니다.’

벨라는 아그네사에게 해 주고 싶은 것이 많았다. 같이 식사도 하고 손잡고 이야기도 하고 그녀의 시도 함께 듣고 싶었다.

이안이 아그네사의 가족들을 데리고 왔을 때 벨라는 직접 나가 두 팔 벌리고 반겨 주었다.

나이보다 폭삭 늙어 버린 것 같은 그녀의 어머니와 여동생 세 명이 벨라의 눈치를 살피며 조심스레 발걸음을 내디뎠다. 딸만 여섯인 집안에 언니 둘은 각기 일찍 죽어서 아그네사가 실질적인 맏이이자 가장이었다.

"안녕하세요, 저는 아그네사의 친구 벨라라고 합니다. 이곳을 집처럼 편히 여기시고 머무세요. 언제든 필요하신 것은 말씀하시고요. 아그네사의 가족은 우리 가족과도 같습니다."

이렇게 자신을 소개했을 때 아그네사의 벙찐 표정이란…….

"친구요?"

"아그네사, 우리 친구 하기로 했잖아, 말도 서로 놓기로 했고. 벌써 잊었어?"

벨라는 아그네사의 팔을 다정하게 붙잡으며 살갑게 웃었지만, 아그네사는 그저 어색한 표정으로 웃어 보일 뿐이었다.

과거에는 아그네사가 먼저 다가와 주었기에 몰랐으나 지금 이 순간 벨라는 아그네사에게 다가가는 법을 몰라 애먹고 있었다.
"저희가 이런 곳에서 얹혀살아도 될지……. 정말 면목이 없습니다."
아그네사의 어머니가 연신 고개를 조아렸다.
"아니에요, 저야말로 와 주셔서 감사한걸요. 아그네사가 한사코 거절하는 것을 제가 반강제로 모셔 오게 했어요."
손사래를 치는 벨라에게 아그네사가 고개를 숙이며 말했다.
"제가 롬바르트 가문의 가주로서 자리를 잡으면 꼭 이 신세는 갚겠어요. 염치없지만 그때까지만……."
"아니야 아니야, 안 갚아도 돼. 아그네사. 자꾸 이러기야?"
벨라는 아그네사의 손을 힘주어 잡았다.
"으응……."
하녀 네페라의 안내로 손님방 중 가장 좋은 방으로 그들이 안내되는 동안 벨라는 조용히 한숨을 내뱉었다.
로드니 때처럼 본인은 원치 않는데 벨라 자신이 원하는 대로 일방적인 보답을 해 주는 것이 될까 봐 걱정되었다.
아그네사는 벨라의 무한한 호의가 썩 내키지 않는 눈치였다. 무척이나 불편해 보였고 행여라도 벨라의 심기를 거스를까 봐 눈치 보는 모습이 애처로웠다.
'너와 함께하고 싶은 것이 참 많은데…….'
벨라는 아쉬운 마음을 꿀꺽 삼키고 그들이 방에 들어가서 쉬도록 더 이상 따라 들어가지 않았다.
'하기야 나에겐 너와의 추억이 그렇게나 많은데 이제야 만난 너에겐 나의 기억이 얼마 되지 않겠지.'

벨라는 뒤돌아서서 루카스에게 말했다.

“루카, 아그네사의 빚 청산이랑 가문 승계 작업은 변호사가 잘 도와주고 있겠죠?”

“네. 그 부분은 수월하게 진행 중입니다.”

“시집이 판매 금지된 정확한 이유는 아직 조사 중인가요?”

벨라의 질문에 루카스는 그렇다고 대답했다.

“권력이란 게 대단하긴 하네요. 딱히 문제없어 보이는 시집을 체제 전복의 불온한 사상이 깃들었다고 확대 해석해서 판매 금지했다는 사실이. ‘파랑새의 노래’라는 단어 하나가 액시즈 레크룩스의 혁명가 제피르를 찬양하는 구절이라고 확대 해석할 수 있는지 처음 알았어요. 단순히 그자가 별명이 파랑새였다고 해서 세상의 모든 파랑새가 다 불순하다고 치부할 수가 있는 거예요?”

벨라는 기막히다는 듯이 말을 이어 갔다.

“그런 식으로 판매 금지가 가능하다면 세상의 모든 파랑새란 단어는 지워 버려야죠. 왜 다 놔두고 그 시집만 문제 삼았대요?”

루카스는 말없이 벨라의 푸념을 들어 주었다.

“제피르가 얼마나 악랄한 사람인지는 몰라도 파랑새는 참 억울하겠어요.”

벨라의 말에 루카스가 대답했다.

“그 사람도 나름대로의 사유가 있을 겁니다. 세간의 평이란 진실과 일치하지만은 않죠.”

“응?”

벨라가 무슨 말인가 싶어 루카스를 쳐다보았다. 그러나 루카스는 더 이상 말이 없었다.

"작곡가 니콜라우스의 오페라를 볼 수 있다고?"

리체는 기대감에 눈을 반짝거렸다. 아그네사는 베아트리체 엘 롬바르트로 개명한 이후 아직 어색하긴 하지만 애칭 리체로 불리며 적응 중이었다.

"그럼, 제일 좋은 자리로 예약해 뒀어."

벨라는 리체의 눈동자에 가득 담긴 벅찬 기대감에 미소 지었다. 그 아무것도 벨라에게 바라지 않는 리체가 처음으로 벨라의 선물에 기뻐하는 순간이었다.

"수도에 머무르는 동안 그래도 기억에 남길 추억거리 하나는 만들어야지. 우리 최고급 레스토랑에서 정찬도 즐기고 중심가 구경도 하다가 저녁 시간에 맞춰서 오페라 홀에 들어가면 될 거야. 클레르모 광장에 있는 분숫가에서 산책도 하자. 거기 야경이 아름답다고 하니까."

"정말?"

리체는 저도 모르게 두 손을 맞잡고 기뻐서 환하게 웃었다. 그 모습을 보니 벨라도 저절로 마음속이 환해지는 기분이 들었다.

과거에 베아트리체가 언젠가 꼭 이루고 싶은 꿈 중에 하나라고 말했던 것이었다.

"나한테 너무 잘해 줘서 이런 것까지 받아야 할지 염치가 없네."

너무 좋아하는 티를 냈다고 생각했는지 리체는 부끄러워하며 고개를 숙였다.

"또 그 소리! 신세 지는 거로 생각한다면 나중에 시인으로 유명해져서 나한테 갚으면 되지. 공짜로 잘해 주는 거 아니라니까 그래."

벨라는 리체의 손을 잡고 정원을 거닐었다.

"정원이 참 아름다워. 아침저녁으로 정원을 걷다 보면 내가 지금 꿈을 꾸는 건 아닐까 하는 생각이 들어."

리체는 혼잣말하듯 중얼거렸다.

"뭐가 꿈이라는 거야?"

벨라의 말에 리체는 살포시 미소를 지었다.

"하루하루 사채업자들에게 시달리면서 살았어. 이렇게 조용한 건 태어나서 처음인 것 같아. 언제나 바라 마지않던 고요함인데 어쩐지 이상해. 이 평온함이 내 것이 아니고 곧 깨어질 것만 같아서."

벨라는 리체에게 웃으며 말했다.

"이 평온함이 당연한 거지. 그간 시끄러웠던 건 법률을 잘 몰라서 하지 않아도 될 고생을 한 거고. 셀레스몬 성을 버리니까 얼마나 편해. 어차피 셀레스몬 가주는 네 아버지이시고 딸만 있는 집안이라 승계하게 되더라도 시집간 언니가 남긴 아이들 중에서 물려받으면 되는 거니까."

리체는 말없이 하얀 장미, 붉은 장미가 어우러진 화단 옆을 걷다가 벨라를 바라보았다.

"그 소문이 사실인가 봐."

"응? 무슨 소문?"

리체는 수줍게 웃기만 했다.

"세상에 너 같은 사람이 존재할 줄은 꿈에도 몰랐어."

"내가 뭘?"

리체의 눈매가 부드럽게 휘었다.

"마구 퍼 주는 사람. 남에게 마구 퍼 주는데도 곳간이 비지 않고 오히려 차오르는 사람 말야."

"아아……!"

벨라는 멋쩍게 웃었다.

"우리 집안 가훈이 장원에서 거둬들이는 곡식의 3분의 1은 우리 먹을 것, 3분의 1은 손님과 장원 내 사람들 것, 3분의 1은 어려운 사람들 것이라고 떡하니 써 붙여져 있잖아. 그러니까 그런 거지 뭘."

"그러니까 신기하다고. 우리 가문만 해도 방계 친척들까지 더 가져갈 것 없나 호시탐탐 기회를 노리는데 여긴 대놓고 퍼 주는데도 공짜로 받으러 오는 사람도 없고 고용인들도 너에 대한 충성도가 높고. 대체 어찌하면 그럴 수 있는 건지 봐도 봐도 신기해."

리체의 말에 벨라는 웃으며 대답했다.

"아무리 가훈이 베풀라는 것이지만 그렇다고 이유 없이 베풀라는 것은 아니야. 꼭 도움이 필요한 사람을 돕고, 빈손으로 놀러 왔으면 하다못해 가기 전에 돌이라도 주워서 성벽에 쌓아 주고 가라고 하는걸."

걷다 보니 대문 앞이었다. 고양이 한 마리가 재빨리 문밖으로 달려나가자 리체는 고양이를 따라 대문 밖으로 몇 발짝 내디뎠다. 덩달아 벨라도 따라나섰다.

“나오시면 안 됩니다.”

벨라시아의 경비병들이 막아서기도 전에 주변을 둘러싼 황궁 기사단이 미처 밖으로 나오지도 못한 리체를 협박하듯 안으로 들여보냈다.

“멀리 가는 것도 아니고 대문 밖으로 발도 못 내밀어요?”

벨라는 리체를 뒤로 끌어당기며 따졌다.

“추가 지시가 있을 때까지 외부와의 접촉을 차단하라는 황태자 전하의 엄명이 있었습니다.”

황궁 기사단 중 한 명이 말했다.

“이런 상황인데 정말 오페라 구경하러 갈 수 있는 걸까?”

리체의 물음에 벨라는 황궁 기사에게 소리쳤다.

“이미 통보한 대로 오늘 저녁엔 오페라 관람하러 외출할 거라고요! 지금까지 잠자코 있었으니 그건 꼭 허락해 줘요. 이미 표도 샀다고요!”

“아직 전하께서 이렇다 할 만한 말씀을 하지 않으셨습니다. 그러니 외출 시간까지 전령이 도착하지 않으면 외출 불가입니다.”

“이런 법이 어딨어요!”

벨라는 더 따지려 했지만 어디선가 라울린이 다가와 그런 벨라를 말렸다.

“아가씨, 저자의 말을 따르십시오.”

“날이면 날마다 볼 수 있는 오페라가 아니란 말야! 딱 일주일만 공연하는 거란 말야! 기다릴 만큼 기다렸어. 오늘은 꼭 볼 거야."

벨라는 입술을 삐죽거렸다.

"우리 아가씨를 누가 말립니까. 하여튼 안으로 들어가십시오."

라울린은 벨라의 등을 떠밀어 안으로 들여보냈다.

황태자가 벨라에게 입단속을 시킨 탓이었다. 누구에게도 자신에게 말한 내용을 발설하지 말라고 하더니 벨라를 믿지 못하는 건지 황궁 기사단을 보내 외출하지 못하게 감시하고 있었다.

벨라는 리체가 실망할까 봐 일부러 큰 소리로 말했다.

"루카가 꼭 허가를 받아 올 거야. 난 루카를 믿어."

큰소리치고 들어온 벨라는 서재에서 루카스를 발견하고 실망했다.

"뭐야, 루카스, 외출한 거 아니었어요?"

늘 단정한 차림의 루카가 오늘은 셔츠를 팔꿈치까지 접어 걷어 올리고 단추 몇 개는 풀어헤친 채 구석의 먼지가 뽀얗게 쌓인 서류 박스까지 꺼내 무언가를 확인하고 있었다.

서류 하나 꺼낼 때마다 창고에서 오래 묵어 쌓인 먼지들이 풀풀 날렸다. 깔끔한 것을 좋아하는 그로서는 예외적인 일이었다.

"다들 뭘 그리 찾아내서 읽는 거야? 루카스, 이런 거 한 번 읽으면 머릿속에 다 쓰윽 기억하는 거 아니었어요?"

"남들보다 쉽게 외우긴 합니다만, 그렇다고 노력하지 않고 기억할 수 있는 것은 아닙니다."

루카스를 바라보며 벨라는 서재에 놓인 긴 의자에 걸터앉았다.

"역사적 기록 외에 아르티드가의 가주들이 남긴 일상적인 기록을 찾아보고 있습니다. 그리젤리에 계신 빅터 교수님께 도움이 될 만한 것이 없나 해서요. 나중에 확신이 들 때 말씀드리겠습니다."

그 말을 하며 루카스는 옛 기록들을 하나하나 빠짐없이 읽어 나갔다.

"루카, 그럼 이따가 오페라 관람하러 갈 수 없는 거예요? 나는 지금쯤 루카가 황태자 전하께 가서 외출 허가를 받아 올 거라 생각했는데, 여기 계속 있었던 거면 소용없잖아! 어떡하지? 리체가 무척이나 기대하고 있을 텐데."

루카스는 흰 장갑을 낀 손으로 오래되어 삭기 직전인 문서들을 조심스레 넘겨 보며 말했다.

"걱정하지 마십시오. 저 말고 이안이 갔으니 지금쯤 결과가 있을 겁니다."

"아, 그래?"

그 뒤로 서재에는 종이만 사락사락 넘기는 소리로 가득했다. 벨라는 그런 루카스의 모습을 턱을 괴고 바라보았다.

무심한 표정으로 글자를 뇌리에 한 글자씩 박아 넣고 있는 그의 옆모습은 무척이나 날카로워 보여서 더 말을 걸기가 미안했다.

하지만 한편으로는 그의 머릿속이 궁금하기도 했다.

"루카, 그런데 말야, 정말로 날 믿어요?"

자신의 일기장을 다 보았다고 했다. 그렇다면 그 뒷부분에 자신이 어떻게 죽었는지 보았을 텐데 그는 어떻게 생각하고 있을까?

루카는 글자에 정신이 팔려 사락사락 종이를 넘기고 있을 뿐이었다.

"내가 온갖 삽질을 하면서 인생의 밑바닥으로 떨어졌을 때, 대체 왜 날 위해서 죽었어요?"

벨라는 오래전부터 묻고 싶었던 한마디를 용기 내어 끄집어냈다. 하지만 정말 묻고 싶었던 한마디는 차마 더 덧붙이지는 못했다.

'그리고 왜 마지막 편지에 나를 사랑했다는 말을 했어요? 멀쩡한 모습의 내가 아닌, 그야말로 약에 절고 이성을 놓아버린 인생 막장의 나를……? 아무리 생각해도 사랑받을 만한 짓은 단 하나도 하지 않았던 나를?'

거기까지 묻기엔 어쩐지 부끄러웠다. 그 사랑이 과연 아버지를 대신한 부성애였는지, 아니면 이성으로서의 사랑이었는지 궁금했다. 도대체 어느 타이밍에 나를 사랑했는지 도저히 이해가 되지 않았다.

그러나 야속하리만치 계속해 종이 넘기는 소리만 들렸다.

"루카, 내 말 듣고 있어?"

그제야 루카스는 대답했다.

"글쎄요. 그 일기장 속 상황을 제가 직접 겪어 본 것이 아니라서 저도 잘 모르겠습니다만. 아가씨께서 겪으셨다는 과거는 이미 상당 부분 지나갔고 지금과는 많은 부분에서 상황이 다르지 않습니까? 앞으로 닥칠 국가적인 큰일만 제외하면 아가씨께서 걱정하시는 그 미래는 닥치지 않을 겁니다. 안전에 있어서는 걱정하지 마십시오."

"내 말은 그게 아니고……."

빙빙 돌려 말하다가 속 터지는 것 같았다. 대놓고 묻지 않으면 영원히 답을 듣지 못할 게 뻔했다. 벨라는 얼굴이 빨개진 채 용기를 쥐어짰다.

"왜 루카가 내게 남긴 마지막 편지에서 날 사랑했었다고 썼을까 궁금해서……."

벨라의 말에 루카스는 그녀를 한번 쳐다보았다. 그런 것을 대체 왜 묻느냐는 듯한 시선이었다.

벨라는 자신이 말실수한 건가 싶어서 입을 다물었다.

다 읽은 서류를 제자리에 집어넣으면서 그가 말했다.

"그러게요. 왜 그런 말을 했을지 저도 묻고 싶어집니다. 저는 그때의 제가 아니니 저도 모를 수밖에요."

"그렇지? 내가 괜한 질문을 했지? 아하하하……."

벨라는 너무나도 무심하게 대답하는 루카스 때문에 민망해져서 어색하게 웃었다. 용기가 무색하게도 부끄러웠다.

이렇게 벨라와 루카 둘 사이에는 아무런 접점이 없었다.

'그저 고용주와 고용인. 단순히 그뿐이었고 그저 유난히 충성스러운 고용인이었던 거다.'라고 결론을 내리자 헛헛한 웃음만 나왔다.

'괜히 고민했네.'

아마도, 그녀를 키워 주다시피 했던 세월의 정으로 인한 부성애 같은 거였나 보다.

그런데 왜 이리 마음 한편이 허전해지는지는 알 수 없었다.

'대체 내가 뭘 기대했던 걸까? 이토록 철벽 그 자체인 그를…….'

벨라와 얽혀 사소한 소문이라도 나지 않게 철저히 거리를 두고 조심하는 그를 보며 왜 은연중에 마음 설렜는지 자신을 이해할 수 없었다.

'좋아해야 할 이유가 하나도 없어…….'

그것이 현실이었다.

루카스는 자신의 이상형과는 거리가 멀었다.

'그러고 보니 내 이상형이 무엇이더라?'

벨라는 벤자민을 떠올렸다. 토악질이 나올 것 같았다. 유진도 떠올랐다. 욕지기가 저절로 나왔다.

'내 이상형이 그딴 놈들이었나?'

어떤 것이 자신의 이상형인지 그것부터 알아야 할 것 같았다. 생각해 보니 벨라 자신도 자신의 취향이란 것부터 알아야 할 것 같았다.

'과거의 삶에서 내 주관이란 게 없었어. 남이 주는 대로 받아들이거나, 그저 남이 준 것을 불평하기만 할 뿐 정확히

무엇을 원한다고 내가 먼저 선택한 적은 없었지.'

이상형을 상상해 보았다.

'다정한 사람이 좋아. 내 상처를 모두 감싸 안아 줄 사람…….'

그러면 다정한 사람이란 어떤 사람인가를 떠올렸다.

'항상 내 말에 귀 기울여 주고 나에게 관심이 많은 사람. 내 단점까지 알고도 날 끌어안아 줄 수 있는 사람.'

카리스마 넘치는 인간이 좋다고 생각할 때도 있었다. 말 한마디에 모든 것을 평정해 버리고, 늘 뾰족하게 굴다가도 어느 순간 사랑한다고 고백해 주는 사람, 그게 벤자민이었다. 그러나 그놈은 그냥 나쁜 놈이었다.

카리스마와 남을 무시하는 독선적인 행동은 비슷한 듯하면서도 다른 종류의 것이었다. 하지만 언뜻 겉으로 보기에 구별하기 힘들었다.

그래서 이젠 카리스마 넘치는 인간이란 그저 자기밖에 생각하지 않는 피곤한 인간처럼 느껴졌다.

그러면 친절하고 달콤하게 속삭여 주는 사람이 이상형이었던 걸까?

눈만 마주쳐도 사랑한다고 수십 번 말해 주고 앉는 자리마다 손수건을 꺼내 깔아 주던 유진이 떠올랐다.

그냥 주둥아리로만 사랑을 운운하는 것일 뿐, 그는 그저 단물만 쪽 빨아 먹고 도망가 버린 지질한 인간이었을 뿐이었다. 그래서 말로 하는 사랑을 더는 믿고 싶지 않았다.

사랑한다 말하지 않아도 늘 나를 사랑한다는 것이 느껴지는 과묵한 사람. 내가 무엇을 좋아하는지 일일이 챙기지는 못하더라도 내가 싫어하는 것만큼은 절대로 하지 않을 사람.

진중하면서도 변함없고 그 사랑이 영원토록 오래 지속할 사람.

벨라는 그런 사람을 사랑하고 싶다고 생각했다.

'사랑이란 이름으로 희생을 원했던 과거에 지쳐 보았으니, 현생에서는 꼭 그런 사람을 사랑하겠어.'

순간 서재의 문을 누군가 노크했다.

들어온 것은 이안이었다.

"이안! 황태자 전하의 외출 허가증 받아 왔어?"

벨라는 신난다고 달려갔다. 이안은 대답 대신 허가증을 꺼내 보였다.

"우와!"

펄쩍 뛰는 벨라에게 이안은 허가증을 주지 않고 심각한 표정으로 입을 열었다.

"이것보다, 스타더스트 화장품 공장 책임자 말이 어제 아침부터 라보쉬 남작이 사라지고 없다고 급보를 전해 왔습니다."

"응? 그게 무슨 말이야?"

벨라는 눈을 크게 뜨고 이안의 눈을 바라보았다.

"그게, 엊그제 저녁까지만 해도 별일 없이 연구실에서 헤어졌는데 어제 출근하지 않았다고 합니다."

"단순히 늦게 출근하는 것일 수 있잖아. 무슨 일이 생겨서 그런 것은 아니고?"

벨라의 말에 이안은 형 쪽을 바라보며 대답했다.

"연구실 직원이 라보쉬 남작의 자택에 가 봤더니 서둘러

이사를 가 버리고 아무것도 없더랍니다."
"이사?"
벨라는 눈을 끔벅거렸다.
"네. 가족들을 데리고 한밤중에 급하게 사라지는 것을 목격했다고 이웃들이 진술했다는군요."
"대체 왜!"
벨라는 깜짝 놀라 소리쳤다.
"급여도 최고 대우로 주고 하고 싶은 것은 마음껏 하게 해 주게 했는데 뭐가 문제였길래 사라진 거지?"
"아마도 돌아가자마자 조사를 해 봐야 할 것 같습니다. 그도 딱히 지금까지 불만을 제기한 적 없었고 특히 신청해 둔 것들도 순조롭게 진행 중이었으니 지금으로서는 그 무엇도 짐작할 수 없습니다."
"아무런 단서조차 남겨 두지 않은 건가?"
가만히 듣고 있던 루카스가 한마디 했다.
그러자 이안이 루카스에게 자신이 전달받은 편지를 건넸다.
"라보쉬 남작이 쓰던 책상의 쓰레기통에 이런 것이 잔뜩 쓰여 있었다고 합니다."
이안이 내민 것은 구겨진 메모였다.

[4NH3+5O2 → 4NO+6H2O]

"이게 뭐지?"
벨라는 보고도 이해가 되지 않아서 고개를 갸웃거렸다.

"질산을 만드는 화학식입니다."

"질산? 우리 공장에서 질산도 만드나?"

루카스의 말에 벨라는 기억을 더듬어 보았다.

그러자 루카스가 대답해 주었다.

"질산은 주로 폭약 제조에 쓰이고 일상 생활에서는 거의 쓰일 일이 없습니다. 게다가 질산의 주원료가 되는 암모니아를 얻으려면 비용이 매우 많이 들어 잘 활용되지 않습니다."

"그런데 왜 라보쉬 남작은 질산을 만드는 화학식을 연구한 걸까?"

"그 점을 조사해 봐야 할 것 같습니다."

벨라는 미간을 찡그렸다.

"에잇. 하필이면 이럴 때 수도에 발 묶여 있을 것이 뭐람?"

"우리가 움직일 수 없는 상황이란 것을 알고 행동한 것 같습니다."

루카스는 서류를 다시 상자에 넣으며 대답했다.

"납치당한 걸까?"

"가족까지 다 데리고 짐을 깨끗하게 뺀 것을 보면 그건 아닌 듯합니다."

"라보쉬 남작이 우리를 왜 배신했지?"

한숨을 내쉬는 벨라에게 루카스가 말했다.

"그렇지만 그가 개발한 여러 화학 공정들은 우리 회사 이름으로 특허를 냈기 때문에 그가 결과물들을 독단적으로 가져다 쓰지 못할 겁니다."

"응? 그가 연구해서 만든 건데 그가 가져다 쓰지 못한다고?"

벨라의 말에 루카스가 당연하다는 듯 대답했다.
"그가 혹시라도 변심했을 때를 대비해 놓은 것이었습니다. 이렇게 될 줄 알고 한 것은 아니었지만."
"그게 가능해?"
벨라는 확인하듯 그에게 물었다.
"법률이란 게 이럴 때를 대비해서 쓰는 겁니다. 과거에 특허법 로비에 자금을 투자했던 결과랄까요."
루카스의 말에 벨라는 환한 표정을 지었다.
"와! 루카스 여기까지 내다봤구나? 대단해!"
"인간이란 언제든 마음이 바뀔 수 있는 존재입니다."
'하지만 결코 바뀌지 않는 사람이란 것도 있지. 루카스…… 당신처럼 말이야.'
벨라는 존경의 시선으로 루카스를 바라보았다.
'당신이 내 편이어서 정말 다행이야.'
벨라는 일단 오페라 보러 갈 준비를 하기로 했다.

"아바마마께서는 아직이신가?"
칼리아스는 초조한 표정으로 시종장 시몬에게 물었다.
"아, 황태자 전하께서 오시는 즉시 안으로 들이라 하셨습니다."
그의 말에 칼리아스는 집무실 안으로 성큼성큼 들어섰다.

마침 안에는 국방 장관 하이아드 백작이 황제를 알현 중이었다.

"아바마마! 제가 건의 드린 안건은 생각해 보셨습니까?"

황제는 마침 잘되었다는 표정으로 고개를 돌려 아들을 바라보았다.

"너도 알다시피 제국의 전술 전략은 약 150년 전에 확정되었다. 정교하게 조직된 군 조직과 지휘 체계는 사실상 그 이후로 거의 변한 적이 없다. 물론 무기가 조금씩 변하기는 했지만, 그것은 보조적인 것일 뿐, 우리 제국의 주력 부대는 제국의 세 기둥이 담당하고 있다. 그들의 검술은 날아가는 총알도 벤다고 하는 정교한 것이다. 그러므로 무기가 전장식 소총이든 후장식 소총이든 크게 차이는 없으리라 본다. 그러므로 걱정하지 않아도 된다."

"아바마마!"

황제의 말에 칼리아스는 눈을 커다랗게 떴다.

"말씀드렸지 않습니까? 우리 군은 매복전에 취약할 수 있다는 사실 말입니다. 구덩이를 파고 숨거나 수풀이 우거진 곳에 매복된 적군이 일시에 우리 군을 겨냥하면 손쓰기도 전에 당할 수 있단 말입니다."

황제는 눈썹을 찡그렸다. 아들이 말대꾸하는 것이 마음에 들지 않았다.

"그 점을 충분히 논의해 보았으나 하이아드 백작과 내가 내린 결론은 그다지 우리 군에 위협이 되지 않으리라는 것이었다. 구덩이나 수풀은 뒤에서 지원하는 포병이 해결할 수 있다. 그런 간단한 것으로 굳이 단점이 많은 후장식 소총으로 전 부대를 바꿀 수는 없다."

"하오나 후장식 소총은 휴대가 편리하고 이동 중에도 사격할 수 있습니다! 단점이야 보완하면 되는 것이고……!"

"현실적으로 불가하다고 방금 짐이 말하지 않았느냐!"

황제는 버럭 소리를 질렀다.

"당장 전군의 무기를 바꾸려면 현장에서 얼마나 큰 소동이 일어날지 너는 짐작이나 하느냐! 기껏해야 군사학이나 대학에서 조금 배워 놓고 현장 경험을 무시하면 될 줄 아느냐? 너야말로 현실을 모르고 책상머리에서나 군대를 운운하는 것이다."

칼리아스는 지지 않고 말했다.

"아바마마! 제가 조사해 본 바로는 주변국들이 저마다 후장식 소총의 개발에 열을 올리고 있다는 것이 사실이었습니다. 단점은 곧 보완될 것이고 적들이 신무기로 중무장하면 큰 위협이 될 수 있습니다. 150년 동안 개혁되지 않은 군대는 자칫하면 도태될 수 있단 말입니다!"

쾅 하고 황제가 책상을 내리쳤다.

"시끄럽다. 이미 짐의 입에서 한 번 떨어진 말은 결론이다. 후장식 소총의 결함은 종이 탄피에 있다. 몇 번 쏘지도 못하고 과열되어 뜨거운 증기가 터져 나올 무기는 있으나 마나 한 것이다. 총신이 과열된 후에는 무엇으로 싸울 것인가? 그야말로 맨몸으로 싸우란 말 아니냐! 현장에 혼란이 오면 제국의 세 기둥은 워낙에 정예병이니 살아남겠지만,

동원된 군역자들은 낯선 무기에 익숙지 않아 속수무책으로 당할 수밖에 없다."

황태자가 대답이 없자 국방 장관 하이아드 백작이 조심스레 입을 열었다.

"150년 동안 변화가 없었다는 것은 다른 말로 하자면 더 이상 손댈 수 없을 만큼 정교하게 체계가 잡혔다는 뜻도 됩니다. 150년 동안 주변국 그 누구도 페로하트의 군홧발 아래 저항할 수 없었습니다. 페로하트의 군대 운용 방식은 신의 경지에 올랐다고 할 정도로 백전백승, 무패를 자랑하는 성공 신화였습니다. 굳이 이런 정교한 체계를 무너뜨리는 것은 비효율적이라는 견해를 밝힙니다."

차마 황제에게 화를 낼 수 없었던 칼리아스는 날카롭게 소리쳤다.

"그러니까 변화해야 한단 말입니다. 오랫동안 침략을 받아 보지 않았다는 것이 자랑은 아닙니다."

자신은 심각한데 황제는 너무 안일하게 생각하고 있었다.

"청동기를 들고 싸우던 자들은 철기를 들고 나타난 자들에게 무너졌고, 말이란 것이 없는 나라에서는 기마병을 보고 혼비백산해 무너졌습니다."

칼리아스는 지금 그 어느 때보다도 변화가 필요하다고 굳게 믿었다.

"항상 듣도 보도 못한 새로운 무언가가 출현할 때는 그 변화에 맞춰 한발 앞서 대비해야 합니다. 주변국들의 군사 훈련 추이가 무기에 따라 변해 가고 있는데 우리도 그에 맞춰서 전술 전략을 다각화해야……."

황제의 눈이 활활 불타올랐다. 위험한 눈빛이었다. 칼리아스는 이럴 때 입을 다물어야 함을 누구보다 더 잘 알았다.

"지금 우리 군 체계를 네가 폄하하는 것이냐? 머리에 든 것도 없는 주제에 현장 경험을 무시하고 입으로만 떠들지 말아라! 한 번만 더 짐의 말에 대들면 아무리 황태자 너라도 벌을 받게 될 것이다. 그만 나가 보아라."

황제의 축객령에 칼리아스는 힘없이 밖으로 나갈 수밖에 없었다.

분했다.

벨라의 말에 근거가 있나 없나 여러 통로를 통해 검증해 보았다. 주변국에 심어진 소식통에게서 들은 바로는 특히나 플란네르에서 대대적으로 군제 개혁이 일어났다고 말했다.

늘 페로하트 제국 앞에서 눈치나 보고 설설 기던 그들의 태도에 안심하는 사이 그들은 독립해 있던 액시즈 레크룩스 공화국을 통합하고 다른 공국이나 주변 소국을 집어삼킨 후에 빠르게 변화 중이었다.

그들의 변화 속도에 놀라서 벨라의 말이 영 근거 없는 것은 아니라는 판단을 내렸다.

그런데 페로하트의 지도층은 '여전히 제국은 평온하다'만을 외칠 뿐이었다.

오랜 평화와 번영에 젖어 급변하는 세상에 대비하지 못한다면 언제고 몰락할 날이 닥쳐올 것이다.

그런데 오로지 칼리아스만이 위기감을 느끼는 것 같아 아찔한 생각이 밀려왔다.

'그 계집아이에게 더 물어봐야 하나?'

황제는 오르티우스 요새를 빼앗긴 것에 대해 그저 플란네르에서 요새 제작 시 빌려준 공사 대금과 인부에 대해 빨리 돌려 달라고 벌이는 가소로운 시위 정도로만 여기는 듯했다.

'그렇게 중요한 요새라면 애초에 플란네르에서 제공하는 자금과 인부를 덥석 받아서 사용하지 말았어야지!'

그들이 요새의 설계도를 너무나 잘 알았기에 난공불락이라고 지어 놓은 요새가 쉽게도 넘어갔다.

'외교적 대화로 풀어 나갈 수 있다고 믿는 자체가 오랜 평화로 인한 매너리즘이 아닌가?'

"전하, 황제 폐하의 심기를 거스르지 마십시오. 가뜩이나 폐하께서 추진하시는 궁궐 확장 사업이나 도로 정비 사업이 귀족 회의에서 반대파에 밀려 지지부진해진 상황이라 섣불리 개혁을 진행하실 수 없다는 것을 전하께서도 잘 아시지 않습니까?"

보좌관이 황태자를 달랬다.

그러던 차에 황태자에게 연통이 왔다. 시종이 전해 온 서신을 받아 든 칼리아스는 코웃음을 쳤다.

"오페라 관람을 하게 외출을 허락해 달라고?"

가소로웠다. 자신더러 오르티우스 요새를 탈환하려다 죽을 거라는 흉한 소리를 해 놓고 잘도 오페라 관람을 하겠단다.

칼리아스는 어처구니가 없어서 '하!' 하고 혀를 찼다. 받아 든 서신을 와그작 구겼다가 손아귀의 힘을 풀었다.

'나도 오페라 관람을 하러 가면 된다.'

벨라를 궁으로 다시 불러들여 황제가 거절했음을 논의하려면 황제의 귀에 자신의 행동이 전해질 것이라는 생각이 머릿속을 스쳤다.

황제가 불가하다 한 안건을 뒤에서 논하다가는 황제의 분노를 감당할 자신이 없었다. 유난히도 황태자 자신에게만은 엄격하디 엄격한 아버지였다. 본보기로 형벌이라도 내릴 위인이었다.

'차라리 오페라에 가서 같이 관람하는 척하다가 어찌해야 할지 조언을 구해 보자.'

그 조언을 들어 보고 그녀의 예언이 허튼소리인지, 일리 있는 소리인지 결론을 내려야 할 때였다.

"제이슨 경, 작곡가 니콜라우스의 오페라 '미워도 다시 한번 더' 관람 표를 예매해 주게."

칼리아스는 시종에게 말했다.

"네? 전하, 오페라 '미워도 다시 한번 더'는 신파극입니다. 전하께서 질색하시는 내용일 텐데요."

시종장의 당황스러워하는 얼굴을 보며 칼리아스는 퉁명스럽게 대꾸했다.

"상관없어. 질색을 하든 졸도를 하든 그 오페라는 꼭 보겠다. 이미 예약이 끝났다면 웃돈을 주고서라도 관람 표를 구해 와라. 내 친히 관람하러 가겠다."

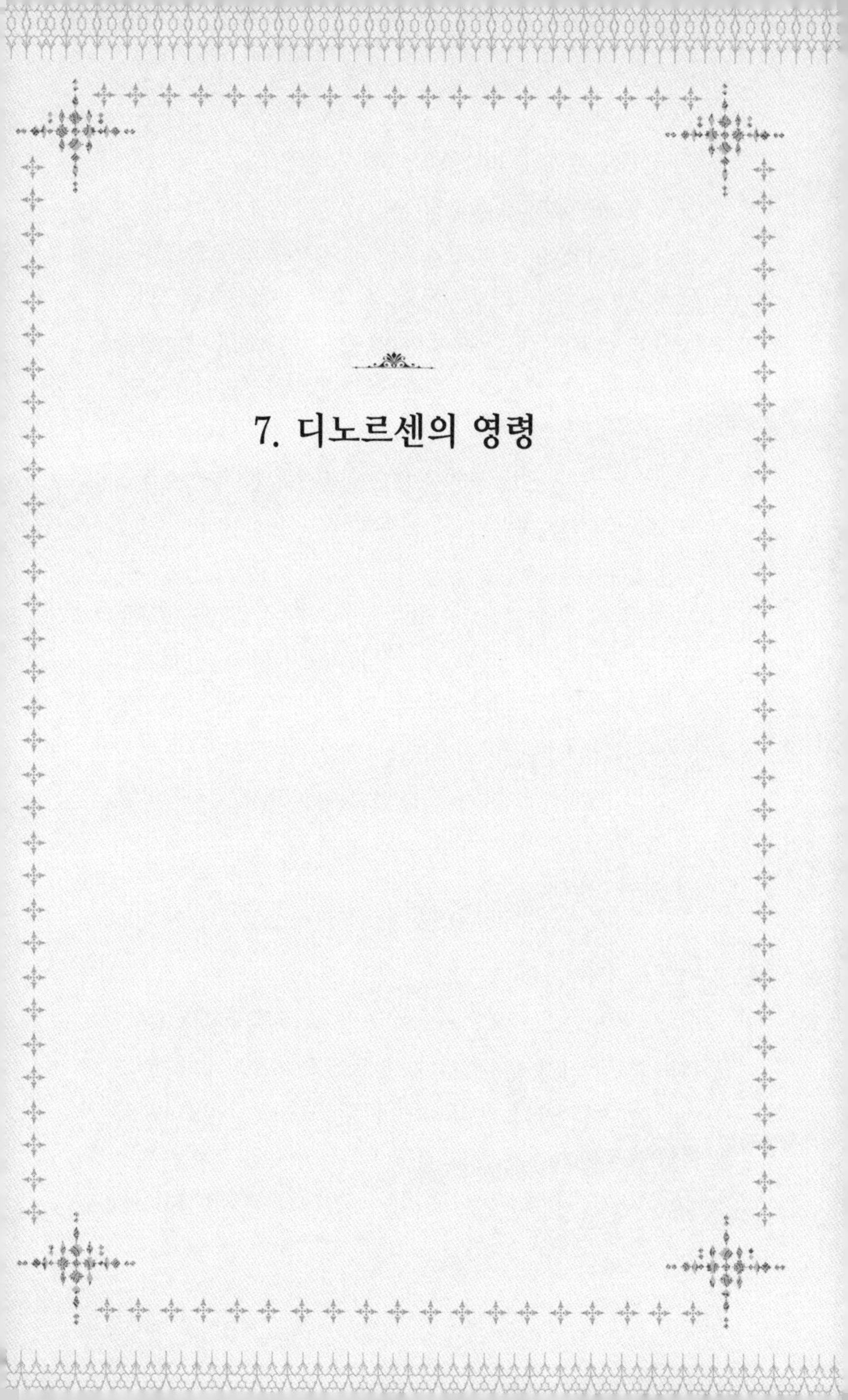

7. 디노르센의 영령

7. 디노르센의 영령

"'미워도 다시 한번 더'는 귀족과 사랑에 빠진 화류계 여성의 이야기야. 원작 소설의 인기에 힘입어서 만들어졌지. 언젠가 꼭 보고 싶었는데, 초연이 끝나기도 전에 볼 수 있다니 꿈만 같아!"

리체는 눈을 반짝거렸다.

['미워도 다시 한번 더'의 여주인공 레이첼은 전쟁 중 부상당한 청년을 숨겨 주고 치료해 준다. 그리고 그와 사랑에 빠지게 되지만 고귀한 공작가의 아들이었고, 둘은 곧 헤어져 남자는 부모가 정해 준 약혼녀와 결혼을 하게 된다.]

벨라는 미리 구한 팜플렛의 줄거리를 힐끔 쳐다보았다.

"남자를 못 잊어서 점점 병들어 가던 레이첼은 결국 죽음을 예감하고 그와의 사이에서 낳은 아이를 그에게 보내게 되지. 하지만 돈을 바라고 아이를 떠넘긴 거라 오해를 받아.

그 오해가 풀린 후에는 이미 레이첼은 죽어서 이 세상 사람이 아니었어."

리체는 줄거리를 이야기하며 소설 속 내용에 취해 어찌할 줄 몰랐다.

"가수도 다 내가 동경하는 이들로 구성된 초호화 오페라야. 이런 대작을 보게 된다니!"

벨라는 사실 신파조의 이야기는 썩 취향이 아니었다.

세상살이도 퍽퍽하고 지나온 자신의 삶도 칙칙한데 이야기까지 신파조라니. 벌써 머리가 아파지는 것 같았다.

하지만 너무 좋아서 눈물까지 글썽이는 리체에게 속마음을 들킬 수는 없었다.

리체의 식구들까지 주렁주렁 달고 가려니 온통 어수선했다. 리체의 여동생도 다들 취향들이 비슷한지 흥분해서 난리였다.

"오페라 많이 봤나 봐? 난 이번이 처음인데."

벨라의 말에 리체는 웃으며 말했다.

"아버지가 예술에 조예가 깊으셨어. 일이 잘 안 풀리셔서 그렇지 한때는 가수를 후원하기도 하셨고, 극장 건설에 기부하기도 하셨지. 그 기부 덕에 그 극장에서 공연하는 작품은 무료로 볼 수 있었어. 어렸을 땐 제법 아버지 따라서 보고 들은 것이 많아. 한때 내 꿈도 가수였는걸."

"오호라……."

벨라는 리체의 얼굴을 바라보았다.

"노래할 줄 알아?"

"그럼, 유명한 곡 몇 개는 혼자 반주 넣어서 부르기도 하는걸."

노래하는 베아트리체라. 상상도 해 본 적이 없었다. 술집 하데스 시절, 베아트리체는 노래를 불러 본 적도, 피아노를 쳐 본 적도 없었다.

그런 그녀가 실은 노래도 피아노에도 조예가 깊었다니 흥미로운 사실이었다. 그녀와 앞으로 음악에 대한 주제로 대화할 수 있겠구나 하는 생각에 벨라는 즐거워졌다.

리체는 그녀의 기억 속에 있던, 웃는 것도 우는 것도 아닌 우울한 접대부가 아니었다. 꿈을 이야기하며 이렇게 밝은 표정으로 웃을 줄 아는 친구였다.

"레이첼 역의 가수 모니카 퀘디시스는 현존하는 가수 중, 그야말로 최고라고 할 수 있어."

모처럼 수도의 가장 크고 유명한 레스토랑에 와서 정찬을 즐기는 동안 리체는 오페라 가수 이야기하느라 제대로 먹지도 못했다.

"4옥타브 음역을 오르내릴 수 있는 가수는 몇 되지만, 5옥타브 음역을 가진 가수는 정말 손에 꼽아. 모니카 퀘디시스와 동시대에 사는 영광을 누릴 수 있어서 기뻐."

벨라는 리체가 신난 모습이 보기 좋아서 맞장구를 쳐 주며 웃었다.

"아, 캐시도 많이 들어요. 우리끼리 이야기하느라 미안해요. 캐시는 오페라 좋아해요?"

얼결에 벨라와 리체의 가족들과 한자리에서 식사하게 된

캐시는 난처했다.

"제가 이 자리에 있어도 되나요? 저는 다른 고용인들과 함께 바깥에서 있어야 할 것 같은데요."

벨라는 캐시의 말을 듣고 있는지 모를 표정으로 스스럼없이 그녀에게 후추 통을 건넸다.

"제가 지켜 드려야 할 아가씨와 함께 마주 앉아 정찬이라니 아무래도 무리입니다."

안절부절못하는 캐시에게 벨라는 고개를 저어 보였다.

"아니에요. 캐시는 제 경호원이니까 지금 이렇게 같이 앉아 밥 먹는 것도 절 밀착 경호하는 것과 마찬가지예요."

"그래도……."

캐시는 어색한 듯했지만, 곧 익숙해질 거라고 벨라는 생각했다.

"오페라 좋아해요?"

벨라의 질문에 캐시는 싱긋 웃었다.

"부모님께서 예술에 취미를 붙여 주시려고 애쓰셨지만 전혀요. 피아노 개인 교습도 붙여 주셨지만, 워낙 몸 쓰는 것을 좋아하다 보니 피아노가 버티질 못하더군요."

"피아노가 못 버텨? 그게 무슨 말이지?"

벨라의 말에 캐시가 수줍어하며 말했다.

"반으로 동강 나 버렸습니다. 하핫. 페달을 강하게 밟으며 인상적으로 치라고 하기에 힘줘서 밟고 건반을 주먹 쥐듯 내리치며 쳤더니 3대째 물려받은 피아노가 쩍……."

"풉……."

리체가 먹다 말고 손으로 입을 가리며 웃었다. 개의치 않고 웃으며 캐시가 말했다.

"어려서부터 산으로 들로 뛰어놀기를 좋아하다 보니 집안에서도 내놓은 자식이었습니다. 결국 제게 피아노 가르치기를 포기하셨죠. 뭐……, 피아노뿐입니까? 문학 선생도 야반도주했고, 그림 선생도 캔버스를 부수고는 그만두고 나갔는걸요."

"응? 캐시 그렇게 안 봤는데 한 성격 했었나 봐요?"

벨라의 말에 캐시는 수줍게 웃었다.

"몸 쓰는 것을 좋아하는데 부모님께선 요조숙녀가 되는 교육만 하시기에 반항의 의미로 오는 선생마다 장난질 좀 친 결과로 검을 쥘 수 있었습니다. 그래서 나름 뿌듯합니다."

그 말을 하며 캐시는 스테이크 한 조각을 입에 마저 넣었다.

"에구. 그러면 오페라 내내 캐시는 괴로움을 견뎌야 하는 건가요? 미안해라."

벨라의 말에 캐시가 씩씩하게 대답했다.

"그렇지만 음악을 싫어하는 것은 아닙니다. 좋아하는 티를 내면 쭉 그것만 시키실 것 같아서 거부했을 뿐이죠. 가요나 민요는 제법 듣습니다."

"그러면 가장 좋아하는 가요는 무엇이에요?"

리체의 질문에 캐시가 곡 몇 개를 말했다. 가만히 들어 보니 모두 라울린이 자주 부른 노래였다. 그 곡 이야기를 하며 캐시의 볼이 살짝 붉어지는 것을 벨라는 놓치지 않고 보았다.

'라울린이 그렇게 좋을까……?'

벨라는 그가 끌어들인 수많은 여자를 떠올리고 고개를 절레절레 저었다.

의외였다. 그간 라울린이 데려온 여자의 성향을 생각해 보면 캐시는 정반대의 인물이었다. 라울린 취향이 이런 유형이었나 새삼스러웠다.

'아니면 치마만 둘렀으면 다 좋아했던 것인지도 모르고.'

벨라는 혼자 고개를 끄덕였다.

오페라 하우스는 아름다웠다. 하얀 대리석으로 지어진 거대한 건물에는 화려한 조각상이 새겨져 있었고, 비취색으로 얹어진 지붕은 우아하기 이를 데 없었다. 하나둘씩 밝혀지는 가스등 불빛마저 몽환적으로 느껴지는 곳이었다.

화려한 정장을 걸친 신사 숙녀가 기품 있게 오페라 하우스의 안으로 걸어 들어가고 있었다.

극장 안으로 향하는 로비에는 마법의 융단이라도 깔린 듯, 사람들의 발길을 끌어들였고 은은한 샹들리에 불빛에 비쳐 이세계처럼 흥미로웠다.

리체의 눈빛은 그 안의 모든 풍경을 눈에 하나하나 소중히 담아내고 있었다.

순간 사람들이 술렁거렸다. 그리고 로비를 걷던 사람들 모두가 한 걸음 뒤로 비켜나며 고개를 숙였다.

무슨 일인지 고개를 빼꼼 내밀어 본 벨라는 곧 황태자의 모습을 발견하고 깜짝 놀랐다.

"황태자 전하께서 친히 관람하신다는 소문 있었어?"

"아니, 들어 본 적 없는데?'

당황한 사람들이 속닥거렸다.

황태자를 호위하는 황궁 기사단이 무기를 소지한 채 철컹거리며 안으로 들어오고 그들에게 둘러싸인 황태자는 벨라를 지나쳐 안으로 쏙 들어가 버렸다. 아마도 황실 전용 VIP 방으로 들어갈 것이었다.

벨라는 황태자가 사라진 후 사람들이 숙인 고개를 들고 다시 자기 자리로 갈 즈음해서 리체의 손을 잡고 안으로 들어갔다. 그리고 자신이 예약한 자리로 가서 앉으려는 순간, 황태자의 시종이 다가와 벨라에게 말했다.

"아르티드 영애, 영애께서는 다른 자리로 옮기셔야 합니다."

"네?"

벨라는 당황하여 뒤를 돌아보았다. 루카스가 따라가라는 듯한 눈짓을 했다. 얼결에 벨라와 리체는 루카스와 황태자의 시종을 따라 조용히 자리를 옮겨야만 했다.

도착한 곳은 2층과 3층 사이 정도 높이의 발코니였고 가수들의 모습이 가장 잘 보이는 위치였다.

리체는 무대가 한눈에 들어오는 발코니에 서자 감격에 목이 잠겨 들었다. 서곡이 연주되고 본격적으로 무대의 막이 오르고 있었다.

중앙에 놓인 관람석에는 다리를 꼬고 팔걸이에 오만하게

손을 걸친 황태자가 앉아 있었다.

“오페라 관람하러 왔는데 마침 당신들도 왔다는 소식에 불러들였지. 또 할 말도 있고 해서.”

황태자는 미간을 찡그리며 벨라의 수행원들을 째려보았다. 황태자의 시종은 모두 나가 보라는 표정을 지었다.

황궁 기사단까지도 밖으로 내보내고 최측근은 열 걸음쯤 떨어진 곳으로 물러난 후 발코니에는 황태자와 벨라, 리체 셋만이 남아 있었다.

칼리아스는 벨라에게 대뜸 화를 내었다.

“어쩌자고 그런 뒤숭숭한 이야기를 내게 한 것이냐!”

“네?”

벨라는 황태자의 서슬 퍼런 얼굴에 당황했다.

황태자는 그야말로 머리끝까지 화가 난 듯한 표정으로 말했다.

“오르티우스 요새가 함락될 거라는 말을 하려거든 더 일찍 했어야지 인제 와서 알려 주면 어쩌란 말이냐! 참 빨리도 알려 줬군! 미래를 대비하란 거냐 말라는 거냐? 약 올릴 셈인가?”

황태자가 버럭 내지른 소리는 오페라 가수들이 지르는 고음에 묻혔다.

“전하, 뭐라고요? 잘 안 들립니다.”

벨라의 말에 황태자는 더욱더 성질을 내었다.

“그러니까 알려 주려거든 미리미리…….”

[……그 잔인한 사랑에 순백의 가슴은 짓밟혀…… 우어우

어아으히으히.]

오페라 가수가 내지르는 고음 때문에 황태자는 말하다가 손으로 얼굴을 푸 하고 쓸어내렸다.

"내 말은, 내가 죽을 거라고 한 날이 1년도 남지 않은 지금 시점에서야 알려 준 이유가 무엇이냐는……."

[……살아도 죽은 것이요, 죽어도 죽지 않은 것이니 워어어아아.]

악을 고래고래 써 대는 가수들의 이중창, 삼중창에 말할 타이밍을 놓친 황태자는 분노를 가라앉히느라 헉헉 가쁜 숨만 내쉬었다.

벨라는 황태자의 다음 말을 기다렸으나 장소가 장소이니 만큼 적당한 타이밍이 좀처럼 오지 않았다.

"벨라. 여기가 중요한 부분이야."

리체가 옆구리를 쿡 찔러 오자 벨라는 시선을 오페라 쪽으로 돌렸다.

칼리아스는 귀를 틀어막고 싶었다.

시끄럽게 울부짖는 오페라를 뭣하러 듣는지 이해가 되지 않았다. 음악이 조금 잦아들어 말을 걸어 볼 만해지면 음악이 다시 크게 쾅 하고 울려 나왔다.

칼리아스는 제 성질을 못 이기고 장갑을 벗어 들어 비틀었다. 음악까지 자신을 약 올리는 것만 같았다.

벨라는 넋을 놓고 오페라를 바라보고 있었다. 그 집중의 순간을 깨뜨리자니 뭔가를 응시하는 그녀의 가느다란 속눈썹이 보드라워 보였다. 어쩐지 그 순간을 깨뜨리고 싶지 않았다.

일단 격정적인 부분이니 지금은 잠시 참고 기다리자고 생각하며 칼리아스는 팔짱을 끼고 오페라를 보았다.

"완전 짜증 나는 오페라로군. 그까짓 사랑이 뭐 그리 대수라고 울부짖고 발광을 하나. 돼지 멱따는 소리잖아."

코웃음을 치며 고개를 돌려 보니 리체와 벨라는 서로 손을 움켜쥐고 울고 있었다. 닭똥 같은 눈물이 쏟아져 나오는 모습에 칼리아스는 혀를 찼다.

"아무리 죽네 사네 해도 상대는 몸 팔던 비천한 여자 아닌가? 그대들처럼 지체 높은 귀족 여인들이 왜 저런 여자가 불쌍해서 우는가? 자신이 자초한 일에는 당연한 대가가 따르는 것 아닌가?"

작중 여주인공 역의 가수가 고급 창부라는 이유로 당하는 온갖 수모에 리체와 벨라는 서로 부둥켜안고 울었다.

"이봐. 여기 울려고 온 것인가? 울지 말아야 제대로 감상할 것 아닌가?"

칼리아스는 빈정이 상했다.

"네가 어디까지 안 울고 버티나 두고 보자고 악감정을 갖고 쓴 거 같은 이런 시시한 오페라에 왜 이리 감정 이입을 한단 말인가?"

오페라를 처음 보는 벨라로서는 오페라 자체의 가치는 잘 몰랐지만 나오는 여주인공의 밑바닥 인생이 마치 자신이 걸어온 길 같아서 울지 않을 수가 없었다.

칼리아스는 한숨을 깊게 내쉬었다.

1막이 끝나자 잠시 틈이 생겼다. 이제 본론을 꺼내려고 칼리아스는 벨라를 쳐다보았다.

은은한 조명 아래에서 본 벨라의 얼굴은 눈물로 얼룩져 코끝과 눈 주변이 발그레해져 마치 분홍색이 엷게 감도는 하얀 장미꽃 같다는 생각을 했다.

'그까짓 오페라가 뭐라고 이렇게 쥐어짜는지 모르겠다.'

칼리아스는 품에서 손수건을 꺼내 벨라에게 건넸다.

벨라는 자신의 코끝에 불쑥 나타난 손수건에 깜짝 놀랐다.

"영광입니다. 히끅."

어찌나 울었는지 저도 모르게 진저리 치며 딸꾹질을 하고 말았다.

"아르티드 영애는 눈물이 많군."

리체도 같이 울었지만, 이 정도는 아니었다. 벨라는 왠지 부끄러운 생각에 피식 웃었다.

"원래 잘 울어요."

작중 여주가 내뱉는 독백이 과거 속 자신이 느껴 본 외로움 같아서 슬펐다.

'누군 몰락하고 싶어서 몰락하겠는가. 정신이 들어 보니 몰락해 있는 거지.'

인생의 막장까지 떠밀려 본 사람만이 느낄 수 있는 우울함과 허무함이 곡에 고스란히 녹아 있어 벨라의 가슴속을 적셔 왔다.

"그건 그렇고, 아까 하지 못한 이야기를 마저 하지, 아르티드 영애."

"벨라라고 불러 주셔도 됩니다."

심각한 칼리아스를 보며 벨라는 환하게 미소 지었다.

벨라의 분홍색 코끝만 바라보고 있다가 순간적으로 피어난 벨라의 미소에 칼리아스는 순간적으로 하려던 말을 까먹었다.

"말씀하세요."

벨라는 눈을 동그랗게 뜨고 칼리아스에게 말했다.

"그러니까, 나는……."

칼리아스는 말을 얼버무리다가 의자 손잡이를 잡은 손에 힘을 꽉 주며 할 말을 떠올렸다.

"그게, 으음……, 그렇지! 내게 곧 전사할 거라는 흉흉한 예언을 하면서 왜 이렇게 촉박한 시점에 말해 주었느냔 말이다."

"불꽃놀이 때 일어난 소동을 미리 말씀드린 것조차 받아들이기 힘들어하셨으면서요. 그러니 제가 어찌 미리 말할 수 있었겠어요? 그때 여차하면 저를 베려고 한 것 맞죠?"

벨라의 말에 칼리아스의 귀밑이 달아올랐다.

"어험."

칼리아스는 저도 모르게 헛기침을 했다.

"거봐요. 제 목숨은 하나거든요."

벨라의 말에 칼리아스는 머쓱해졌다.

"그건, 나는 제국의 황태자이므로 그 어떤 유혹에도 흔들리지 않아야 하기 때문이다."

"유혹? 저의 충언은 유혹하고는 관계가 먼데요?"

"어험! 그냥 말이 그렇다는 것이다. 감히 나와 말꼬리를 잡고 시비를 가릴 생각인가?"

칼리아스는 보란 듯이 자신의 허리춤에 찬 칼집을 철컹하고 흔들어 보였다.

그러고는 단호한 표정으로 말했다.

"혹시나 해서 사람을 통해 알아보았다. 확실히 주변국에서는 후장식 소총 개발에 열 올리고 있더군. 특히나 플란네르에서는 비밀리에 군제 개혁을 진행하고 있었어."

벨라는 자신의 말에 확신이 있다는 듯 굳은 표정으로 칼리아스를 바라보았다.

"하지만 그것만으로 내가 오르티우스 요새를 탈환하려다가 후장식 소총 부대에 궤멸당한다는 보장은 없다."

칼리아스는 미간을 찡그렸다.

"어찌하여 그대는 내가 전사할 것임을 확신하는가? 그 의견이 듣고 싶었다."

그 말을 하고는 급히 다음 말을 덧붙였다.

"이런 말을 한다 해서 그대가 한 말을 고스란히 다 믿는다는 말은 아니다. 그러니까 나를 설득해 보란 말이다."

그의 표정은 그의 마음만큼이나 온통 혼란스러웠다.

"과연 내가 이 제국의 미래라면, 살아남아서 다가올 전란에 대비해 무엇을 해야 하는지 알려다오."

그의 말에 벨라는 난감한 표정을 지었다.

"빨리 말해라!"

칼리아스는 재촉했다.

"이 끔찍한 오페라의 2막이 시작되기 전에 빨리 말하란 말이다!"

칼리아스는 저도 모르게 본심이 튀어나오고 말았다. 너무 크게 말해서 혹시라도 목소리가 발코니 밖으로 새어 나간 것은 아닌지 가슴이 철렁 내려앉았다.

그러나 그런 기분의 변화도 얼굴에 드러나게 해선 안 된다고 귀에 못이 박히게 교육받아 온 탓에 칼리아스는 무표정으로 가장하기 위해 애썼다.

어색한 분위기가 그들을 감쌌다.

"전하, 저는 미래가 흘러가는 방향만 보아서 알 뿐, 미래를 이끌 지혜는 없습니다."

머뭇거리다가 벨라가 대답했다.

그 말에 칼리아스는 다시 버럭 화를 냈다.

"그럼 내가 이대로 죽으라는 말이냐?"

"네?"

벨라의 눈이 휘둥그레졌다.

"감히, 나 황태자 칼리아스에게 당신은 곧 전사할 것이라고 말만 해 놓고 너는 아무 상관 없느냐 말이다."

칼리아스의 목소리는 날카로웠다.

"분명 네 입으로 내가 죽으면 제국의 미래도 쇠퇴할 것이라 하지 않았느냐? 그 미래에서 너는 무사할 거라고 자신하는 것이냐?"

칼리아스의 눈동자가 활활 불타올랐다.

벨라는 이해할 수 없다는 표정으로 말했다.

“세상의 모든 것을 다 가지신 이여, 저는 그저 짧은 식견으로 본 것을 알려 드렸고, 군대를 움직이실 이도, 명령하실 이도 전하 자신이십니다.”

벨라는 칼리아스를 똑바로 바라보았다.

“전하께서 아무것도 하실 수 없다면 대체 누가 하겠습니까? 황제 폐하께 말씀드린다고 하시지 않으셨습니까? 뭐라 하시던가요?”

벨라의 말에 칼리아스는 탄식을 내뱉었다.

“아바마마께서는 기술 개발의 필요성은 인정하셨으나 현장에서 무기를 바꾸는 것에는 반대하셨다. 후장식 소총은 불필요하다고 생각하시는 것 같다.”

“적극적으로 설득하셨어야죠!”

벨라의 말에 칼리아스는 버럭 했다.

“더 이상 이의 제기를 하면 반역으로 간주한다고 하셨다! 그런데 내가 뭘 할 수 있겠느냐!”

벨라는 그런 칼리아스의 눈동자를 빤히 바라보았다.

“왜 그런 눈으로 쳐다보는가?”

칼리아스의 말에 벨라는 대답했다.

“그러면 그대로 전사하실 건가요?”

“그러니까 묻는 것 아니냐! 내가 무엇을 해야 할 것인지 알려 달란 말이다!”

벨라는 칼리아스의 말에 좌절감을 느꼈다. 칼리아스에게 미래를 알려 주어도 변하지 않는 현실에 다가올 미래가 두려워졌다.

잠시 둘 사이에 침묵이 감돌았다. 그사이 오페라의 2막이 열렸다.

더 이상 벨라는 오페라가 귀에 들어오지 않았다. 그저 리체만이 오페라를 열심히 관람하고 있을 뿐이었다. 어디서 끼어들어야 할지 모를 리체는 아무것도 듣지 않은 척 오페라를 보았다. 그것만이 그녀가 할 수 있는 배려였다.

그때 황실 VIP용 관람실의 출입구를 지키는 황실 기사단에게 한 여성이 쟁반을 들고 다가왔다.

"누구냐?"

황실 기사가 묻자 그 여자는 아르티드 가문의 하녀라고 대답했다. 그 말에 황실 기사 옆에 서 있던 라울린이 물었다.

"아르티드 가문의 하녀라면 누구냐? 처음 보는 얼굴인데?"

"네페라입니다."

캐시는 그 말에 고개를 번쩍 들었다. 그녀가 네페라가 아니란 것은 아르티드가에 온 지 얼마 안 되는 캐시도 금방 알아챌 수 있었다.

순간 쨍그랑하는 소리와 함께 쟁반 밑에 붙여 놓은 단도를 빼 든 하녀가 덤벼들었고 오페라 하우스의 종업원으로 변장해 있던 괴한 서너 명이 제각기 흉기를 빼 들고 뒤를 엄호했다.

하지만 황궁 기사단이 채 움직이기도 전에 능숙한 솜씨로 라울린이 하녀의 목을 손날로 내리쳐 기절시키고 종업원 하나를 휘어잡아 그대로 벽에 박아 버렸다. 그는 몸을 뒤로 돌림과 동시에 발을 뻗어 다른 종업원의 다리를 걸어 자빠뜨렸다.

그사이 캐시는 끙끙거리며 괴한 한 놈이 휘두른 칼을 피하며 팔을 잡아 뒤로 꺾어 바닥에 박아 버렸다.

"뭐 하는 놈들이냐? 신분을 밝혀라!"

캐시가 외치는 사이 상황이 불리하다고 생각한 괴한이 그대로 하녀 복장을 한 여자에게 달려들어 급소에 칼을 꽂고 도망쳤으며, 어어 하는 사이 캐시가 팔을 꺾어 놓은 괴한이 입 안에 물고 있던 알약을 깨물었다.

놈은 즉시 눈이 뒤집히고 입으로 거품을 토해 내며 경련을 일으켰다.

황실 기사단이 남은 한 녀석을 붙잡아 보니 그자 역시 알약을 깨문 후였다.

"달아난 자를 추적하라!"

황실 기사단이 몰려갔고 복도는 순식간에 아수라장이 되었다.

"황태자 암살 기도다! 배후를 철저히 밝혀야 한다!"

뒷수습하느라 어수선한데 라울린이 투덜거리듯 말했다.

"독한 놈들. 또……."

"네?"

캐시는 라울린의 말에 그쪽을 바라보았다.

"저 약이 무엇인지 정확히는 모르겠지만, 아가씨를 습격하는 자들은 꼭 입 안에 저것을 물고 뛰어들어서는 습격에 실패하면 알약을 깨뭅니다. 그것으로 볼 때 동일인이 사주했다고 생각됩니다."

"네? 아가씨는 별말씀 없으셨는데……?"

"당연히 아가씨께서는 모릅니다. 아가씨께서 놀라셔서 행동반경에 제약이 생기거나 주눅이 드실까 봐 비밀로 하고 있습니다."

라울린의 말에 캐시는 깜짝 놀라 일어서서 황실 기사들 쪽을 바라보았다.

"그러면 황태자 전하를 노린 것이 아니라 우리 아가씨를 노린 것이라고 말씀드려야 하지 않을까요?"

라울린은 고개를 저었다.

"여태 꼬리가 밝히지 않은 놈들이라, 차라리 이참에 황실 기사단이라도 저들을 잡아서 정체를 밝힐 수 있을지 지켜보는 것도 방법입니다."

"그렇다면 지금이라도 아가씨를 안전한 곳으로 모셔야……."

캐시의 말에 라울린은 또다시 고개를 저었다.

"이미 일상이 된 지 오래. 루카스 버틀러 경은 어차피 세상에 안전한 곳은 없으니 이 또한 받아들이길 바라고 있습니다."

"그러다가 정말로 아가씨께 무슨 문제라도 생기면 어떻게 하나요? 지금처럼 우리 호위 기사들이 밖에 있을 수밖에 없는 상황이면……."

"그야 안엔 늘 버틀러 경이 있으니까 걱정 안 해도 됩니다."

"네?"

"버틀러 경이야말로 항상 근거리에 있는 밀착형 가드니까."

"그래도 집사가 어찌 무장 인원들을……."

"그건 겪어 보면 알 겁니다."

라울린의 말에 캐시는 눈을 크게 떴다.

마침 안에서 문이 열렸다. 루카스가 라울린을 향해 말했다.

"아가씨께서 부르십니다."

라울린은 캐시에게 문 앞을 부탁하고는 안으로 들어가며 문을 닫았다.

"잠시 괴한의 습격으로 문 앞이 소란스러웠습니다. 괴한들은 진압되었고, 달아난 자를 추적 중입니다."

라울린의 말에 칼리아스는 당연히 자신이 표적이었구나 하고 생각했다.

"헛! 습격이라니! 태자 전하, 안전한 곳으로 자리를 옮기셔야겠군요."

벨라의 말에 칼리아스는 고개를 저었다.

"제국에 불만을 품은 주변국의 소행일 것이다. 제국이 광활하여 생긴 일, 늘 겪는 일이니 심려치 말라. 그나저나, 이 자가 라울린 클라레이 경인가?"

라울린은 황태자에게 예를 표시하고 고개를 숙였다.

"경이 후장식 소총 개량에 요즘 열을 올리고 있다지?"

"아…… 네. 그렇습니다."

뭔가 묘한 느낌에 라울린은 벨라를 힐끔 쳐다보았다. 벨라는 시선을 피했다.

"후장식 소총의 단점을 얼마나 보완했는가?"

뭔가를 예감한 라울린은 원망스러운 눈빛으로 벨라를 째려보았으나 벨라는 아무것도 모르는 듯 순진무구하게 오페라를 감상하는 척했다.

칼리아스의 금빛 눈동자가 라울린을 꿰뚫는 것만 같았다.

라울린은 조용히 한숨을 한 번 내뱉고는 말했다.

"현재 종이 탄피의 단점인 총신이 과열되었을 때 속에서 터지거나 약실에 가득 찬 뜨거운 공기가 사수의 얼굴에 화상을 입히는 점을 보완하려고 연구는 하고 있지만, 종이 탄피를 벗어날 방법에는 진전이 없는 상황입니다."

도대체 벨라가 황태자에게 자신을 뭐라 설명했는지 알 수는 없었지만 자신을 총기 전문가라고 소개한 듯한 분위기였다.

"국내에는 후장식 소총의 전문가가 없어서 따로 조언을 구할 데도 마땅찮으니 해외의 시제품을 한번 보아야 개량의 방향이 떠오를 듯합니다."

칼리아스의 얼굴에 실망의 기색이 역력했다.

"아무런 진전이 없었다고?"

"타국에서는 금속 탄피를 채용하였다는 소문은 들었으나 그 탄피는 극비리에 제작 중이라 더 이상 알아보지 못했습니다. 송구스럽습니다."

라울린의 말에 칼리아스는 한동안 말이 없었다. 그러다가 오페라의 아리아가 조금 잦아들자 다시 입을 열었다.

"클라레이 경은 탄피 개량에 더욱 힘써 주게. 내가 사람을 하나 보낼 터이니 그와 함께 연구하여 금속 탄피를 만들어 내게. 이 일은 그대와 나, 그리고 여기 있는 사람들만 아는 극비 사항으로 진행될 것이네."

리체는 심각한 이야기가 오가는 중에 어디서 끼어들어야

할지도 모르겠고 무슨 이야기를 하는지도 잘 몰라 난감했다. 그런 리체의 손을 벨라는 꼬옥 잡아 주었다.

오페라가 끝나고 리체와 벨라, 황태자는 나란히 밖으로 나왔다. 아무 일도 없었던 것처럼 헤어지려 하는데 시종이 어디선가 신문 하나를 들고 와 황태자에게 바쳤다.

신문을 보자마자 칼리아스는 얼굴이 붉으락푸르락해지더니 화를 내며 신문을 집어 던졌다.

"이 기사 작성한 기자를 당장 잡아 와라!"

벨라는 황태자가 버린 신문을 집어 들었다.

[특종. 황태자 전하 밀회 현장 포착! 오페라 중에 황태자 전하의 고성이 들려와.

한 묘령의 여성에게 "빨리 말해다오! 나의 고백을 받아들여 주지 않으면 끔찍해질 오페라다. 2막이 시작되기 전에 빨리 말하란 말이다!"라고 외치는 목소리를 다수의 청중이 확인하였다.

묘령의 여인은 감히 태자 전하에게 거절의 뜻을 표했는지 이어지는 전하의 말씀은 "그럼 내가 이대로 죽으라는 말이냐?"였다고 한다.

황태자 전하께서 목숨을 걸고 구애한 여인은 이사벨라 엘 아르티드. 오페라 시작도 전부터 발코니로 은밀히 불러낸 데에는 그러한 사유가 있었던 것이었다.]

갓 찍어 낸 신문은 따끈했다.

캐시는 루카스가 벨라의 집사일 뿐만 아니라 근거리 가드라는 말에 그를 유심히 지켜보았다. 키가 크긴 했으나 마르고 조용해서 그다지 위협적으로 보이지 않는 자였다.

차라리 그의 동생 이안이 체격이 건장해서 근거리 가드라고 하면 수긍하겠는데 그는 외부로 늘 외근을 나가고 없었다.

"어찌 되었든 드디어 집으로 돌아갈 수 있다! 만세!"

신나 하는 벨라에게 리체가 걱정스런 눈빛으로 말했다.

"그 신문 기사 때문에 황태자 전하는 근신 처분으로 외출 금지이고, 너는 황제 폐하의 엄명으로 수도 밖으로 쫓겨나듯 그리젤리로 가는데 뭐가 그리 신나니? 걱정되지 않아?"

"전혀! 집에 돌아가는 건 언제나 즐거워! 심각한 생각은 돌아가서 쉬고 난 다음에 할래."

벨라는 마차에 오르며 그저 신날 뿐이었다.

그 모습을 본 리체는 벨라가 침울해 있을까 봐 걱정한 것이 기우였다는 듯 피식 웃고 말았다.

벨라의 부탁으로 리체와 가족들이 탄 마차는 라울린이 호위하고 벨라가 탄 마차는 캐시가 호위하게 되었다.

말을 타고 가던 캐시는 마차 안을 힐끔 바라보았다. 한 점 흐트러짐 없는 차림새의 루카스가 벨라의 맞은편에 앉아 있었다.

"마차 안에서 급하게 숙제하셔도 달라지는 것은 없습니다. 그냥 편히 쉬십시오. 어차피 브롬웰 교수님은 결과물을 보시고 뒷목 잡으실 겁니다."

그가 무심하게 내뱉은 말에 벨라는 오만상을 찡그리며 오기로 흔들리는 마차 안에서 글씨를 잘 쓰려 애쓰고 있었다.

마차가 돌 위를 굴렀는지 '덜컹'하자 벨라의 엉덩이가 붕 뜬 사이 루카스는 그녀가 놓친 만년필을 재빨리 잡아 건넸다.

"고마워."

벨라는 혓바닥을 내밀어 문 채 한 자 한 자 똑바로 쓰려고 애썼지만, 글자는 점점 더 엉망이 되어 가고 있었다.

"숙제는 미리 하는 것입니다."

"나도 알아."

캐시는 그 모습을 유심히 지켜보았다.

반사 신경이 매우 뛰어난 사람이었다. 벨라는 그의 도움이 일상이라 특이점을 느끼지 못하는 듯하였다.

캐시는 자신의 집안 집사를 떠올렸다. 소작인들에게 청탁을 받고 뒷돈을 챙기고 있길래 해고했었다. 그러자 그는 하이아드 백작가의 은밀한 사생활을 폭로해 신문사들로부터 돈을 벌겠다고 협박했다. 결국엔 큰돈을 주며 무마시켜야 했다.

그러니 아르티드 집안의 젊은 집사 루카스와 이안이 충성을 바치는 것을 보며 의아하지 않을 수가 없었다.

이안으로부터 대강의 이야기는 들었다.

'저희 형제가 어릴 적에 학대받고 자랐습니다. 불의의 사

고로 형이 존속 살해 사건에 휘말렸고 돌아가신 아르티드 후작님께서 끝까지 변호해 주셨습니다.'

캐시는 그 정도의 도움이란 한 장원의 영주라면 영주민에게 흔히 베풀 수 있는 후원이 아닌가 하는 생각을 했다. 자신의 아버지인 하이아드 백작도 신문고를 통해 도움을 요청하는 영주민을 도왔었다.

캐시는 의아한 눈으로 이안을 바라보았다.

'그분 덕에 형은 유학도 했고 순조롭게 흘러갔다면 그대로 학문에 전념했겠지만, 보시다시피 그분께서 돌아가신 이후 후작님께 받은 은혜를 갚기 위해 벨라 아가씨께 헌신하고 있습니다.'

이안의 설명에도 캐시는 충분히 납득이 되지 않았다.

생명의 은인이라고 해서 유학 도중에 돌아와 집사를 자처한 이유로는 왠지 버거워 보였다.

'게다가 좀 위험한 일상인가.'

벨라는 자신이 늘 살얼음판 속을 살고 있다는 사실을 모르고 있었다. 수시로 암살 위협에 처하면서도 그녀의 행동 반경이 좁아지는 것을 원치 않기에 모든 것을 비밀로 하고 경호하는 사실이 흥미로웠다.

그리고 한 형제라고는 하나 이안은 가방끈이 짧았다.

소작료 셈을 잘하는 것으로 보아 머리는 제법 좋은 것 같은데 이안은 글을 읽고 쓰는 정도에 그쳤다.

'돌아가신 후작님께서 당신은 후원해 주지 않으셨나요?' 라고 묻자 이안은 털털하게 웃으며 대답했다.

'저는 돌머리라, 시켜 줘도 마다했을 겁니다.'

두 형제는 과거에 대해 별로 이야기하지 않았다. 그것이 벨라시아로 찾아온 노파와 상관이 있는 걸까 하는 생각을 해 보았다.

잠시 시냇가에 멈춰 섰다. 말을 풀어놓아 물을 먹이고 풀을 뜯게 하는 사이 벨라가 밖으로 나와서 돌아다니려고 하자 루카스가 말했다.

"금방 떠날 겁니다. 멀리 가지 마십시오."

다른 마차에서 리체도 나와서 잠시 바람을 쐬었다.

마침 시냇가 근처에서 잘 익은 나무 열매를 발견한 벨라는 기사 중 한 명에게 따다 달라고 부탁했다.

벨라가 나무 열매에 정신 팔려 있는 사이 리체가 타고 온 마차의 마부가 그쪽을 힐끔힐끔 쳐다보았다. 자신을 쳐다보는 이가 없다고 생각하자 슬그머니 식수통으로 다가가 품에서 가루약을 꺼냈다.

"앗!"

루카스는 그를 간단히 저지하고 가루약을 든 그의 손목을 우드득 소리가 나도록 움켜쥐었다.

"끄아악! 이 손 놓아주십시오!"

캐시와 시선이 마주친 루카스는 캐시에게 그자를 넘기고는 큰 소리로 외쳤다.

"아가씨, 마차로 돌아오십시오."

무언가 심상찮은 눈치에 라울린은 곧바로 루카스에게 달려왔다.

"일당이 주변에 있을지도 모르니 수색해 보십시오."

라울린은 곧바로 서너 명을 데리고 수풀로 재빨리 사라져 갔다.

"루카스 무슨 일이에요?"

벨라가 저쪽에서 해맑게 손을 흔들었다.

"이제 곧 해가 저무니 빨리 출발해야 합니다. 마차에 타십시오."

그의 말에 벨라는 금방 달려왔다.

"루카스, 이 열매 먹어 봐요. 맛있어."

"아가씨 아무거나 드시면 안……."

벨라는 루카스의 입에 하나를 쏙 집어넣었다.

"맛있지? 맛있지? 그치?"

벨라는 신나서 마차에 올랐다.

방금 무슨 일이 일어났는지 전혀 모르기에 지을 수 있는 해맑은 미소였다.

캐시는 마부를 밧줄로 꽁꽁 묶었다.

"아악! 내 손!"

마부는 고통으로 몸부림을 쳤다.

루카스가 움켜쥐었던 것뿐이었는데 그자의 손은 부러져 흐느적거리고 있었다.

'이래서 라울린이 저자를 근거리 가드라고 불렀던 걸까?'

캐시는 한 번에 손목을 부러뜨리려면 손에 얼마나 힘을 줘야 하는지 자신의 손을 움켜쥐었다가 폈다.

"소지품을 뒤져 보십시오."

루카스의 말에 캐시는 그자의 주머니를 샅샅이 뒤졌다.
"아무것도 없습니다."
"오페라 하우스에서 습격한 놈들과는 다른 부류의 자객이었나 봅니다."
입을 다물고 있는 마부를 바라보고 있는데 라울린이 수풀 속에서 돌아왔다. 아무것도 발견하지 못했는지 고개를 저었다.
"짐칸에 이자를 실어라. 그리젤리에 가서 심문하겠다."
라울린의 말에 기사들이 마차 짐칸에 그를 집어넣었다.

마차는 그리젤리에 가까워져 가고 있었다.
"와, 공기부터 다르다. 우리 집 냄새."
벨라는 창밖으로 고개를 내밀었다.
"아가씨, 창밖으로 고개 내밀지 마십시오. 위험합니다."
"뭐 어때. 이제 집에 다다랐는데."
벨라는 루카스의 잔소리를 못 들은 척 외면하며 창밖으로 손도 하나 내밀었다.
저 멀리서 컹컹대는 소리가 들려왔다.
"이 소리는?"
벨라의 눈빛이 반짝였다.
설마가 사실이 되었다. 달리는 마차를 향해 노란 점 하나가 다가오더니, 푸딩이 반갑다고 울부짖으며 따라 달렸다.
이 먼 데까지 달려온 푸딩이 신기하기도 하고 반갑기도 해서 벨라는 큰 소리로 웃었다. 푸딩이 짖자 멀리서도 하나

둘 개 짖는 소리가 들렸다. 마을이 보이기 시작했다.

푸딩은 달리는 말의 속도를 따라잡지 못해 한참을 달리다 점점 뒤로 처져 짖어 댔다. 지쳐서 천천히 따라오려는 모양이었다.

"마차에 푸딩이를 태워서 갈까?"

벨라의 말에 루카스는 고개를 저었다.

"그리젤리 터줏대감이라 이 정도 거리는 곧 따라올 겁니다."

"하긴. 따라 나와서는 어디론가 새기 일쑤인 녀석이니."

마을에 진입하자 개들이 나도 알아 달라는 듯 여기저기서 컹컹 짖어 대기 시작했다.

근데 이상하다.

어째 뛰놀고 있는 강아지들이 죄다 노랗거나 노란 얼룩이었다.

벨라는 눈을 비벼 보았다.

심지어 그리젤리에 도착해서 내리는데도 사방에 노란 개들이 눈에 띄었다.

"요즘 노란 개가 유행인가? 아까부터 신경 쓰였는데 마을 어귀서부터 여기까지 뭔가 이상해."

벨라는 믿을 수 없는 풍경에 자신이 잘못 본 것은 아닌지 눈을 떴다, 감았다 했다.

그리젤리 저택 안으로 들어가다가 벨라는 할 말을 잊고 서 있었다. 메이드장 브렌다가 다가와 맞이하자 그녀를 향해 말을 걸었다.

"브렌다, 나 잘못 본 거 아니지? 그치? 노란 개가 늘어난 것 같아."
"제대로 보신 것 맞습니다."
브렌다는 아무렇지도 않다는 듯 대꾸했다. 벨라는 고개를 갸웃거렸다.
"왜 오면서 본 모든 강아지가 푸딩이를 닮은 것 같은 착각이 들지?"
"착각 아닙니다. 푸딩이 저놈 별명이 '번식의 제왕'입니다."
헉!
벨라는 순간적으로 얼어붙은 듯 걸음을 멈춰 섰다.
"재가?"
벨라는 자신이 잘못 들은 것인지 확인하는 듯한 표정으로 브렌다에게 되물었다.
브렌다는 그저 일행과 마차 상황을 정리할 뿐이었다.
"아가씨, 돌아오셨군요!"
맨발로 유모 낸시가 뛰어나왔다.
"아이고머니, 아가씨 뺨이 핼쑥해진 것 봐. 벨라시아에서는 아가씨 식사도 제대로 안 챙겼답니까?"
호들갑을 떨던 낸시는 뒤의 마차에서 내리는 리체와 리체 가족들을 보며 눈을 크게 떴다.
"낸시, 이쪽은 내 친구 베아트리체 엘 롬바르트하고 가족들. 리체, 이쪽은 유모 낸시이고 저쪽은 메이드장 브렌다. 사람들 하나하나 소개해 줄게."
벨라는 리체의 손을 이끌고 모두 직접 소개할 정도로 열성적이었다. 하지만 리체는 그저 부끄러울 뿐이었다. 혹시 벨라에게 위험한 존재는 아닌지 훑어보는 시선에 한없이 작아지는 자신을 발견했다.

하지만 식구들에게 숙식을 제공해 준다는데 이런 감정조차 사치라고 생각하며 리체는 사람들에게 인사를 건넸다.

벨라가 모두에게 사랑받는 느낌은 너무나도 역력하여서 부럽기까지 했다.

'나면서부터 모두의 사랑을 받는 존재라니.'

자신과는 너무나도 처지가 달랐다. 그런 리체의 마음과는 달리 그녀의 어린 동생 라비니아, 몰리, 티아나는 그리젤리를 보며 뛸 듯 기뻐할 뿐이었다.

"와. 언니 친구 정말 대단하구나. 이 정도의 집이 본래 겨울 별장으로 쓰이던 곳이라니, 본성의 규모는 엄청나겠다. 우리가 살던 데랑은 비교도 안 돼."

몰리가 흥분해서 리체의 팔에 매달렸다.

"으응……."

하녀에게 안내받은 전망 좋은 방에 들어가자마자 라비니아는 푹신한 침대에 몸을 던지며 감탄사를 터뜨렸다.

"와, 여긴 겉모습도 아기자기하니 예쁘더니 안은 더 좋아! 세상에. 이런 방에서 평생 살라 해도 실컷 살겠다."

"음식 만드나 봐! 이 군침이 도는 냄새는 뭐지? 무슨 요리인지 짐작도 못 하겠어. 향이 너무나 좋은데?"

티아나는 코를 킁킁거렸다.

신난 라비니아가 리체에게 큰 소리로 말했다.

"무능한 아빠보다는 언니가 수십 배는 더 능력 있다! 진작에 언니가 우리 집 가장이 되어야 했어! 언니는 언제 이렇게 멋진 친구를 가졌어? 어디서 알게 된 거야? 평생 얹혀 지내도 괜찮다고 했다며! 세상에 이렇게 고마운 사람이 또 있어?"

리체는 창밖만 바라보다가 뒤로 돌아서며 차분한 목소리로 말했다.

"아주 잠시만 신세 질 거야. 돈만 마련되면 즉시 단칸방이라도 얻어서 나갈 거야. 그러니 폐 끼칠 생각 하지 마. 얻어먹는 것 자랑할 일이 못 돼."

그녀의 말에 라비니아는 화들짝 놀랐다.

"단칸방? 언니, 굴러 들어온 복을 차 버리려고 해?"

"그래, 언니! 나는 단칸방 싫어! 아무리 밑바닥으로 전락했어도 백작가의 혈통이 어떻게 단칸방에서 살아? 끔찍해!"

티아나가 정색했다.

그러나 리체는 고개를 저었다.

"아무리 아르티드가의 가풍이 남에게 베풀라는 것이라도, 그 베풂이 공짜는 아니야. 언젠가는 갚아야 할 것이라고."

리체는 단호하게 말했다.

"이미 빚은 져 볼 대로 져 봤잖아? 우리는 더 이상 남의 온정에 기대어 살 수는 없어."

동생들은 리체의 말에 안색이 어두워졌다.

"그저 혈통만으로 우대받는 시대는 이미 지나갔어. 앞으로 다가올 시대는 능력이 있어야 살아남을 수 있는 시대라고 생각해. 그러니 내 말 명심해. 될 수 있으면 신세 지지 마."

"언니, 너무해! 당장 우리가 할 수 있는 것도 없고, 할 줄 아는 것도 없는데 어떡하라고?"
몰리의 말에 리체는 단호하게 고개를 저었다.
"앞으로 너희도 무언가 쓸모 있는 것들을 배워. 싫으면 다시 셀레스몬가로 돌아가든가. 롬바르트가의 가주는 나야."

"빅터 브롬웰 교수님, 발굴 상황은 어찌 되어 갑니까?"
루카스의 말에 빅터는 어깨를 으쓱해 보였다.
"도움 없이 혼자 발굴하려니 헛발질만 실컷 하고 있지. 의심이 가는 곳은 여기저기 다 파 보는 중인데 도무지 실마리가 풀리질 않아."
"클라레이 경, 그 마부에게서 알아낸 것은?"
라울린은 고개를 저었다.
"도대체 보수를 얼마나 받기로 한 것인지 입을 다물고 있지만, 놈을 고용하게 된 경로를 알아보니 포르위네 성이더군요."
그는 어깨를 으쓱해 보였다.
"또 뻔하죠. '포르위네에서 스쳐 가는 사람이 몇 명인데 개개인의 자세한 사정까지는 모른다.' 하고 꼬리 자르기를 할 테니."
라울린은 한숨을 쉬며 팔짱을 꼈다.
"어떤 증거를 가져다 대야 눈썹이라도 까딱할지 원. 처분은 어떻게 할까요?"

루카스는 별 감흥 없이 대답했다.

"치안관에게 넘겨 봐야 아마 감옥으로 이송되기도 전에 또 의문사할 테니 알아서 하십시오. 독약을 확보했으니 후작님께서 돌아가셨을 때 사용된 그것일지 출처를 알아봐야 합니다."

두꺼운 뿔테 안경을 올려 쓰며 고지식한 브렌다가 입을 열었다.

"수도에 가서 계신 동안 도둑이 들려다가 미수에 그쳤습니다. 아가씨의 염려가 있었기에 늘 화재에 대비하는 연습을 시키고 있습니다만 아직까지는 조용합니다. 버틀러 경은 수도에서 새로이 알아내신 것이라도 있습니까?"

루카스는 생각에 잠긴 듯 눈을 내리깔았다가 다시 뜨며 대답했다.

"브롬웰 교수님의 말씀처럼, 아가씨가 뛰어내렸다는 화이트포럼 강 아래 고대의 사라진 도시가 있을 가능성이 큽니다."

루카스의 말에 브롬웰은 고개를 끄덕거리며 믿어 달라는 듯 라울린과 브렌다를 바라보았다.

루카스는 벨라시아 저택의 자료를 몽땅 뒤져 본 기억을 되살리며 말했다.

"그 당시에는 화이트포럼 강의 방향이 현재의 수도를 반으로 가르고 있었고, 물의 흐름이 바뀌면서 물길이 사라진 사실이 기록에 남아 있었습니다."

루카스는 수수께끼 같은 말을 꺼냈다.

"실제로 벨라시아 저택의 고문서에 '홍수로 인해 강물의 방향이 변해 멀리 돌아서 가야 한다. 그러나 어찌 된 일인지 이미 강을 건너가 있었다.'와 같은 구절이 몇 가지 있습니다."

빅터는 그럴 줄 알았다는 듯 신난 표정을 지었다. 루카스는 말을 마저 이었다.

"살펴보니 브롬웰 교수님의 가정이 꽤 타당성이 있다고 생각합니다."

"대체 무슨 말입니까? 저도 알아들을 수 있게 설명해 주십시오."

도통 못 알아듣겠다는 표정의 브렌다가 안경을 다시 끌어올리자 빅터가 입을 열었다.

"저는 아가씨의 회귀 사실이 진짜라고 믿고 싶습니다. 루카스가 아가씨의 비밀 일기장을 보여 준 지가 꽤 됩니다만. 그러잖아도 신화와 역사의 중간쯤에 있는 유적지를 발굴해 보는 것이 저의 일생일대의 꿈이었습니다."

빅터는 감회가 새롭다는 듯 말했다.

"이곳에 오면서 사실 아르티드가의 전설이라도 채록해 보자 하는 정도의 소망만 갖고 온 것인데 이건 더욱 큰 기회입니다!"

빅터는 또다시 흥분했다.

"그러니까 자꾸 못 알아들을 소리만 하지 마시라고요!"

브렌다는 고개를 절레절레 저었다. 잠시 헛기침을 하며 목소리를 가다듬은 빅터는 마저 입을 열었다.

"결론부터 말하자면, 아가씨께서 자력으로 회귀하셨을 가능성이 있다는 겁니다."

빅터의 목소리가 벅차서 떨려 왔다.

"예전부터 화이트포럼 다리 밑에 옛 고대 도시 유적이 묻혀 있다는 학설이 있었습니다."

빅터는 눈빛을 반짝이며 말을 이어 갔다.

"그 가설이 옳다는 가정하에, 아가씨께서 하필이면 투신한 자리가 워프 포인트였고, 아가씨께선 자신도 모르는 사이 자신이 타고난 마력을 사용해 열네 살로 회귀하신 것일지도 모릅니다."

브렌다는 귀신 씨나락 까먹는 소리를 듣는다는 듯, 찡그린 채 빅터의 말을 들었다.

"아시다시피, 아르티드가의 보물은 마법 지팡이입니다."

그의 말에 루카스가 고개를 한 번 끄덕였다. 빅터의 열변이 계속되었다.

"혹자는 동화책에서나 나올 법한 황당한 이야기라고는 하나, 신기한 것은 아르티드가의 혈통이 그 지팡이를 잡으면 공명 현상이 생긴다는 거죠."

빅터의 말에 브렌다는 사실 여부를 확인하듯 루카스를 자꾸만 쳐다보았다. 설마하니 농담조차 한마디 하지 않는 루카스가 빅터의 가설에 동조할 줄은 몰랐다.

그러나 빅터의 목소리는 굳건했다.

"초대 가주 외에 그 지팡이를 제대로 썼다는 후손은 없다지만 벨라시아에 있는 기록물 중 선조가 얼결에 워프했다는 기록이 있는지 찾아보라 했습니다."

빅터는 재밌는 사실을 말하듯 눈빛을 반짝였다.

"여러분도 아실 겁니다. 포르위네 성이 옛날부터 무엇으로 유명했는지……."

라울린은 잘 몰라서 주변을 둘러보았다.

루카스와 브렌다가 동시에 말했다.

"귀신이 장난치는 성."

"뭐…… 뭐요?"

라울린은 귀를 의심했다. 그도 그럴 것이 그는 루카스의 소개로 곧바로 그리젤리로 왔기에 포르위네 성에 가 본 것은 손에 꼽았다. 라울린은 잘못 들었나 귓구멍을 후벼 보았다.

라울린 자신은 아직 회귀에 대한 확신도 없는데 빅터는 확신을 떠나 자신의 가설을 증명하겠다며 뒷산에서 삽질 중이 아닌가. 어처구니가 없어서 헛웃음이 나왔다.

"예로부터 포르위네 성은 가구나 문이 저절로 혼자 움직였다는 전설이 전해져 옵니다. 그게 초대 가주의 혼이 남아있어서 그렇다는 설이 있습니다만. 특히나 오래된 물건일수록 자주 제자리를 벗어나죠."

브렌다의 황당한 말에 라울린은 저도 모르게 참지 못하고 쿡 하고 웃고 말았다.

"저도 포르위네 성에서 일할 당시에 몇 번 겪어 봤습니다. 클라레이 경께서도 그 현장을 보셨으면 그렇게 웃지는 못하실 겁니다."

브렌다는 더욱 진지한 표정을 지었다.

"그렇군요."

라울린은 간신히 웃음을 참았다.

“그러니까 빅터 브롬웰 교수님께서는 포르위네 성의 일련의 소동이 혹시 ‘아르티드가의 타고난 마력 때문이다.’라고 생각하신다는 것입니까?”

떨리는 브렌다의 목소리에 빅터는 고개를 끄덕였다.

“어쩌면, 아가씨는 타고난 마력이 강하여 자신도 모르는 새에 그 텔레포트 포인트를 이용하신 건지도 모릅니다.”

“텔레포트 포인트는 말 그대로 장소를 워프한다는 고대의 전설 아닙니까?”

브렌다의 말에 빅터가 대답했다.

“전설에 따르면 마법사들은 그 텔레포트 포인트를 이용해 이동을 자유자재로 했다고 전해지지요. 하지만 아르티드가의 초대 가주만은 조금 더 특별합니다. 그가 시간을 거슬렀다는 기록이 국가 기록서에도 남아 있습니다. 그러니 아가씨께서 그 마력을 물려받았다면 못할 것도 없습니다.”

“어디까지나 모두 다 가정일 뿐이지요. 아니, 요즘 세상에 누가 마법 이야기를 합니까? 설령 그게 진실이라도 눈으로 보여 주지 않으면 아무도 믿지 않습니다.”

어처구니가 없어서 실실 웃고 있던 라울린이 끼어들어 말했다.

“그래서 초대 가주의 숨겨진 건축물을 찾는 겁니다. 이 지역에서 채집한 구전 설화 중에 초대 가주 개인 소유의 텔레포트 포인트가 있다 했습니다. 그걸 찾으면 됩니다.”

라울린은 재미있다는 듯이 팔짱을 끼고 빅터를 바라보았다.

'타고난 마력이랑 텔레포트 포인트랑 무슨 상관이지?'

생각은 그리 하여도 입 밖으로 냈다가는 빅터가 입으로 불을 뿜을 것 같아서 잠자코 있었다.

'설령 타고난 마력이 있다 치자. 마법이 인간의 기억에서 사라진 지 오래된 지금, 무슨 수로 그 마력의 존재를 증명할 건데?'

그런 그에게 루카스가 말을 건넸다.

"참, 클라레이 경, 새로 온 견습 여기사는 어떻습니까? 포르위네 성의 추천장에 어떤 대가가 있었을지 모릅니다. 확인해 보셨습니까?"

라울린은 미간을 찡그리고는 헛기침을 했다.

"아직 별다른 점은 눈에 띄지 않습니다만 그래도 카스웰 기사단장님께서 아무 이유 없이 추천장을 보내 주실 리는 없으니 계속 주목하겠습니다."

"캐서린 엘 하이아드 님 말씀입니까? 그분이 첩자일 가능성이 있는 겁니까?"

브렌다의 말에 라울린은 침묵했고 루카스는 그 대신 대답했다.

"모든 가능성은 열어 둬야 합니다."

그러자 라울린이 한마디 더 보탰다.

"참, 버틀러 경의 고모라고 주장하는 그 노파, 그 뒤로도 한 번 더 찾아왔습니다. 그 노파는 대체 뭡니까?"

루카스는 딱 잘라 말했다.

"저와는 피 한 방울 섞이지 않은 남입니다. 이안과 저는 아버지가 다르니까요. 한때 이안이 그분 밑에서 자랐습니다."

라울린은 그 노파가 한 말을 떠올렸다.

'악마의 자식, 저주받을 제피르의 아들.'

정치나 역사는 잘 모르는 라울린이었다. 그런 그도 제피르라는 이름이 누구를 뜻하는지는 알았다.

주인을 물어 죽인 개라 불리는 자. 자기가 섬기던 왕을 죽이고 섭정이 된 자, 모든 사람은 평등한 교육의 기회 아래 능력을 발휘할 기회가 주어져야 한다고 개혁의 이름 아래 수많은 사람을 숙청한 피도 눈물도 없는 자. 그리고 페로하트—플란네르 연합군의 발아래 함락되자 자결로 생을 마감한 자.

무책임하게 자결로 책임을 회피했다고 두고두고 욕먹는 그자의 이름을 모르는 것이 더 이상할 정도였다.

'그런 그의 아들이라니.'

이안은 노파가 형과 마주칠까 봐 품에서 돈을 꺼내어 쥐여 주고 멀리 쫓아 버렸다.

'사실인 걸까?'

라울린은 루카스를 훑어보았다.

만약 그자의 아들이라면 그 아비를 짓밟은 페로하트에서 살아가는 것도 이상하고, 자신이 섬기던 왕을 죽인 제피르와는 달리 벨라에게 절대적 충성을 맹세한 것도 이상했다.

'열 길 물속은 알아도 한 길 사람 마음은 모르겠다.'

라울린의 생각에 브렌다의 목소리가 끼어 들어왔다.

"도망친 라보쉬 남작의 행방은 아직입니까?"

부쩍 노안이 왔는지 연신 안경을 바짝 치켜들며 브렌다가 묻자 루카스가 대답했다.

"이안 편에 수소문해 보고 있으나 어쩌면 그는 이미 국내를 떴을지도 모릅니다."

"도대체 뭐가 아쉬워서 사라진 건가요?"

브렌다의 말에 루카스는 품에서 기차표를 꺼냈다.

"그가 마지막으로 목격된 곳은 센트레 기차역입니다. 페로하트 국적의 기차는 그곳이 종착역이죠. 그리고 플란네르로 가는 중간 기점이기도 합니다."

"플란네르로 갔단 말입니까?"

라울린의 말에 루카스는 고개를 끄덕였다.

"그랬을 가능성이 큽니다."

"제국의 전도유망한 화학자가, 게다가 돈도 제법 잘 벌어들이고 있던 그가 왜 하필이면 플란네르로?"

빅터의 말에 루카스가 다시 입을 열었다.

"그가 질산 연구를 하다가 사라진 것 같습니다만, 질산은 일반적인 용도의 강산이 아니라서 생활에 거의 쓰이지 않습니다. 그 점이 무척 마음에 걸립니다."

루카스는 라보쉬 남작에 대한 다른 증거도, 추가적인 목격담도 없는 이야기를 더 해 봐야 의미 없다는 듯 화제를 바꿨다.

"수도에서 본 바로는 황태자 전하는 폐하를 설득하지 못하였고, 벨라 아가씨와의 스캔들 때문에 외부 활동을 전면 금지당하신 상황입니다."

빅터와 브렌다는 그 말에 굳은 표정을 지었다. 루카스는 계속해 말을 이어 갔다.

"아무래도 오르티우스 요새 탈환 작전이 그대로 흘러갈 확률이 높고, 이안과 라울린이 군대에 차출될 가능성 역시 여전히 큽니다. 일단 두 사람의 안전이 가장 시급하니 그 부분을 앞으로 더 논의해 봅시다."

비밀 토론이 끝나고 라울린, 루카스, 빅터는 차례로 나갔고 브렌다는 뒷자리를 정리하고 맨 마지막에 나갔다. 복도에 놓인 역대 아르티드 가주들의 초상화는 늘 보던 것이다. 오늘따라 희한한 이야기를 들어서인지 유심히 쳐다보게 되었다.

아르티드가의 초대 후작 부인은 엘프였다고 들었다. 초대 후작 내외의 초상화는 현존하지 않고, 지금 남아 있는 것은 7대째부터의 초상화였다. 그때부터 아르티드가에는 이미 밤갈색 곱슬머리에 약간 뾰족한 송곳니, 귓바퀴가 좀 더 길쭉한 특징이 있었다.

'이들이 타고난 마법사였단 말인가?'

브렌다는 잠시 옛날을 생각해 보았다.

'토레스 님도, 다비드 님도 그리고 벨라 아가씨도…….'

카리스마 따위는 병아리 눈곱을 먼지로 만든 한 조각만큼도 없는 사람들이었다.

'세상에 이렇게 눈물 많은 인간은 손에 꼽을 지경이지.'

십 대 때부터 다비드를 보살폈던 브렌다로서는 다비드가 걸핏하면 엉엉 울던 어린 시절이 지금도 생생했다.

'다비드 님이 울면 토레스 님은 자기 아들을 달래는 게 아니라 당황해서 함께 우셨지. 끌끌.'

브렌다는 고개를 절레절레 저었다.

'마력이라니. 브롬웰 교수님은 원래 열혈 바보라 그런다 치고, 버틀러 경마저 그런 헛소리라니. 포르위네 성에 불가사의한 일이 많이 일어난 것은 사실이지만 그래도 이건 아니지…….'

브렌다는 복도를 지나 서재로 갔다.

'그래도 그런 울보들에게 감동해서 이 고생을 하는 나도 참…….'

브렌다는 벨라가 이것저것 빼놓고 잘못 꽂고 한쪽에 쌓아 둔 책들을 정리하며 먼지떨이를 들어 선반의 먼지를 탈탈 털던 참이었다.

"엣츄."

서재 한쪽에서 재채기하는 소리가 났다.

"죄송합니다. 거기 계신 줄 몰랐습니다."

브렌다의 말에 리체는 어찌할 줄 몰랐다.

"벨라가 서재의 책은 마음껏 읽어도 된다기에……."

리체가 집어 든 책은 로맨스 소설이었다.

"'나비 소년의 사랑'이네요?"

브렌다가 책 제목을 말하자 그 책을 들고 있던 리체의 볼이 붉어졌다.

"실용 서적이 대부분이라 잘 모르는 주제라서 소설책을 집어 봤어요."

"그 책 시리즈 중에 '나비 소년의 이별'이 더 재미있습니다."

브렌다는 먼지 낀 선반에서 책을 하나 꺼내어 탈탈 털어 리체에게 내밀었다.

"깔끔 떠는 버틀러 씨도 잘 안 읽는 책에는 무심하다니까. 이 책이 얼마나 유명한 책인데. 본 김에 로맨스 소설 칸을 모두 청소해야겠습니다."

브렌다의 말에 리체가 눈빛을 반짝였다.

"어머! 그쪽이 로맨스 소설 칸이에요?"

"그럼요. 벨라 아가씨께서 괜한 바람 들면 안 된다고 무심한 인간이 이 귀한 책들을 모두 외진 자리에 몰아넣어 놔서 이렇게 홀대받고 있지만, 이 칸에 얼마나 재밌는 책들로 가득한데요?"

브렌다는 사다리를 밟고 올라가서 로맨스 소설책들을 한 아름 바닥에 내려놓고는 그 칸을 청소하기 시작했다.

그 옆에서 리체는 책 제목들을 하나하나 훑었다.

"보고 싶으면 가져가서 읽으셔도 됩니다."

브렌다의 말에 리체는 대답했다.

"제가 읽어 보지 않은 책도 있고, 처음 보는 책도 있네요. '여름의 그림자'도 재밌었는데."

리체의 말에 브렌다는 먼지를 닦다 말고 멈춰 섰다.

"'여름의 그림자'를 읽어 보셨다고요?"

"그럼요, 그 작가가 쓴 로맨스 소설은 뭐든 재미있어요. '사자의 용기'가 대표작이라고들 하는데 전 그다지 호평받지 못했던 '부르지 못한 사랑 노래'가 가장 좋았어요."

리체의 말에 브렌다의 눈빛이 반짝반짝 빛났다.

"그래요? 저도 '부르지 못한 사랑 노래'를 최고로 치는데."

검은 뿔테 안경에, 주근깨 가득한 얼굴에 창백한 피부, 누가 봐도 신경질적인 기숙사 사감 선생처럼 생긴 브렌다와 이렇게 이야기를 오래 해 본 적도 없었지만, 그녀가 이렇게 흥분해 있는 것을 보기는 처음이었다.

"리체 아가씨께선 로맨스 소설에 조예가 깊으시군요!"

브렌다는 먼지떨이를 손에 쥔 채 사다리에서 내려왔다.

"실은, '부르지 못한 사랑 노래' 무삭제판에 작가 친필 서명을 받았답니다."

"꺄악!"

리체는 저도 모르게 비명을 질렀다가 입을 가리고 조그맣게 말했다.

"그 책에 무삭제판이 있었어요?"

"그럼요. 검열에 걸려서 뭉텅이로 잘라 내야 했기 때문에 그 책이 인기가 없는 거랍니다."

"세상에나! 어쩐지! 뭔가 허전했어요! 구경시켜 주실 수 있으세요?"

"그럼요! 빌려 가셔도 됩니다. 단 제가 페이지를 꾹 누르는 걸 싫어해서……, 책 제본한 부분에 주름지지 않게 살살 보고 돌려주셔야 합니다."

얼결에 리체는 브렌다의 손에 이끌려 그녀의 방으로 들어가게 되었다.

"저, 이 방에 다른 사람을 처음 들인답니다."

리체는 이미 입구서부터 그녀의 방에 빼곡한 책장에 입을 떡 벌렸다.

책장에 다가선 그녀는 왜 그 방이 작아 보이는지 금방 깨달았다.

책장 뒤에도 책장이 있어서 미닫이처럼 벽면에 세 겹으로 세워져 있었다.

리체는 두 손으로 입을 가리고 경탄을 마지않았다.

"제가 꿈에 그리던 그런 방이에요."

리체의 반응이 뿌듯했는지 브렌다는 검은 뿔테 안경을 추어올리며 말했다.

"아마 현존하는 로맨스 소설은 대부분 다 가지고 있을 겁니다. 제 월급은 거의 다 여기에 쏟았죠."

리체는 정신없이 그녀의 책장을 훑어보며 감탄사를 내질렀다.

"어머! '그해 여름은 길었네'도 있네요! '이글이글 내 사랑'도 있고요! 꺄아! '너는 짐승'까지도 갖고 계셨어요! 꺅! 꺅!"

브렌다의 표정은 매우 흐뭇했다.

"뭘 그렇게 열심히 읽고 있어?"

벨라는 소파에 걸터앉아 독서 삼매경에 빠진 리체를 보며 말을 건넸다.

"메이드장 브렌다 노튼 씨께서 빌려주셨어. 그분 로맨스 소설 수집이 취미래."

"재밌어? 이참에 너도 로맨스 소설 써 봐. 좋아하잖아."

"에이, 내가 어떻게 그런……."

벨라는 리체의 곁에 다가가 책 제목을 들여다보았다. 책에서 눈을 떼고 벨라를 그제야 쳐다본 리체는 피식 웃고 말았다.

"그건 또 무슨 메이크업이야?"

"신제품 시험해 봤어. 색조가 강해?"

벨라는 눈 주변을 진하고 옅게 칠해 스모키하게 해 놓았다. 그러자 그녀의 보라색 눈동자가 매우 강조되어 보였다.

"안 어울리는 건 아닌데 강렬해서 딴사람처럼 보여. 벨라 네가 아니라."

리체의 말에 벨라는 깔깔 웃었다.

"그러고 보니 황후마마께서 네게 시녀가 되어 달라고 하지 않으셨어? 황후마마의 시녀가 되는 건 가문의 영광이라고들 각 가문에서 되지 못해 안달인데."

벨라는 한 손에 든 손거울로 비쳐 보며 붓으로 눈가를 더욱 진하게 칠했다.

"가훈이 '공직에 오르지 말라.'지만 워낙 명예직이라서 한 번 해 볼까 했는데, 너도 알다시피 황태자 전하와 내가 스캔들 났잖아? 황제 폐하께서 대로하셔서 나의 시녀직을 박탈하셨어."

벨라는 눈가에 미세하게 뭉친 아이쉐도우를 면봉으로 티

나지 않게 닦아 내고 다시 붓질을 이어 갔다.

"우리 선조 중에 누군가가 절대로 관직에 오르지 않겠다고 친필로 맹세한 문서가 황궁에 남아 있나 봐."

벨라는 그 말을 하며 무심한 척하려 했지만, 손끝에 약간 힘이 들어가는 것까지는 어쩔 수 없었다.

시녀직을 못해서 서운한 게 아니었다.

황제 폐하께서 클라라 황녀에게 친히 말씀하시길 '아무리 귀족 자제라도 부모님이 일찍 돌아가시고 고용인들 손에 자라며 금전에 일찍 눈을 뜬 아르티드가의 영애는 시녀뿐만 아니라 황녀의 친구로도 들일 수 없다.'며 엄포를 놓았다고 전해 들었다.

귀족이 귀족답지 못하게 장사라니. 격이 떨어진다는 거였다.

'귀족이 장사하면 뭐가 어때서?'

말은 그렇게 해 놓고 회귀 전 과거에서는 클라라 황녀와 벤자민을 혼인시켰던 황제였다. 벤자민이 클라라 황녀와 결혼할 수 있었던 이유는 인품이 좋아서도 아니고, 공적이 많아서도 아니고, 벨라로부터 가로챈 아르티드가의 재산 규모 때문이었다.

급격하게 기우는 황실을 바로잡기 위해 더러운 돈도 마다하지 않고 좋다고 받아들였던 황제였기에 지금 황제가 하는 말은 곧이곧대로 들리지 않았다.

그냥 벨라가 싫다는 거였다.

수도를 떠나오기 전 클라라 황녀를 마지막으로 보았을 때 그녀가 말했다.

'서운하게 생각하지 마, 아르티드 영애. 오라버니는 인스펙티오 공국의 공주와 혼담이 오가던 중이었는데 아르티드 영애랑 소문이 나서 그 혼담이 조금 삐걱거려서 그러는 거야. 아바마마의 노여움이 조금 가시면 내가 아르티드 영애의 저택으로 놀러 갈게. 기다려.'

그냥 그 말만 전해 주었다면 좋았을 것을, 클라라 황녀는 알리사 엘 그란첼 영애로부터 사교계 소문을 전해 들었다며 귀띔해 주었는데 소문이 가관이었다.

'황태자를 꼬셔 보려고 그렇게 알랑방귀를 뀌어 대더라.'

'감히 황태자 자리에 떡하니 앉아서 자기가 벌써 황태자비라도 된 양 고개를 빳빳하게 하고 황태자부터 한 자리씩 뒤로 물러나 앉게 만들더라.'

'돈독이 그렇게 올라서 승전 연회에 장사하러 와서는 황후마마를 꼬드겨서 크게 한몫 챙겼다더라.'

'고아로 자라서 그런지 일찌감치 귀족의 명예랑 돈이랑 바꿔 먹었다더라.'

'돈을 그렇게 좋아한다더라.'

그런 이야기를 속도 없이 그대로 전달한 클라라 황녀도 야속했지만, 알리사 본인의 생각일 것이 뻔해 보이는 말을 세간의 소문이라며 클라라 황녀에게 말한 그녀가 얄미워 죽을 지경이었다.

'내가 뭘 어쨌다고 그래.'

억울하기 짝이 없었다.

'돈이 없으면 귀족도 귀족 대접을 못 받는 세상이 다가왔는데 시대착오적인 생각일 뿐이지. 우리 조상님들도 그랬어. 돈에는 영혼이 없다고. 그저 그것을 쓰는 사람이 어디에 쓰느냐에 따라 다르다고 하셨지.'

그나저나 큰일이었다.

시녀직을 맡아 황궁에 드나들 수 있게 되면 황태자에게 더 많은 도움을 줄 수 있으리라 생각했다. 하지만 스캔들이 나서 출입에 제한이 생기는 바람에 여전히 황태자에게 다가갈 수가 없었다.

'자신이 후장식 소총 부대에 궤멸될 운명이란 것은 알았으나 여전히 아무것도 바꿀 수 없는 황태자는 얼마나 속이 탈까?'

아울러 그와 함께 전장에 끌려가게 될 이안과 라울린의 생각에 목이 멨다.

"벨라 아가씨, 손님이 오셨습니다."

루카스의 말에 벨라는 고개를 들었다.

"일전에 황태자 전하께서 클라레이 경에게 총기 전문가를 소개해 주신다던 일로 오신 분입니다."

루카스의 뒤를 따라 들어온 라울린의 얼굴이 벌겠다.

"황태자 전하께서 제정신입니까? 어찌 저런 자를 총기 전문가라고 보내십니까?"

"라울린, 무슨 일이야?"

벨라가 묻자 라울린은 리체를 쳐다보았다. 눈치를 깨달은 리체는 조용히 보던 책을 챙겨 자신의 방으로 올라갔다.

리체가 사라지고 나자 라울린이 입을 열었다.

"저자를 제가 압니다. 푸……."

라울린은 두 손으로 마른세수하듯 얼굴을 문질렀다.

"총기 전문가를 보내신다기에 군 전문가를 보내시는가 했더니, 저자는 증기 기관 수리공입니다!"

"그러니까 당신이 '과이야 베링필드'라는 사람이란 거죠?"

벨라는 눈앞에 있는 중년 남자를 바라보았다. 두꺼비를 연상시키는 얼굴에, 침팬지같이 긴 팔, 게다가 다리는 짧고 배는 나왔다. 머리도 살짝 벗겨져 본래 나이보다 더 늙어 보이지만, 이제 갓 오십이 되었다고 했다.

"발음에 주의해 주십시오. 구와이야~. 악센트가 두 번째에 있는 과이야입니다."

라울린은 머리를 감싸 쥐고 한숨만 쉬어 댔다.

말을 잇지 못하는 라울린을 두고 벨라는 그에게 질문을 시작했다.

"사제 총을 만들었다고요?"

"제가 만든 총을 압수한 치안관이 자기가 아는 사냥꾼에게 이 총을 써 보라고 줘 봤는데 그야말로 극찬을 하더라고 들었습죠."

과이야는 말하면서도 흐뭇하다는 듯 미소 지었다.

"기존의 총에 비하면 소음도 적고 반동도 적어 목표물을 겨눌 때 오차가 매우 적다는 것이 장점입니다. 명장이 만들었다는 총과 견줘도 손색이 없다고도 합니다."

과이야는 파리가 손바닥을 비비듯 자신의 두 손을 문지르며 자뻑에 취해 있었다.

"자격증 없이 독학해서 어깨너머 본 것만으로 베껴서 만들었다고요?"

벨라의 말에 그는 멋쩍게 웃으며 자랑스럽게 말했다.

"제가 정규 교육을 받은 적은 없는데 짧은 가방끈을 만회하려고 혼자 공부해서 많은 것을 깨쳤습니다. 증기 기관도 따로 교육받지 않고도 잘 고쳐 왔는걸요."

"후장식 소총을 만드실 수 있다고요?"

"만들 수는 있는데 종이 탄피 말고 금속 탄피로 제작을 해본 적은 없습니다. 앞으로 궁리해 보면 못 만들 것도 없겠죠."

라울린이 참다못해 소리쳤다.

"벨라 아가씨, 지금 이자는 사제 총을 만들다가 불법 무기 제작 및 소지 혐의로 기소되었단 말입니다. 그 혐의를 황태자 전하께서 무마시켜 주시는 조건으로 보내셨다고요!"

"그러는 댁도 내 총 하나 산 적 있지 않소이까."

그가 라울린을 시큰둥하니 쳐다보았다.

"그거야 알음알음 인맥으로 사길래 호기심에 어둠의 경로로 사 본 것이고, 쓰다가 폭발 사고 일어나서 큰일 날 뻔한 거 알아?"

라울린이 얼굴이 시뻘게져서 소리쳤다.

"사 갈 때는 감탄해 놓고 그래."

과이야의 말에 라울린은 벌컥 화를 내었다.

"이 사기꾼아! 내 돈 내놔!"
"그거야 당신이 잘못 다뤄서 그런거고!"
그 둘을 루카스가 뜯어말리며 차분한 목소리로 말했다.
"하여튼 비공식 루트로 총기 전문가를 황태자 전하께서 보내셨습니다. 공식적인 루트를 통해서는 황제 폐하께 그대로 이야기가 새어 나갈 위험 때문에 이자를 보내셨다고 전해 왔습니다. 어찌할까요? 이자를 돌려보낼까요? 황태자 전하께서 비용은 저희 측이 부담하라고 하셨습니다만."
"이자는 절대로 안 됩니다! 제대로 된 사람을 보내라고 하십시오!"
라울린이 흥분해서 외쳤다.
벨라는 황태자의 추천장을 물끄러미 바라보았다.
과이야는 라울린의 흥분이 길어지자 시큰둥한 표정으로 코나 후비고 있었다.
"황태자 전하께서 무마해 주신다는 것은 완성하고 난 후겠죠? 지금 이자는 지명 수배 중일 테고."
벨라의 말에 라울린이 다시 소리쳤다.
"그렇습니다! 자칫 이 일이 황제 폐하께 들어가기라도 한다면 우리는 멸문지화를 당할 수도 있는 일입니다."
고민하는 벨라에게 루카스가 편지를 내밀었다.
황태자의 인장으로 봉인되어 있는 편지였다.
벨라는 종이칼로 조심스레 편지를 열어 보았다.
황태자의 화려한 필체로 또박또박 적힌 그 편지에는 이렇게 적혀 있었다.

[황제 폐하께서는 뜻을 전혀 굽히실 생각이 없으시다. 아마도 나는 오르티우스 요새 탈환전에 선봉이 될 운명을 피하지 못할 것이다. 그대가 말한 날은 겨우 넉 달 남짓 남았고, 그간의 모든 외교적 노력은 물거품이 되었다.

폐하께서 플란네르 측에 곧 최후의 통첩을 보내실 듯하다. 그 노력마저 물거품이 된다면 곧 국가의 부름을 각지의 귀족들에게 전달할 예정이다.

무기를 허가 없이 개량하면 반역죄에 처할 수 있다. 그러한 위험을 감수하고까지 그대에게 부탁하는 이유는 그대가 꺼낸 말이니 그대가 책임지라는 뜻에서다.

자주 연락을 취해 개발 상황을 알기 위해서는 우리에게는 일종의 위장이 필요하다.

즉, 우리가 열렬히 사랑에 빠진 연인을 행세해야 함이다. 그쯤은 응해 주리라 생각한다. 당분간만 연인으로 보이도록 노력하길 바란다.

물론 성공하면 후하게 포상을 내리겠다. 편지는 연애편지를 가장한 암호 형식으로 보내라. 부디 건투를 빈다.]

벨라는 미간을 찡그렸다.

황태자가 뻔뻔해도 이렇게 뻔뻔할 줄은 몰랐다.

"루카스, 이것 좀 봐요."

벨라는 황태자의 편지를 루카스에게 내밀었다.

"감히 제가 보아도 되는 것입니까?"

"내 후견인이니까 보고 같이 생각해 보자고요. 달리 누굴 보여 주겠어요?”

벨라의 말에 루카스는 그 편지를 받아 들었다.

루카스의 눈썹이 미세하게 경련을 일으키는 것을 보고 벨라는 속으로 웃었다.

“이거, 내가 받아들여야 해요?”

루카스는 편지를 들여다보며 턱에 손을 괴고 말이 없어졌다.

“황태자 전하는 지금 인스펙티오 공국의 공주와 혼담이 오가는 중이래요. 그런데 내가 열애 상대로 소문이 나면 나야말로 온갖 추문에 휩싸이게 될 텐데, 잘되면 포상을 내리겠다는 말뿐 내게 득이 될 것이 하나도 없네요?”

벨라의 말에 루카스는 종이가 뚫어질 듯 바라볼 뿐이었다.

“아가씨의 생각은 어떠하십니까?”

벨라는 그런 루카스를 빤히 바라보다가 입을 열었다.

“수락할 거예요. 까짓거 하죠, 뭐. 연애.”

루카스의 눈이 커졌다.

“형, 무슨 일인데? 나도 봐도 되는 거야?”

궁금함을 참지 못한 이안이 기웃거리자 벨라는 그에게도 황태자의 편지를 내밀었다.

호기심에 읽어 내려가던 이안의 얼굴이 순간 시뻘겋게 달아올랐다.

“우왁! 이게 뭐야!”

읽자마자 이안은 격분했다.

“안 됩니다, 아가씨! 감히 우리 아가씨를 뭐로 보고!”

이안은 혈압이 뻗쳐 오르는지 뒷덜미를 움켜쥐고 휘청이

며 소리를 빽 질렀다.

"이 가짜 연애 반대할 겁니다! 절대로 안 됩니다! 이런 소문 돌면 평판이 어떻게 되라고요! 아무 데서도 혼담이 들어오지 않으면 책임진답니까?"

이안의 말에 굳은 표정으로 서 있던 루카스도 입을 열었다.

"이 건은 거절하시는 것이 좋겠습니다. 황태자 전하와 연락을 취할 다른 경로를 알아보도록 하지요."

벨라는 고개를 저었다.

"이안, 루카스, 걱정하는 마음은 알겠는데 이 일은 내게 믿고 맡겨 줘."

그 말에 이안이 울컥해서 소리쳤다.

"절대로! 결사반대입니다!"

벨라는 그런 이안을 보며 단호한 목소리로 말했다.

"결혼 못해도 돼. 나는 결혼에 생각이 없어. 이안과 라울린의 목숨을 결혼과 맞바꿔서 얻을 수 있다면 난 그리하겠어."

"아가씨! 미쳤습니까?"

이안이 욱하고 책상을 손바닥으로 내리쳤다. 그 모습에 루카스는 미간을 찡그렸다.

"행동 바로 해라. 이안. 말버릇이 여전히 그게 뭔가?"

그러나 이안은 흥분을 가라앉히지 못했다.

"지금 또 그 얼토당토않은 꿈 이야기입니까? 미래를 겪어보셨다고요? 개꿈입니다! 그런 꿈 따위 믿고서 아가씨 인생을 막 던지는 거 아닙니다!"

"이안!"

벨라는 배에 힘을 빡 주고 소리 질렀다.

"그러면 대안을 말해 봐!"

"대안……?"

소리를 더 크게 지르려던 이안은 순간 바람 빠지는 소릴 냈다.

"황태자 전하와 연락을 취할 다른 방법을 알고 있느냔 말이지. 연애편지만큼 연락하기 좋은 핑계가 또 있어? 말해 봐."

대안을 찾느라 당황한 이안을 보며 벨라는 일어나 벽에 걸린 달력을 손으로 가리켰다.

"잘 봐. 이제 일주일 내로 에이든 엘 카스웰 기사단장이 징집 명령서를 직접 들고 올 거야. 그리젤리 저택의 인원들도 협조해 달라고 말이야. 내 말을 확인하고 싶다면 시험해 봐."

"안 오면 어쩔건데요!"

이안이 다시 울컥하자 벨라는 여전히 단호한 표정으로 대답했다.

"황태자 전하께 답장을 보내는 것은 일주일 후에 하겠어. 만약 내 말이 사실이라면 내가 하자는 대로 하기야."

이안은 큰 소리로 말했다.

"아가씨 말이 사실이면 저는 빗속에서 광대춤이라도 추겠습니다. 아가씨! 평판 나빠지면 돌이키기도 힘들단 말입니다!"

"이미 승전 연회 때 일로 구설에 올랐어. 엎질러진 물이라고. 거기서 추문 하나 더 더하고 빼고는 의미 없어."

벨라는 망설임 없이 말했다.

"내게 의미 있는 것은 우리 그리젤리 사람들이야. 평판보다 더한 것이라도 걸어서 그리젤리 식구들을 보호할 수 있다면 난 그리하겠어."

"아가씨!"

이안이 벨라를 잡아먹기라도 할 듯 으르렁거리며 소리쳤다.

"황제 폐하의 명령입니다. 국가의 부름에 응하라는 공문이 전국 각지에 내려졌습니다. 우리 포르위네에서도 많은 병력을 이끌고 참가하기로 하였으니 그리젤리 사람들도 성의를 보여야 합니다."

벨라가 호언장담한 지 6일째 되는 날, 정말로 카스웰 기사단장이 직접 자신이 추천한 이들의 징집 명령서를 들고 그리젤리를 방문하였다.

징집 명령서를 받은 이안의 얼굴이 흙빛이 되었다.

벨라는 '거봐.'라고 핀잔 줄 수가 없었다. 죽으러 가라는 저승행 특급 열차의 티켓과도 같아서 벨라는 긴 한숨을 내쉬었다.

'황태자에게 귀띔하는 것만으로는 이 상황을 막을 수 없다면, 무엇을 했어야 옳았지?'

지금 당장 가장 큰 예상 밖의 상황은 징집 명령서를 받은 사람 중에 루카스가 포함되어 있다는 사실이었다.

'과거의 기억에서는 분명히 캐시였어. 그런데 어쩌자고 루

카스가 포함된 것일까?'

이렇게 벨라 자신도 동요하고 있는데 정작 루카스 본인은 겉으로 보기엔 전혀 심리적 동요 없이 남의 이야기 하는 것처럼 카스웰 기사단장과 이야기하고 있었다.

"왜 저도 징집 대상입니까?"

루카스의 말에 미리 준비했던 것처럼 에이든 엘 카스웰 기사단장은 술술 말하기 시작했다.

"그야, 찰스 님께서 직접 가시기로 하였으나 보다시피 며칠 전에 낙마하셨다네. 다행히 목숨은 건졌으나 다리가 부러져 전장에 참가하실 수 없게 되었고, 우리의 후계자님께선 아직 미성년에, 여성이라 조국의 부름에 대해 면제일세."

카스웰 기사단장은 슬쩍 라울린과 이안을 쳐다보았다.

"그러니 그다음으로 중요한 위치를 차지하는 것은 버틀러 경 당신이네. 황제 폐하께 최소한의 성의는 보여야 하지 않겠나?"

그 말에 흥분한 벨라는 날카롭게 외쳤다.

"카스웰 기사단장님! 그래도 기사단장님은 제게 호의적인 분이었잖아요! 언제 숙부님 편으로 돌아서신 거죠? 저들이 제게 어떤 의미가 있는 사람들인지는 기사단장님께서 더 잘 아시잖아요! 저들은 안 됩니다! 차라리 제 팔다리를 자르세요!"

더 이어서 말을 하려는 벨라를 저지하며 루카스가 대신 말했다.

"기사단장님께서 말씀하신 것처럼 벨라 아가씨께선 아직 성년식이 몇 달 더 남았습니다. 중요한 사람들이 모두 차출

되어 나가면 아가씨께서 아무런 보호를 받을 수 없습니다. 그걸 누구보다 더 잘 아시는 분께서 그리 정하셨습니까?"

루카스의 말에 카스웰 단장은 그 역시 미리 준비했던 듯 대답했다.

"나 역시 출정한다네. 예외란 없네. 누군가의 목숨은 소중하고 누군가의 목숨은 하찮은 것이 아니지. 그렇게 알고 준비하고 있게. 직접 징집 명령서를 들고 온 자체로 내가 갖춰야 할 예는 모두 취했네. 그럼 이만."

일어나서 돌아가려 하는 카스웰 단장에게 벨라가 한마디 더 하려고 입을 달싹이는데 갑자기 요란한 소리가 났다.

"들어가면 안 돼!"

"잠시만요! 드릴 말씀이 있습니다."

"어이쿠!"

"돌아가!"

뭔가 우당쿵탕거리더니 노크도 없이 문이 벌컥 열렸고, 다른 기사들의 저지를 피하며 캐시가 외쳤다.

"기사단장님! 드릴 말씀이 있습니다!"

에이든 엘 카스웰은 미간을 찡그렸다.

"하이아드 영애 아닌가. 무슨 일로 나를 불렀지? 한시바삐 곳곳에 징집 명령서를 전달해야 하건만."

"전에 드린 약속이 유효합니까?"

캐시의 뜬금없는 말에 벨라는 속으로 '약속?' 하고 중얼거렸다.

카스웰 단장은 난처한지 눈썹을 찌푸렸다. 그가 말하기

곤란한 눈치를 보이자 캐시는 외쳤다.

"루카스 버틀러 경 대신 제가 가겠습니다!"

벨라는 캐시의 말에 깜짝 놀랐다.

과거에도 이러한 결과로 루카스 대신 캐시가 갔던 거였으리란 생각이 벨라의 머릿속을 스쳤다.

자신의 주변에 루카스가 있었던 것이 당연한 줄 알았다.

하지만 그 역시 캐시의 희생이 있어서였음을 깨달았다.

"무슨 약속입니까?"

루카스가 차가운 목소리로 말했다. 그러자 캐시가 둘러대었다.

"처음 추천장을 카스웰 단장님께 부탁드리면서 아르티드가를 위해 목숨을 바칠 영광을 제게 꼭 달라고 말씀드렸습니다. 여기사는 흔치 않은 일이라, 어디서든 수습 기간을 받아 주질 않아 갈 곳이 없던 차에 통사정하여 제가 이곳에 온 것입니다. 그렇죠? 카스웰 단장님?"

곤란한 표정을 지으며 카스웰 단장은 고개를 끄덕였다.

"으음, 그렇지……. 그랬었지. 알았네. 하이아드 영애. 아르티드가를 위해 목숨을 걸고 큰 공을 세울 기회를 자네에게 주지."

캐시는 루카스에게 달려들더니 그가 손에 쥔 징집 명령서를 박박 찢었다.

"그럼 루카스 경 대신 제가 가겠습니다."

참 이상한 일이었다.

라울린을 면제시켜 달라고 한 번쯤 말해 볼 수도 있지 않았나.

그러나 캐시는 루카스의 징집 명령서를 찢었다.

벨라가 디노르센 전투에서 전멸할 것이란 이야기를 측근들에게만 털어놓아서 그녀가 그 사실을 알 리가 없었다.

딱히 아르티드가에 충성할 일이 없었던, 그저 수습 기사의 역할만 잘 수행하면 되는 그녀가 왜 대를 이은 충성스러운 가신들처럼 행동하는지 이해가 되지 않았다.

카스웰 단장이 지금 벌레 씹은 듯한 표정을 짓고 있는 이유도, 캐시가 여차하면 폭탄 발언이라도 할 듯 입술을 꽉 깨물고 있는 이유도 벨라로서는 알 수 없었다.

회귀했을 뿐이지 사람들 심리까지 다 꿰뚫을 수는 없었다.

카스웰 단장은 가져온 장부를 꺼내 새로이 '캐서린 엘 하이아드'의 이름을 적고는 중앙에 서명을 하여 반은 캐시에게 주고 반은 가져온 장부에 다시 넣었다.

그가 루카스의 반 남은 징집 명령서를 잊은 척 가져갈까 봐 캐시는 확인하듯 장부에서 루카스의 이름이 깨끗하게 없어진 것을 보았다.

"빨리 따라가서 징집 명령서 원본을 찢어 버리십시오!"

머리끝까지 화가 난 라울린이 캐시를 쫓아다니며 소리 질렀고, 캐시는 그가 유령이라도 된다는 듯 없는 사람 취급하며 태연하게 자기 할 일만 했다.

어수선한 그리젤리 저택 안에서 쫓거니 도망가거니 하며 둘의 실랑이가 벌어졌다.

"카스웰 기사단장님과 했다는 약속이 대체 뭡니까?"

라울린이 끝내 캐시를 멈춰 세우고 벽에 몰아세워 자신의 팔 아래 가두었다.

"말해 주십시오."

캐시는 그런 라울린을 노려보며 말했다.

"클라레이 경이야말로 제가 자원을 하든 말든, 무슨 상관입니까? 저의 상관이라 해서 제 결정까지 좌지우지하실 수 있을 줄은 몰랐네요."

"어떻게 상관이 없어? 당장 가서 그 종이 찢으라고!"

라울린은 격하게 흥분했다.

"제가 공을 세워 쉽게 정식 기사 자격을 얻을 기회인데 왜 반대하시죠?"

캐시의 차가운 목소리에 라울린은 잠시 당황하더니 더욱 더 화를 내며 목소리를 높였다.

"다른 편안한 기회도 많은데 왜 하필 오르티우스 요새 탈환전에 자원하냐고! 전쟁이 무슨 놀이터인 줄 알아?"

캐시의 눈동자가 라울린을 가득 비추었다. 흥분한 라울린과는 달리 캐시는 냉랭한 목소리로 말했다.

"기사의 긍지는 전장에서 죽는 거라고 하신 분이 누구셨더라? 그래서 지금 저에게 침대에서 편안하게 죽으라고 하시는 건가요? 제가 죽어도 눈 하나 깜짝하지 않겠다고 하셨던 분이 갑자기 생각나네요. 그분을 아세요?"

캐시의 말에 라울린은 입을 굳게 다듬었다.

긴장한 그의 표정을 본 캐시는 눈빛을 차갑게 빛냈다.

"모르시면 이만 비켜 주시죠."

캐시는 라울린의 팔을 탁 치우고는 제 갈 길을 걷기 시작했다. 라울린이 뭔가 말하려는 듯 손을 뻗었다가 망설이며 다시 거두어들였다.

걸어가던 캐시는 뒤를 한번 돌아보았다.

라울린과 시선이 마주치자 캐시는 무표정한 얼굴로 한마디 했다.

"당신은 정말 나쁜 사람이야. 날 생각해 주는 척하지 마. 그 자체로 내겐 상처니까."

"그런 나쁜 사람에게 왜 목숨을 걸려고 하는데?"

캐시는 대답하지 않고 그 자리를 떠났다. 라울린은 아무 말도 하지 못하고 얼어붙은 듯 그 자리에 서 있을 뿐이었다.

'쾅' 하는 폭음이 들렸다.

이제 막 좋아하던 초콜릿 케이크를 딸기가 얹어진 방향으로 한 입만큼 떠서 입에 막 가져다 댄 상태였다.

폭발음에 깜짝 놀라 움찔하는 사이 소중한 딸기가 바닥에 철퍼덕 소리를 내며 떨어졌지만, 벨라는 돌아볼 겨를이 없었다.

"무슨 일이야?"

벨라는 복도를 바라보았다. 하녀들이 소리가 난 방향으로 복도 창을 열어 내다보았다.

"창고 쪽에서 난 소리 같은데요?"

누군가 대답하는 사이 벨라는 복도 창으로 훌쩍 뛰어내렸다.

"아가씨!"

순식간에 일어난 일이라 루카스가 창으로 손을 내밀어 보았으나 2층 높이쯤은 아무렇지도 않다는 듯 벨라는 치마를 두 손으로 말아쥐고 재빨리 소리가 난 쪽으로 뛰어갔다.

한숨을 쉰 루카스는 벨라를 따라 창에서 훌쩍 뛰어내렸다.

"아가씨! 다시는 창에서 뛰어내리시면 안 됩니다. 아르티드 예의범절 규범집 4장 2절에 의하면……!"

창고는 폭발이 일어난 듯 이제 막 불이 붙어 검은 연기가 피어오르고 있었다.

벨라는 당장 불을 끄라고 고용인들에게 소리쳤다.

"과이야 베링필드 씨가 많이 다치진 않았나요?"

벨라는 물을 뿌려 엉망이 된 창고 안을 들여다보며 말했다.

"자세한 것은 의사가 와 봐야 알겠지만, 얼굴을 심하게 다쳐서 의사소통이 당장은 힘듭니다. 하지만 의식은 또렷해서 손가락으로 대화는 가능합니다."

라울린의 말에 벨라는 미간을 찡그렸다.

"당장 편지로 황태자 전하께 보고해야 하는데 큰일 났네요."

벨라의 말에 라울린은 머리를 마구 손으로 북북 쥐어뜯더니 입구에 세워진 양동이를 발로 걷어찼다.

"이런 엉터리 전문가를 보낼 때부터 조짐이 안 좋았습니다. 크흑!"

"대체 뭘 하다가 이렇게 된 거예요?"

벨라의 물음에 라울린은 다른 사람들을 물리고 루카스와 셋만 남은 상황에서 조심스레 입을 열었다.

"금속 탄피를 만들어 보겠다고 궁리하다가 과거에 타국에서 본 핀파이어 탄피가 생각나서 그걸 재연해 본다는 게 폭발을 일으켰나 봅니다."

라울린의 말에 벨라는 난장판이 된 창고 겸 작업실 안을 들여다보았다.

"핀파이어 탄피? 그게 뭔데요?"

라울린은 물에 젖어 엉망이 된 바닥에서 작은 금속 덩어리 하나를 집어 올렸다.

"보십시오. 탄피 측면에 핀 같은 작은 관이 달려 있습니다."

벨라는 그것을 보며 놀라워했다.

"뭐야? 종이 탄피밖에 없는 거 아니었어? 이런 금속 탄피가 이미 있었던 거야?"

라울린은 긴 한숨을 내쉬었다.

"종이란 것이 국가마다 개발 상황이 다르다 보니 아직 표준은 없습니다."

그는 벨라가 알기 쉽게 설명해 주었다.

"전장식 소총 한 가지만 개발되어서 그것만 쓰는 것도 아니고, 후장식 소총이라 최첨단이어서 비밀 무기인 건 아닙니다. 이미 금속으로 된 탄피는 개발된 적 있습니다."

벨라의 눈빛을 본 라울린은 눈을 흐렸다.

"다만 안전성이 문제여서 큰 호응을 얻지 못한 것뿐입니다. 설명하자면 길어서 차라리 눈으로 보여 드리지요."

라울린은 벨라와 루카스를 자신의 숙소로 데려갔다.

라울린의 방에는 처음 들어와 보았다. 그의 방 풍경에 벨라는 깜짝 놀랐다.

정말 달랑 침대와 탁자밖에 없는 곳이었다. 그 흔한 그림 한 장 걸려 있지 않았고, 책꽂이도 없었다.

벽에 있는 옷걸이에 옷 두세 벌이 깨끗하게 걸려 있고, 침대 옆에 그가 즐겨 보는 책 몇 권이 눕혀진 채 천장을 향해 쌓여 있을 뿐이었다.

짐가방 하나만 달랑 있어서 언제든 떠날 수 있는 상태였다.

그가 그리젤리에 와서 지낸 지가 꽤 되었는데도 이렇게 간단하게 하고 산 것은 놀라운 일이었다.

"라울린, 급여가 적었어?"

그의 방에 들어오자마자 벨라가 내뱉은 첫마디였다.

그 말에 라울린은 씨익 웃더니만 침대를 옆으로 밀었다. 그러자 마룻바닥에 작은 문이 드러났다.

"받은 급여로 장만한 제 보물 창고입니다."

라울린이 그 문을 열자 그 안에는 온갖 가죽 상자가 들어 있었다.

벨라가 호기심 충만한 표정으로 들여다보는 가운데 라울린은 그중 상자 몇 개를 꺼내어 벨라에게 내어 보였다.

"이게 제가 몇 종류 사 둔 금속제 탄피입니다. 아까 폭발로 망가진 모습이 아니라 이 모습이 핀파이어 탄피의 진짜 형태죠."

라울린은 동강 낸 금속 탄피 하나의 안쪽을 보여 주었다.

그 상자 바닥엔 그가 간략하게 스케치한 탄피 내부 형태 도안도 들어 있었다.

"제 직업도 직업이고, 워낙 수많은 발명품이 나오다 보니 가끔 하나씩 사서 모아 뒀습니다. 베링필드 씨가 만들려고 했던 것과 똑같은 것은 아니지만 기본 원리는 비슷하다고 생각합니다."

벨라는 사격을 배우기는 했으나 총알이나 내부 구조까지 자세히 공부했던 것은 아니어서 봐도 뭐가 뭔지 이해할 수가 없었다.

라울린이 입을 열었다.

"전에 전장식 소총에 비해 후장식 소총이 좋은 점에 대해 알려 드렸죠?"

벨라는 고개를 끄덕거렸다.

"복습하는 의미에서 기억나는 대로 말씀해 주십시오."

라울린의 말에 벨라는 시험을 당하는 기분으로 조심스레 눈치를 보며 말했다.

"속도…… 가 빠르다."

"네. 전장식 소총이 1분당 3발 쏘면 잘 쏘는 건데 후장식 소총은 초보라도 1분당 5발은 쏠 수 있습니다. 숙련되면 더 빨리 쏘고요."

"엎드려 쏘거나 기면서 쏠 수 있다."

라울린은 고개를 끄덕였다.

벨라는 눈치를 보며 마저 대답했다.

"명중률이 높다……?"

"그리고 실수할 확률이 낮죠. 전쟁터의 살벌한 현장에서는 대포조차 두 번 장전하는 돌아이가 종종 있는데 총이라고 안 그렇겠습니까? 후장식은 장전했는지 확인이 쉽습니다."

"으응……."

벨라는 열심히 고개를 끄덕였다.

"그러나 말씀드렸다시피 종이 탄피는 총신이 과열되면 폭발할 수도 있고, 약실에 든 뜨거운 가스가 사격수의 얼굴에 끼얹어진다는 단점이 있습니다. 이 점을 개량하고자 만들어진 것 중 하나가 이 핀파이어 탄피입니다."

벨라는 그의 말을 들으며 핀파이어 탄피를 다시 한번 유심히 바라보았다.

"단발총이나, 다연발 총에서 환영받기는 했으나 소총에서는 문제가 있었죠. 황동으로 만들어서 압력을 많이 견디지 못했고, 이 핀처럼 튀어나온 공이 쇠는 조금만 잘못 건드려도 오발되거나 폭발했죠. 그래서 단명 된 제품입니다."

라울린의 말에 벨라는 그제야 깨닫게 되었다.

"그럼, 창고의 폭발 사고는……."

"그렇습니다. 핀파이어 탄피를 개량한답시고 어설프게 건드린 것이 분명합니다."

"이렇게 되어서 어떡하지? 그래도 황태자 전하께서 보낸 분인데."

벨라의 말에 라울린은 대답 대신 머리털만 박박 쥐어뜯었다.

"폭발의 위험이 있어서야 어떻게 쓴담……. 플란네르에선 대체 어떻게 한 거지?"

"플란네르에서는 어떤 종류의 금속 탄피를 사용합니까?"

라울린이 벨라에게 묻자 벨라는 맹한 표정으로 그를 쳐다보았다.

"그걸 내가 어떻게 알아?"

라울린이 더욱더 머리를 헝클어뜨리며 말했다.

"놈들이 어떤 금속 탄피를 쓰는지도 모르면서 후장식 소총으로 바꿔야 한다고 말씀하신 겁니까? 제가 이번 전투에서 전사하는 게 맞긴 합니까?"

벨라는 기어들어 가는 목소리로 대답했다.

"금속 탄피는 맞아. 정말이야."

"그러니까, 그 금속 탄피를 본 적 있으시냔 말입니다!"

벨라는 라울린의 말에 기억을 더듬어 보았다. 술집 손님 중에 그녀에게 으스대듯 권총을 내밀었던 한 진상을 떠올렸다.

그 권총의 형태는 벨라가 요즘 라울린에게 배우면서 사용한 권총의 모양과는 사뭇 다른 것이었다.

놈은 기분 나쁘게 하면 쏴 버린다며 그 안을 보여 주기까지 했다. 그것은 확실히 금속 탄피였다.

"금속 탄피 맞아!"

벨라는 단호하게 말했다.

"그걸 아가씨께서 어떻게 아십니까?"

라울린의 말에 벨라는 벌떡 일어나 탁자로 가서 종이와 펜을 이용해 자신이 본 것을 그렸다.

"자! 봐 봐! 이렇게 생겼어!"

벨라는 라울린에게 보란 듯이 그것을 내밀었다.

"이렇게 생긴 금속 탄피라고!"

라울린은 그림이 그려진 종이를 보더니 눈이 커다래졌다.

"이건……?"

"그림이 좀 삐뚤어서 그렇지 금속 탄피 맞다니까!"

"아가씨, 상상해서 그린 것은 아니죠?"

라울린의 말에 벨라는 버럭 했다.

"아니라니까 그래! 과거의 삶에서 봤다니까!"

"혹시 도감에서 찾아보신 것은 아니죠?"

라울린의 말에 벨라는 발을 동동 굴렀다.

"내가 도감 같은 거 즐겨 읽을 리도 없잖아!"

라울린은 자신이 쌓아 두었던 책 중 하나를 꺼내더니 재빨리 책장을 넘겼다.

"이걸 보고 그리신 것은 아닙니까?"

라울린의 말에 벨라는 그 책을 들여다보았다.

그 책에는 총기류에 대한 그림과 간략한 설명이 곁들여져 있었다.

"총기의 역사?"

벨라는 그 책의 제목부터 확인해 본 후 라울린이 짚은 것을 들여다보았다.

그것은 벨라가 그린 그림과 비슷한 형식으로 생긴 권총의 모습이었다. 그러나 뭔가 뭉툭하고 어설퍼 보였다.

"라울린, 봐 봐, 내가 그린 것이랑은 총알 넣는 방향이나 리볼버 부분이 약간 달라. 비슷해 보이는데 다른 거야. 이게 뭔데?"

벨라는 라울린에게 물었다. 라울린은 책의 설명 중 한 구절을 손가락으로 짚어 보였다.

"지금으로부터 70년 전에 만들어진 총입니다. 그저 실내 사격이나 오락 거리로 쓰기 위해 만든 간단한 총의 형태입니다. 그런데 아가씨께서 그린 그림을 보니 이 권총의 개량형인 것일지도 모릅니다. 확실히 이런 종류의 탄환이라면, 구경만 조금 조절해서 소총에 사용하기도 무리 없어 보입니다."

라울린이 심각한 표정을 지었다.

"왜 진작 이 그림을 보여 주지 않으셨습니까?"

벨라는 라울린을 보며 미간을 찡그렸다.

"그야 권총이니까……. 소총이 아니잖아. 그러는 라울린이야말로 이 총을 미리 알고 있었던 거야? 그런데 왜 이 총 이야기는 안 했어? 내게 가르쳐 준 권총은 다른 형태였잖아."

라울린은 생각에 잠겨 창가를 서성이며 왔다 갔다 하더니 벨라를 바라보며 말했다.

"비록 권총이지만 이런 총 형태를 가지려면 화약의 문제가 개선되었다는 이야기인데, 화약의 개선이 먼저 이루어진다면 충분히 개발 가능할지도 모르겠습니다."

"화약의 개선?"

"네. 지금의 흑색 화약이 가진 문제점을 개선한 형태요. 이런 것은 국가의 전략 차원에서 연구나 생산도 일반인에게는 금지되어 있고 외부에는 공개하지 않을 내용일 텐데요. 화약의 개선이 현재 얼마나 이루어졌는지 황태자 전하께 알아봐 달라고 할 수 있겠습니까?"

벨라는 라울린의 말에 눈빛을 반짝였다.

"국가에서 화약을 연구한다고?"

"네, 그렇습니다."

"그런데 왜 후장식 소총을 개발하지 않아? 이런 연발식 권총이 곧 실현 가능할 건데?"

벨라의 말에 라울린이 대답했다.

"전에도 말씀드렸지만, 전장식 소총은 사거리가 길고 명중률이 높다는 장점이 있고, 제국의 세 기둥이 있는 한 근접전에 유리하다고 보는 부분도 있고요."

라울린은 강조하듯 말했다.

"페로하트의 장점은 포입니다. 다른 나라에 비해 사거리가 길고 위력이 더 막강한 포탄의 개발에 열을 올리다 보니 다른 부분은 등잔 밑이랄까요. 최근에는 폭발물 쪽에 더 관심을 두고 있다고 들었습니다."

벨라는 볼멘소리로 말했다.

"매복전에는 불리하잖아."

"아가씨의 예견이 정확하다면, 충분히 적들은 매복전이나 게릴라전 등으로 제국군을 괴롭힐 방법을 연구해 왔을 가능성이 큽니다."

"베링필드 씨가 저렇게 다쳐서 어떡하지?"

"어쩔 수 없죠. 베링필드 씨가 나을 때까지는 저라도 연구해야죠."

라울린의 말에 벨라는 초조하게 달력을 들여다보았다.

"어떡하지? 이제 곧 징집되어 갈 텐데."

"어차피 촉박한 시간이었습니다. 하는 데까진 해 봐야죠."

벨라는 달력을 쳐다보았다.

"한 달 남짓 남았네……."

"플란네르가 비밀리에 만들었을 금속 탄피 구조를 한 번만이라도 보았으면 좋겠습니다. 발상이 힘들지 흉내는 그럭저럭 낼 수 있을 것 같은데 말입니다."

라울린이 중얼거렸다.

한숨을 쉬며 벨라는 라울린의 방을 나와 저택으로 들어갔다. 브렌다가 인사하며 안에 손님이 와 있다고 전했다.

"누구?"

브렌다는 고개를 숙이며 말했다.

"로드니 앤더슨 씨입니다."

벨라는 루카스를 쳐다보았다.

"만국 박람회에 페로하트 화가 연합 대표로 참석하기 전에 감사 인사를 드리겠다고 하셨습니다."

벨라는 환한 미소를 띠고 응접실로 들어섰다.

로드니와 협회 동료 화가 대여섯 명이 벌떡 일어나 벨라를 향해 정중히 인사했다.

"그동안 잘 지내셨습니까?"

로드니는 아직 머쓱한 듯 어색한 표정으로 벨라에게 미소 지었다.

"덕분에요. 앤더슨 씨, 올해의 화가 상을 받으신 거 축하드려요. 그간 소식 잘 들었어요. 제국 최고 화가로 칭송받으신다면서요."

벨라는 루카스에게 부탁해 그간 그의 활동에 대한 신문 기사 내용을 챙겨 보고 있었다.

"그럼요, 이 친구에게 강연 요청이 쇄도하고, 강좌 개설해 달라고 각 지역에서 난리입니다. 몸이 두 개 세 개여도 모자란다니까요."

오히려 동료 화가가 그를 추켜세우며 자랑을 늘어놓았다.

로드니는 호들갑을 떠는 동료 화가의 발을 지그시 밟았다.

"제가 쓸데없는 일에 여기저기 휘말려서 정작 그림은 못 그리고 예전 작품으로 관심을 받고 있습니다만 모두 분에 넘치는 영광으로 생각하고 있습니다."

로드니는 그렇게 말하고는 천천히 한마디 더 덧붙였다.

"그간 알게 모르게 많은 도움을 주신 것에 대해 감사드립니다."

그에게서 감사 인사를 듣게 되다니 그것만으로도 기뻐서 벨라는 함박웃음을 지었다.

"아니에요. 모두 앤더슨 씨의 노력의 결과입니다. 그 어느 하나도 앤더슨 씨의 노력 없이 된 것은 하나도 없어요."

벨라는 진심으로 로드니를 칭찬했다.

"노력이 이제야 빛을 보게 된 것뿐. 앞으로도 더 좋은 결과 있으시길 항상 응원할게요."

벨라의 말에 동료 화가들도 고개를 숙이며 입을 열었다.

"저희도 같이 후원해 주셔서 정말 감사드립니다."

"공짜 아니라니까 그래요. 나중에 다 받을 거라니까요."

벨라의 말에 그들은 환하게 웃었다.

"돈만 몇 푼 쥐어 주는 것이 아니라 기회를 주셔서 감사합니다. 저희가 절실했던 것은 기회였습니다."

"아가씨 덕분에 플란네르 땅도 구경해 보고 정말 설렙니다."

플란네르라는 말에 벨라의 머리에 한 가지 생각이 번득 스쳐 갔다.

"루카스, 있잖아요……."

"안 됩니다."

루카스는 벨라가 말도 꺼내기 전에 단칼에 거절했다.

벨라는 눈물을 글썽거려 보았다.

"눈물에 약해지지 않는다는 것 잘 알지 않습니까?"

"이잉……."

"당장 이안을 부를까요?"

"밥 안 먹을 거야!"

복어처럼 볼을 부풀려 보았다.

"안 됩니다."

"비뚤어질 테닷!"

엉거주춤한 자세로 쭈그려 앉아 무릎에 두 팔을 걸치고 고릴라처럼 건들거려 보았다.

"안 됩니다."

"자학하고 지질해질 테닷!"

벽에 머리를 박는 시늉을 해 보았다.

"손해 볼 사람은 아가씨입니다. 몸도 아가씨 몸, 벽도 아가씨 재산입니다."

"크헝! 너무해!"

"절대로 안 됩니다. 이번에는 무슨 수를 쓰셔도 불가합니다."

루카스는 단호하게 말했다.

"루카, 이건 정말 좋은 기회라고요. 그리젤리 사람들을 살리겠다는데 그것도 안 돼요?"

벨라는 화를 벌컥 냈다.

"이제 성년이 얼마 안 남았어요! 내 정신 연령은 열일곱 살보다도 훨씬 높고요! 로드니를 따라 그들의 보호를 받으며 편하게 다녀오겠다는데 뭐가 문제예요?"

마치 아까는 왜 애처럼 떼썼느냐 되묻는 듯 루카스는 시큰둥하게 대꾸했다.

"여기에서도 충분히 암살 위협에 시달리고 계십니다. 해

외에 나가면 위험한 일도 더 많을뿐더러, 나라마다 자존심 대결을 벌이는 곳이라 총만 안 들었지 실제 분위기는 살벌합니다. 게다가 온갖 관광객이 몰려들어 아가씨가 머무실 만한 숙소를 급히 예약할 수도 없으며, 아가씨의 안전 보장에 제약이 생깁니다."

벨라는 지지 않으려고 더 큰 목소리로 말했다.

"루카스, 남의 일 이야기하듯 말하는데 당장 이안의 목숨이 걸렸다고. 루카스도 캐시 덕분에 간신히 국가의 부름을 피했을 뿐, 언제 그들의 마수가 루카스에게 뻗칠지도 몰라. 그걸 막겠다고!"

루카스는 한결같은 표정으로 입을 열었다.

"아가씨, 플란네르에 무사히 도착한다고 칩시다. 그들에게도 극비 군사 기밀일 텐데 그 정보를 아가씨는 어디서 얻으실 겁니까?"

"그건 가서 생각해 보지 뭐. 각국 고위 관료들이 다들 참석하는 자리니까 그중에 군 관련된 사람도 올 거 아냐?"

벨라의 말에 루카스는 눈빛을 차갑게 했다.

"산업 스파이도 몇 년이 걸려 상대방의 정보를 간신히 빼내 올까 말까 하는 상황에, 그저 아가씨께서 가신다고 그들이 기밀을 순순히 주겠습니까?"

루카스는 냉정하게 말했다.

"아가씨, 정신 차리십시오. 그곳은 곧 선전 포고할 적국입니다."

벨라는 루카스의 눈빛을 읽고 그가 마음을 굳혔음을 깨달았다. 저도 모르게 입술을 깨물었다.
할 말이 없는 것은 사실이었다.
산업 스파이도 몇 년이 걸려 성공할지 못할지 보장이 없는 판에 자신이 달랑 몇 주 머문다고 상황이 달라지겠는가.
하지만 과이야 베링필드도 크게 다치고 라울린도 당장 뾰족한 수가 없는 판국에 자신까지 손 놓고 있을 수 없었다.
그들을 지켜 주겠다고, 그들이 과거에 베풀어 준 희생에 보답하겠다고 굳게 결심했지 않는가.
아무 손쓸 방법 없이 그들을 보내고 그들의 죽음을 보게 된다면 여태까지 열심히 살아온 지난날이 헛되게 느껴질 것만 같았다.
그들이 죽은 후 느낄 정신적 공허감을 견딜 자신이 없었다.
벨라는 달력을 보았다.
과거 같았으면 지금쯤 벤자민과 결혼하겠다고 도망쳤다가 한 번 잡혀 왔을 시점이었다. 그 뒤로도 한 번 더 도주에 성공했으니 지금이라도 그 방법을 쓰면 루카스를 따돌리고 도망 못 갈 것도 없었다.
하지만 루카스 말마따나 그다음 무엇을 할지에 대한 구상이 없는 한 이대로 떠날 수는 없었다.
허탈해서 계단에 주저앉아서 해 저물어 가는 저녁노을을 멍하니 바라보았다. 무언가 따뜻한 것이 곁에 와서 닿길래 쳐다보니 푸딩이었다.
헥헥거리며 반가워 어쩔 줄 모르는 푸딩을 가만가만 쓰다듬어 주다가 루카스가 정원을 가로질러 지나가는 것을 보며 벨라는 푸딩의 귀에 속삭였다.

"푸딩아, 저 고집불통 한 번만 깨물어 줘. 괘씸하니까. 같이 합심해서 작전을 짜도 모자랄 판에 사람들이 전쟁터에 끌려가게 내버려 두란다. 푸딩, 얼른 가서 물어! 콱!"

푸딩은 귀를 뒤로 젖히고 꼬리로 계단의 먼지를 현란하게 털듯 꼬리치며 벨라를 쳐다보았다.

"물어! 가서 물어!"

벨라의 말을 알아들은 건지 푸딩은 루카스 쪽으로 잽싸게 뛰어갔다. 무언가 빠르게 달려오는 소리에 루카스는 뒤를 돌아보았다.

루카스와 눈을 마주친 푸딩은 바로 발라당 누워서 배를 드러냈다.

"푸……, 앓느니 죽는다 정말."

벨라는 투덜거리며 루카스와 시선이 마주치자 흥 하고 고개를 돌렸다.

"붉은 노을에 내 영혼을 묻노라……."

리체의 목소리였다.

동생들에게 시를 읽어 주는 소리 같았다.

"와아! 멋있다! 리체! 이번에 새로 쓴 시야?"

벨라의 느닷없는 방문에 리체는 깜짝 놀랐다가 이내 두 뺨을 붉혔다.

"시가 좋지? 내가 쓴 건 아니고, 전에 신세 졌던 분이 계셔. 그분께서 내 시를 봐 주시고 시집 출간을 독려해 주셨거든. 내겐 정신적인 스승 같은 분인데 그분의 신작 시야."

"그렇구나……."

리체는 화장대 서랍에서 무언가를 소중하게 꺼냈다.

"내가 근황을 편지에 적어 보냈더니 그분께서 이번에 만국 박람회에 가셔서 시어에 쓰인 함축적 의미에 대해 강연하신다고 초대장을 보내 주셨어."

그녀가 꺼내 보인 것은 여러 장의 초대장과 배 승선권, 호텔 예약 증서였다.

"내가 못 올까 봐 숙소랑 배편까지 모두 예약하셨다지 뭐야."

리체는 뺨을 붉히며 벨라에게 말했다.

"늘 내 주변 환경 때문에 꿈을 펼치지 못하는 것을 안타까워해 주셨어. 플란네르에 다녀와도 될까? 이렇게 성의를 보여 주셨는데 거절하면 예의에 어긋날 거 같아."

"바로 그거야!"

벨라는 리체의 손을 덥석 잡았다.

"라울린, 플란네르에 가 본 적 있어요?"

벨라의 질문에 라울린은 총을 분해해 들여다보다 말고 고개를 들었다.

"용병 생활할 때 한 번?"

"얼마나 오래 있었는데요?"

라울린은 기억을 더듬어 보았다.

"한 6개월쯤 되나 봅니다."

"그 정도면 오래 있었네요! 거긴 어때요?"

"뭐가 어떻다는 겁니까? 무엇이 알고 싶으신데요?"

집중을 흩트려 놓는 바람에 라울린은 다시 분해된 총의 부속품들을 들여다보려고 애썼지만, 쉽사리 다시 집중되지는 않았다.

"거기 사람들은 뭘 먹고 사는지, 뭘 하고 사는지……."

"그런 것은 여행기 책을 찾아보시면 되지 않습니까? 역사가 궁금하신 거면 아가씨 서재에서 찾아보면 될 것이고……."

벨라는 바람 빠지는 소리를 내며 미간을 찡그렸다.

"누가 그런 거 묻고 싶대?"

"아가씨, 옷 더러워집니다. 아가씨에게 사격술을 가르친 이후로 제 등짝이 남아나는 날이 없습니다. 더러워져서 들어가시면 또 낸시가 바람처럼 달려 나와 제 등을 칠 겁니다. 덕분에 등에 굳은살이 생겼지 뭡니까? 무슨 아줌마가 손이 그리 매워?"

얼굴에 붕대를 반 이상 휘감은 과이야 베링필드가 다가와 라울린에게 힘겹게 말했다.

"기존의 후장식 소총에 그대로 금속 탄피를 넣어 쓴다고 했을 때 문제가 생기는 부위는 이 부분입니다. 이론상으로는 그냥 외피만 금속으로 바꿔도 될 것 같은데 실제로 적용해 보니 이 꼴이 난 거죠."

과이야는 앓는 소리를 하며 말했다.

"그래서 이 부분도 고쳐야겠지만, 저는 대체 금속 탄피 구조가 어떻게 생겼길래 핀파이어 형식을 취하지 않고도 가능한 건지 궁금해 죽겠다는 겁니다. 상상이 안 됩니다."

벨라는 그런 과이야를 물끄러미 바라보았다.

"딱 한 번만 보면 된다는 거예요?"

"이자가 그런 눈썰미는 좋습니다. 이자가 가진 지식 대부분이 다 어깨너머로 한 번만 보고 흉내 내서 얻은 것들이거든요."

라울린은 그 말을 하며 과이야를 째려보았다.

"안전성은 보장할 수 없지만."

벨라는 라울린에게 말을 건넸다.

"그럼, 과이야 베링필드 씨를 플란네르에 데려가서 직접 금속 탄피를 보게 하면 되잖아."

벨라의 말에 라울린은 혀를 찼다.

"페로하트에서 특허법 위반 및 여러 죄목으로 지명 수배범이 된 상태인데 플란네르에 갖다 놓으면 잘도 그러겠습니다. 저라도 도망칠걸요?"

"어허! 황태자 전하께서 제게 양명의 길을 열어 주셨는데 그걸 마다하고 도망가겠습니까? 절대로 그럴 리 없습니다. 이번 일은 제게도 큰 기회입니다."

과이야는 황태자가 보내 준 위조 신분증을 자랑하듯 내보였다.

"라울린, 베링필드 씨를 플란네르에 보내 보면 어떨까?"

라울린은 벨라의 말에 그저 푸하하 웃을 뿐이었다.

"그냥 플란네르에 가기만 하면 금속 탄피를 볼 수 있겠습니까? 그들도 극비 사항일 텐데 꽁꽁 잘도 숨겨 놓겠지요."

순간 과이야가 끼어들었다.

"아닙니다. 제가 아는 사람이 플란네르 군수 창고에서 일하고 있습니다. 비록 말단이긴 하지만 그래도 그 사람을 찾아가서 잘 비벼 볼 수는 있습니다."

"잘됐네! 마침 리체가 만국 박람회에 참석한다는데 동행하면 되겠네!"

벨라가 무릎을 '탁' 치자 라울린이 어처구니없다는 듯한 표정을 지었다.

"이자가 플란네르에서는 지명 수배 안 당했을 것 같습니까?"

벨라는 위조 신분증과 붕대 감은 과이야의 얼굴을 쳐다보며 말했다.

"이 얼굴을 누가 알아본다고!"

"리체, 몰리, 두 사람의 손에 페로하트의 미래가 걸려 있어. 알았지?"

벨라는 두 사람의 손을 굳게 잡았다. 리체도 굳은 표정으로 고개를 끄덕였다.

"나도 가고 싶었는데 루카스가 끝내 허락을 안 해 줘서 갈 수가 없으니 멀리 배웅은 하지 않을게. 잘 다녀와."

벨라는 짐짓 슬픈 표정을 지으며 리체와 몰리, 리체의 하녀 메리, 과이야와 호위 기사들에게 작별 인사를 하고는 서둘러 집 안으로 들어갔다.

삐진 척 발을 쿵쿵거리는 벨라의 뒷모습을 한번 힐끔 본 루카스는 벨라를 대신해 대문이 있는 곳까지 그들을 에스코트하고, 그들이 탄 마차가 멀리 사라질 때까지 지켜보고 있었다.

순간 뒤에서 술렁거림이 있었다.

갑자기 마구간에서 말들이 잔뜩 풀려나와 뒷산을 향해 뒷문으로 우르르 달려나갔다.

"말 잡아라!"

사람들이 혼비백산한 사이 갑자기 담장 너머 밖에서 말 한 마리가 힘차게 튀어 올랐다. 누군가가 그 말에 올라타고 전력으로 질주하고 있었다.

누가 봐도 그건 벨라였다.

"헉!"

"어이쿠야! 벨라 아가씨!"

다들 비명을 지르며 그녀를 향해 달려갔으나 작정한 듯 내빼는 벨라를 막을 자는 아무도 없었다.

루카스가 당황하여 마구간으로 달려갔으나 이미 한 마리도 남아 있지 않았다. 다들 뒷산으로 뛰어가 도망가는 말을 잡는 수밖에 없었다.

루카스는 순간적으로 입에 손을 대고 삐이익 하는 날카로운 휘파람 소리를 냈다.

도망가던 말 몇 마리가 루카스의 소리를 알아듣고 되돌아 달려왔다.

벨라는 자신이 도망쳤었던 과거의 몇몇 기억들을 떠올렸다. 무수히도 실패했었다.

그래서 자신이 도망가면 루카스가 어떤 식으로 자신을 추격하여 잡으러 오는지 잘 알았다.

다른 것들은 루카스에게 말하거나 일기장에 적어 두었지만, 도망쳤던 이야기는 아무에게도 알려 주지 않았다. 바로 이럴 때 쓰려고 한 것이었다.

벨라는 혼자 생각해도 웃긴지 킥킥거렸다.

푸딩이 오래전에 파 놓은 개구멍이 하나 있었다. 어찌나 감쪽같은지 그리젤리 사람들도 다들 모르는 구멍이었는데 그 구멍으로 탈출해서 미리 대기해 둔 말을 타고 도망가려니 스릴 만점이었다.

손발이 죄어들고 땀이 축축하게 차올랐지만, 가슴이 벅차도록 두근거렸다. 과거의 삶에서는 도망치면서도 언제 루카스에게 붙잡힐지 몰라 두렵기 그지없는 도피의 연속이었으나, 지금은 그의 패턴을 너무나도 잘 알았기에 루카스가 얼마나 화나 있을지 신나기만 했다.

리체에게 부탁해 놓았다.

슬슬 여유 부리며 가고 있다가 루카스가 나타나면 전력으로 질주해서 도망가라 하였다.

이렇게 해 두면 루카스는 의심 없이 마차를 따라갈 것이다.

벨라는 인근의 농가에서 소를 빌렸다. 자신이 타고 온 말과 바꾼 소달구지를 타고 유유히 리체와 약속한 장소로 향해 가고 있었다.

미친 듯이 말을 달려 리체의 마차를 따라잡은 루카스는 마차를 샅샅이 뒤졌다. 그러나 마차에 벨라는 없었다. 리체는 루카스가 그렇게 화난 모습은 생전 처음 보았다.

"항구에서 아가씨를 만나기로 하셨습니까?"

리체는 고개를 끄덕였다.

"리체 아가씨, 사실대로 말씀하셔야 합니다. 벨라 아가씨는 늘 신변에 위협을 받고 계십니다. 보호해 줄 경호 인력 하나 없이 이렇게 돌아다니는 것 자체가 치명적이니 빨리 찾아서 보호해 드려야 합니다."

루카스의 눈에서 이글이글 분노의 불길이 타오르는 모습을 보며 리체는 고개를 끄덕거렸다.

루카스는 리체를 경호하러 온 기사 중 한 명에게 명령했다.

"인근에 있는 병사들에게 아가씨를 찾으라고 전달하십시오. 아가씨가 탄 말은 갈색에 이마에 흰 마름모 무늬가 있고 네 다리에도 흰색 털이 있습니다."

리체는 그 말을 들으며 벨라가 말한 대로 일이 돌아가자 속으로 감탄사를 내뱉었다.

'난 소달구지를 타고 갈 거니까 아마 배까지 가는 시간이 지연될 거야. 10분만 지연시켰다가 출발해. 한스 씨네 소가

이래 봬도 엄청 빠르거든. 소치고는. 아 참, 그리고.'

벨라는 리체에게 당부했었다.

'만약에 루카스 씨가 끝까지 따라오면 꼭 내가 소달구지 타고 온다고 말해 줘. 알았지? 꼭이야!'

"어차피 벨라 아가씨의 표와 여행 경비는 리체 아가씨께서 모두 갖고 계시니 항구에서 어떻게든 마주치겠죠. 긴장 푸세요."

기사 하나가 루카스를 위로했지만, 루카스는 누가 봐도 건드리기 무서울 정도로 암흑 오라를 풍기고 있었다.

항구에 도착했는데도 벨라는 코빼기도 보이지 않았다.

루카스는 다시 한번 리체가 갖고 있던 배 티켓을 들여다보았다. 리체가 티켓을 가지고 있는 한 분명 나타나야 옳았다.

"벨라가 늦네요. 소달구지를 타고 오느라 늦는다고 했으니까 선장에게 부탁해서 10분만 늦게 출발하기로 하지요."

리체의 말에 루카스는 초조하게 승선하는 사람들을 보고 또 보았다.

"더 기다릴 수는 없다고 합니다. 이제 배가 출항할 시간입니다."

관계자의 말에 리체는 어쩔 수 없다는 듯 몸을 돌려 배에 오르기 시작했다.

루카스는 팔짱 끼고 바라보고 있다가 미간을 팍 찡그리고는 리체의 뒤를 따라 배에 올랐다.

"제가 못 본 사이 배에 올랐을 수도 있으니 저도 함께 가겠습니다."

루카스는 몸을 돌려 수행 기사에게 뒤를 부탁했다.

"혹시라도 아가씨께서 제가 무서워서 승선하지 못하고 인근에 숨어 계실지도 모르니 제가 떠나더라도 일대를 샅샅이 뒤지십시오."

이제 막 그들이 탄 여객선은 승선을 마치고 출발하려 하고 있었다.

그런 루카스의 눈에 근처 다른 배가 눈에 띄었다. 루카스가 탄 배는 10분간 정체되었으나 다른 여객선은 일정대로 출항하는 모양이었다. 그런데 그 배의 갑판에서 낯익은 밤갈색 머리가 눈에 띄었다.

'헉!'

벨라였다.

신이 난 벨라는 루카스를 바라보며 손을 마구 흔들고 있었다.

당황한 루카스는 갑판을 가로질러 뛰어 자신이 본 것이 벨라가 맞는지 확인했다. 정말로 벨라가 맞았다. 루카스는 지나가던 선원의 멱살을 움켜쥐고 협박하듯 말했다.

"저 배는 어디로 가는 배입니까?"

"카르카스 섬을 거쳐서 린제이 휴양지로 가는 배입니다."

순간 루카스의 머릿속에 린제이 휴양지에는 세계 각국에서 오는 배가 모인다는 생각이 떠올랐다. 그 말인즉슨 거기서 플란네르로 가는 배를 갈아탈 수도 있다는 뜻이었다.

"악!"

루카스의 인내심이 뚝 하고 끊어졌다.

그간 벨라가 착실하게 살아서 잊어버리고 있었다. 그녀는 저택을 탈출하는 탈출의 달인이었다는 사실을…….

점점 멀어져 가는 배의 갑판에서 벨라는 신났다. 천진난만한 표정으로 웃으며 손을 마구 흔들어 대는 꼴이 자신을 놀리는 것만 같았다.

휴양지로 가는 배여서 배 안은 호사스러웠다. 벨라는 처음으로 아무런 보호자 없이 혼자라는 사실을 깨달았다. 두렵다기보다 기뻤다. 생전 처음 겪어 보는 화려한 크루즈 여행이었다.

룰루루 콧노래를 부르며 배 안을 향해 들어갔다. 나눠 준 선상 신문을 읽어 보니 식당과 풀장이 공짜이고, 저녁에는 공연을 볼 수 있다고 했다. 리체의 말로는 수영복과 갈아입을 옷 한 벌이면 된다기에 그것만 준비했다.

루카스가 걸려들지 않으면 어쩌나 고민했었다. 갈색 말을 타고 가는 것을 봤으니 그는 갈색 말을 찾으라고 사람들을 그쪽을 보냈을 것이고, 리체에게 소달구지를 타고 온다고 말해 달라 했으니 아마 그는 데려온 나머지 사람들을 소달구지 찾으라고 보낼 것 같았다.

그리고 의심 많은 그는 만약의 경우를 위해 끝까지 리체와 동행해 10분간 배를 떠나지 못하게 기다렸을 것이다. 그러나 다른 배들은 예정대로 떠날 터이니 벨라 자신은 다른 배를 타고 가면 된다고 생각했다.

이제는 고지식한 그의 행동 패턴이 손바닥 안을 보듯 빤했다.

긴장이 풀리니 배부터 고파 왔다. 벨라는 안으로 들어갔다.

갑판 위에서 바다를 구경하던 사람들이 수군댔다.

"저 작은 배는 뭐지?"

"우리 배를 따라오는 것 같은데요?"

식당 칸의 뷔페식은 생각보다 부실했다. 너무 큰 기대를 해서인지 평소 그리젤리에서 먹던 식사에 비해 소박한 메뉴였고 맛도 별로였다.

그래도 배고프니까 먹었다. 같이 먹을 사람 없이 혼자 먹는 것도 조금은 뻘쭘했다. 늘 누군가 가져다주는 음식을 먹었는데 혼자 가서 음식을 퍼 담으려니 이상했다. 생각해 보니 웃음이 저절로 나왔다.

'내가 많이 배부른가 보네. 그리젤리의 삶에 너무 익숙해졌나 봐. 밑바닥 삶을 살 땐 그저 배불리 먹는 것만으로도 감사했는데.'

벨라는 혼자 씨익 웃고는 맛없는 식사를 끝까지 다 먹었다.

그래도 크루즈에서 제공하는 과일 주스와 후식은 맛있었다.

다 먹고 나서 일어서려니 종업원이 계산서를 들고 왔다.

"어? 식사는 무료라고 했는데 따로 돈 내야 하나요?"

벨라의 눈이 왕방울만 해졌다.

"네. 음료와 후식은 별도입니다. 식사만 무료 제공입니다."
"어어……? 돈은 안 가지고 왔는데요?"
종업원의 얼굴이 팍 구겨졌다.
"그럼 돈도 없이 음료와 후식을 시켜 드신 겁니까?"
"급히 나오느라, 제 돈은 종착지에 먼저 도착한 친구가 가지고 기다리고 있을 거예요. 종착지 가서 드리면 안 될까요?"
종업원은 인상을 팍삭 구긴 채로 벨라를 빤히 쳐다볼 뿐이었다.
하는 수 없이 벨라는 머리핀을 뽑아 들고 종업원에게 물었다.
"여기 전당포 있나요?"

우여곡절 끝에 크루즈의 중간 정박지인 카르카스 섬에 도착했다. 루카스는 배의 선장에게 약속한 삯을 주고는 크루즈선의 표를 사서 탑승 절차를 밟았다.
마음 같아서는 당장 배 안을 갈아엎어 버리고 싶었지만 차마 아르티드가의 집사로서 격이 떨어지는 행동을 할 수는 없었다.
자신의 행동은 곧 가문의 품위. 느릿느릿 걸어가는 그의 뒤로 지옥의 꺼지지 않는 유황불이 타오르는 듯한 무언의 살벌한 기운에 사람들이 그를 힐끔힐끔 바라보았다.
눈에 불을 켠 루카스가 대낮에도 허공을 가르는 빔을 쏘듯 뜨거운 시선으로 배 안의 모든 사람의 얼굴을 하나하나 훑었다.

"저 사람 뭐래?"

사람들이 수군거리는 소리도 아랑곳하지 않았다. 벨라만 찾아내면 된다는 식이었다.

배 위의 갑판에는 수영장이 따로 있었고, 루카스는 수영장을 이용하는 사람들 사이를 지나가며 남녀노소 가릴 것 없이 싹 훑어보았다. 그의 험악한 기세에 배의 승무원들도 힐끔거리며 쳐다보았다.

벨라가 얼마나 꼭꼭 숨었든, 몇 겹으로 위장을 했든 간에 단번에 간파할 수 있을 것 같았다. 하지만 불굴의 집념으로 도망간 주인을 찾을 자신이…….

"와아아! 루카스다!"

갑자기 버럭 소리를 내지르고 손뼉을 치며 우당퉁탕 그의 품에 어마 무시한 속도로 달려와 안기는 존재로 인해 루카스는 얼이 반쯤 빠졌다.

"꺄아! 루카스라면 날 찾아낼 수 있을 거라고 생각했어! 정말 기뻐!"

얼싸안고 방방 뛰고 눈물의 극적 상봉이라도 하듯 괴성을 지르며 기뻐하는 벨라의 모습은 매우 낯설었다.

벨라를 보자마자 불같은 잔소리를 퍼부어 댈 생각이었다.

그런데 자길 보고 도망가긴커녕 물에 빠진 사람이 구조자의 손을 잡듯 자길 떼어 놓을까 봐 부둥켜안고 난리가 났다.

이건 또 무슨 시추에이션인가.

도저히 종잡을 수 없는 벨라의 행동에 루카스의 동공은 크게 확대될 뿐이었다.

"크흑! 고마워요! 루카스! 이대로 배에서 못 내리고 어디 팔려 가는 줄 알았어요!"

숨도 쉴 수 없게 그의 와이셔츠 깃을 어찌나 우악스레 움켜쥐고 매달리는지 당황한 루카스는 휘청했다.

"이것부터 놓고 이야기하십시오."

루카스는 간신히 달려드는 벨라를 떼어 놓았다. 그리고 결심했던 불같은 잔소리를 뻥긋하기도 전에 벨라가 쉴 새 없이 자기 하고 싶은 말을 퍼부어 댔다.

"식사가 공짜라길래 음료랑 후식을 잔뜩 시켜 먹었는데 그건 돈을 내라잖아요. 알다시피 내 돈은 리체가 다 가지고 있어서 나는 빈털터리라고. 머리핀이라도 팔아서 금액을 변상할까 했는데 세상에 이 사기꾼 같은 놈들이 이 머리핀으로도 다 변상이 안 된다고 하잖아요. 이게 얼마짜리 핀인데!"

벨라는 흥분해서 방방 뛰면서 마치 든든한 지원군을 얻은 양 기뻐했다.

루카스는 기가 막혔다.

"아가씨. 그러니까 왜 이렇게 제멋대로……."

"미안해! 미안해요! 정말 미안해요! 집 나가면 고생이라더니 내가 잊고 있었나 봐. 그리젤리가 내겐 최고의 장소인데. 루카스 말 안 듣고 혼자 제멋대로 이렇게 배를 타서 너무너무 미안해요! 다시는 안 그럴게요. 이번만 봐주고 음료값 좀 변상해 줘요!"

벨라는 루카스를 기다렸다는 듯 반기는 태도를 보였다.

루카스의 눈썹이 꿈틀했다.

마치 자신이 끝까지 따라올 줄을 알고 있는 듯한 계산된 행동이었다.
정말 미안했다면 여기까지 도망치지도 않았을 거였다. 그러나 제 풀에 잘못했다 인정하는 말을 끊임없이 쏟아 내는데 달리 할 말이 없었다.
이렇게 순순히 잘못을 인정하고 다시는 그러지 않겠다는데 그래도 혹시 모르니 폭풍 잔소리를 늘어놓아야만 했다.
그런데 벨라는 계속 자신의 이야기를 해 대서 좀처럼 루카스가 잔소리할 틈이 생기지 않았다.
"루카스 말이 다 맞아. 다 맞는데 내가 오기로 이래 봤어. 그래서 미안해요! 루카스가 이렇게 와 줘서 얼마나 안심이 되는지 몰라요! 으흑! 루카스가 오지 않으면 어떡하나 얼마나 걱정한 줄 알아요?"
벨라는 뻔뻔했다.
"허……."
루카스의 입에서 바람 빠지는 소리가 났다.
훌쩍거림마저 대놓고 하는 장난이었다. 슬픈 척이라도 하면 덜 얄미웠을 거였다.
늘 침착하고 냉정한 그였으나 짜고 치는 난리 블루스에 동조해 줘야 하나 말아야 하나 순간적으로 심각한 갈등에 휩싸였다.
대답이 없는 루카스를 마구 쥐고 흔들며 매달리던 벨라는 뒤를 가리켰다.
"저기 저 사람이 나를 구박했어요!"

뒤에 서 있던 종업원이 뻘쭘한 표정으로 루카스를 바라보았다.

"자! 봐요! 미성년이라고 업신여기더니! 제가 누군지 증명해 줄 사람 여기 왔다고요! 제 보호자 여기 있습니다!"

벨라는 보란 듯이 루카스 뒤에 가서 숨었다. 이것이 벨라의 빅 픽처였다.

"파하……."

루카스는 급격하게 피곤해졌다. 그리고 벨라를 빤히 바라보았다.

뛰는 놈 위에 나는 놈 있다더니, 아무래도 자신이 어찌 행동할지 몇 수는 내다보고 하는 행동 같았다.

루카스의 사고 회로는 뒤엉켜 오류를 일으키고 있었다. 이렇게 행동하면 한발 앞서 저렇게 행동할 것이 뻔했고, 저렇게 행동하면 요렇게 뒤통수를 칠 것 같았다.

짧은 찰나에 수많은 경우의 수를 대입해 봤으나, 벨라는 결국 자신이 원하는 것을 얻게 되어 있었다.

뭔가 묘했다.

상황이 이러한데도 마치 자신은 옳은 일을 하고 있다는 듯한 패기가 흘러넘치는 모습에 루카스는 할 말이 없었다.

'이 역시 또한 꿍꿍이가 있는 것 같다.'

루카스는 미심쩍어하며 벨라의 낯빛을 살폈다.

양몰이견 사이의 올슨처럼, 당당한 우두머리가 되겠다 해 놓고 이건 그녀의 다짐과 정반대의 행동이어서 혼란스러웠다.

이전에 떼쓸 땐 정말로 철없었다 치고, 지금의 모습은 루카스가 다음 할 행동이 무엇인지 분명 알고 하는 행태였다.

'결론은 뻔히 알면서 나를 골탕 먹이려는 심산인가?'

루카스는 그녀의 도발에 넘어가지 않으려고 심호흡을 했다.

그녀의 속마음을 간파했더라도 대충 속아 넘어가 달라는 듯 시치미를 떼는 모습에 혀를 내두를 수밖에 없었다.

루카스는 벨라의 모습이 꼭 평소에는 귀가 잘들리다가, 돈 계산할 때만 귀가 잘 안 들리는 전대 집사 제이크 할아범을 닮았다고 생각했다.

"아가씨, 드릴 말씀이 있습니다."

"응?"

벨라는 초롱초롱한 눈망울로 루카스와 시선을 마주했다.

"아가씨를 급하게 따라잡느라, 쾌속선을 빌리고 크루즈 티켓을 사는 데에 가진 돈을 다 써 버리고 저도 무일푼입니다."

"헉!"

루카스의 담담한 목소리에 벨라는 비명을 질렀다.

"안 돼……! 이럴 수는 없어. 거짓말이지? 그렇지?"

"그러게 왜 도망을 가십니까?"

루카스는 비운의 여주인공 같은 표정을 짓고 있는 벨라를 허탈하게 바라보았다.

"내가 얼마나 기대했던 크루즈 여행인데……!"

벨라의 말에 루카스는 혀를 찼다.

"플란네르에 가는 게 목적 아니셨습니까?"

"그게 목적이었지만 그래도 가는 여정이 즐거운 추억이 되고 싶었는데……."

넋을 놓고 허무하게 중얼거리는 벨라를 보며 루카스는 미간을 찡그렸다.

"여행하고 싶으셨으면 제게 말씀을 하고 나중에 가시면 편하지 않습니까? 아가씨의 품격에 맞지 않게 이런 저렴한 캐주얼급 크루즈선을 예약할 게 아니라……."

'저렴'이란 말에 종업원은 루카스를 째려보며 끼어들었다.

"그래서, 음료와 후식비를 변제하실 겁니까, 아닙니까?"

루카스는 품에서 자신의 명함을 꺼냈다.

"저는 아르티드가의 집사 루카스 버틀러라고 합니다. 아가씨께서 사용하신 금액은 추후 아르티드가에서 돌려드리겠습니다."

종업원은 그런 그를 비아냥거리듯 대꾸했다.

"이 명함이 진짠지 가짠지 어떻게 압니까? 무슨 후작가씩이나 되는 집안에서 땡전 한 푼 없이 배를 탑니까? 필요 없고, 돈이 없으면 일이라도 해서 변상하십시오!"

그의 말에 루카스의 눈썹이 찡그려졌다.

"아가씨, 숙소가 어딥니까?"

"응? 왜?"

"일단 아가씨의 숙소를 알아야겠습니다."

루카스는 벨라를 따라 숙소로 가면서 내내 아무 말도 없었다. 같은 침묵이라도 왠지 살벌한 느낌이 들어서 침 삼키기도 조심스러워졌다.

"이런 창문도 없는 방이라니!"

벨라의 방을 보자마자 루카스가 벌컥 화를 냈다.

"그야 평소에 용돈은 주지 않으니 비상금으로 티켓을 사느라 어쩔 수 없잖아요."

벨라는 기어들어 가는 목소리로 말했다.

"혹시 따라온 이는 없었습니까?"

루카스의 말에 벨라는 고개를 저었다. 루카스는 벨라의 짐을 챙겨 들더니 창문이 있는 자신의 방으로 옮겨 주고는 그녀에게 문을 잠그고 있으라고 시켰다.

"지금부터 돈을 마련해 올 테니 이 방에서 한 발짝도 나가면 안 됩니다."

"응?"

"아가씨를 경호할 이가 아무도 없단 말입니다! 여기서 사고라도 나면 저는 돌아가신 후작님을 뵐 면목이 없습니다. 그러니 제게 미안한 마음이 조금이라도 드신다면 여기서 꼼짝 말고 계십시오. 제가 돌아올 때까지 그 누가 와도 문을 열어 주면 안 됩니다."

벨라는 그저 고개만 끄덕거렸다. 이럴 때 토 달았다가는 그의 잔소리가 무한 반복될 거였다.

루카스는 문을 굳게 걸어 잠그고는 어디론가 사라졌다.

그 뒤로 그는 저녁 식사 시간이 지나도록 돌아오지 않았다.

벨라는 쪼르륵거리는 배를 움켜쥐고 식당에 갔다 와야 하나 잠시 고민했다. 하지만 정말로 나갔다 오면 루카스가 광분할 것이므로 '까짓거 한 끼 굶지 뭐.'라고 생각했다.

'어차피 맛도 없었어. 흥.'

벨라는 그 재수 없는 종업원을 떠올리며 콧방귀를 뀌었다.

해가 지고 야경이 펼쳐졌다. 어디선가 흥겨운 음악 소리가 들리고 공연장의 박수 소리와 웃음소리, 취객들이 떠드는 소리가 들렸다.

아직도 돌아오지 않는 루카스를 기다리며 벨라는 심심함에 몸부림을 치다가 설핏 잠이 들었다.

“아가씨, 일어나십시오.”

루카스의 목소리에 벨라는 눈을 떴다.

“왜 이렇게 늦었어요? 배고파서 기다리다 지쳐 잠들었잖아요.”

투덜거리는 벨라에게 루카스는 두툼한 돈뭉치를 내밀었다.

“헛!

벨라는 눈을 비비고는 다시 쳐다보았다.

“음료와 후식비는 팁까지 얹어서 갚아 줬습니다. 걱정하지 말고 드시고 싶으신 것 다 드십시오.”

“루카스! 돈 없다더니 이 돈 어디서 났어요?”

“그럴 일이 있습니다. 신경 쓰지 않으셔도 됩니다.”

벨라는 그가 뭐라도 팔았나 보다 싶었다.

“전당포에 뭔가 판 거예요? 이만큼의 돈이면 얼마나 많은 것을 헐값에 판 거죠?”

루카스는 묵묵부답이었다.

“루카스, 저녁 먹었어요?”

“아뇨.”

“잘됐다! 같이 가서 먹어요! 그 종업원 표정도 다시 보고 싶네요. 우이씨! 반드시 갚는다니까 내 말을 우습게 알고!”

벨라는 루카스의 팔을 잡아 이끌었다.

"와아아! 이건 좀 맛있네! 왜 진작 이런 음식을 주지 않았지?"

벨라가 스테이크를 썰어 입에 쑤셔 넣으며 감탄사를 내뱉었다.

"그야 이 음식은 스페셜 코스라 따로 돈을 내는 메뉴입니다."

루카스는 조용히 말하며 스테이크를 썰어 입에 한 조각 넣었다.

"와. 진짜 치사하구나. 크루즈 여행이란 거. 말로는 공짜라고 해 놓고 다 유료야! 속았어!"

벨라는 그 말을 하며 연신 음식을 입에 넣었다.

"그러니 함부로 예약하지 마십시오. 제게 부탁하셨으면 럭셔리급 티켓으로 마련했을 겁니다."

"루카스, 럭셔리급은 또 뭐고 캐주얼급은 또 뭐예요?"

벨라의 말에 루카스가 대답했다.

"럭셔리급은 말 그대로 승객보다 승무원 수가 더 많은 배입니다. 승객을 위한 완벽한 서비스를 하는 크루즈 여행으로, 귀족을 위한 전용 여행 티켓입니다. 이 배는 캐주얼급이라 주로 중산층이 타는 선박이므로 저렴한 대신 유료 항목이 많습니다. 당연히 승무원 수도 적습니다."

"아아……, 언제 크루즈 여행을 해 봤어야 알지. 루카, 우리 나중에 여행 자주 가요."

벨라는 만족스럽게 먹고 마시며 기분 좋게 배부른 한숨을 내쉬었다.

그런 루카스와 벨라를 힐끔 바라보던 다른 테이블의 승객이 말했다.
“아까 그 사람 아닌가?”
“카지노의 그 사람? 맞는 거 같은데.”
그들은 자기들끼리 들릴락 말락 한 소리로 투덜거렸다.
“카지노 측에서 고용한 타짜인가? 이 배의 카지노 짜고 치는 거 아냐? 어떻게 저 사람한테만 잭팟이 터져?”
“아닐 거야. 전문 꾼인지 카지노 직원이 확인해 봤잖나.”
“그럴 리가 없어. 남의 카드 패를 어떻게 그렇게 잘 알아? 무슨 속임수라도 쓴 거 아냐?”
“그만 투덜거려. 그렇게 부러운 건가?”
“부럽지. 부럽고말고. 나 같으면 운발이 따르면 밤새워서라도 계속할 거 같은데 딱 원하는 만큼 벌었다고 손 털고 나가는 여유까지 부리니 말이야.”
루카스는 눈썹을 찡그렸다. 벨라가 듣지 못하기를 바랐다. 다행히도 벨라는 공연장에서 흘러나오는 노랫소리에 정신이 팔린 것 같았다.
‘다비드 님, 다시는 카드에 손대지 않기로 약속하였으나, 딱 한 번의 결례는 용서해 주십시오. 아가씨를 곤경에 처하지 않게 하기 위해서였다고 핑계를 대 봅니다. 두 번 다시 이런 일은 없을 겁니다.’
루카스는 혼자 속으로 중얼거렸다.

밤이어도 갑판 위는 많은 사람으로 북적거렸다. 곡 연주하는 사람, 춤을 추는 사람, 수영장에서 칵테일을 들고 건배하는 사람, 사랑을 속삭이는 연인…….

"밤이 늦었습니다. 이제 그만 들어가 주무십시오."

루카스의 말에 벨라는 고개를 세차게 저었다.

"싫어요! 어떻게 일찍 자요, 이런 데 와서……."

"아가씨, 지금 놀러 온 것 아닙니다. 플란네르에 도착하는 대로 배편으로 다시 돌아갈 겁니다. 상황이 심각한데 이런 데서 놀 생각이 드십니까?"

벨라는 루카스의 말에 뾰로통해졌다.

"어차피 내일 도착할 거, 안달한다고 그 시간이 빨리 오고 늦게 오고 하는 것도 아닌데 뭐. 지금 이 순간을 걱정하는 것으로 보낼 필요는 없잖아요."

"착한 어린이는 일찍 자고 일찍 일어납니다."

루카스의 말에 벨라는 발끈했다.

"몇 달만 있으면 성인이라고요!"

"자신이 불리할 때만 미성년이라 강조하고 어려서 잘 모르시는 척하는 것 다 압니다."

"칫!" 소리와 함께 벨라는 입은 옷을 단숨에 훌떡 벗어 던졌다.

루카스가 화들짝 놀라 벨라를 붙잡으려고 했으나 벨라는 이미 속에 수영복을 입고 있었다.

풍덩 소리와 함께 수영장에 뛰어들자 루카스는 허탈한 미소를 띠며 벨라가 벗어 던진 옷을 집어서 단정하게 접어 팔에 걸었다.

보아하니 이미 속옷까지 드레스에 일체형으로 딱 꿰매서 개조해 입고 온 것을 보면 보통 용의주도한 것이 아니었다.

벨라는 물가에서 칵테일이나 마시는 사람들 사이를 허우적거리며 걸어 지나갔다.

"어, 걸어갈수록 깊어지네?"

"끝으로 갈수록 수심이 깊습니다."

루카스는 벨라를 따라 걸으며 옆에서 말했다.

"수영장에 들어가 본 적이 있어야 알지. 물에 빠질까 봐 냇가에도 못 가게 하니까 알 리가 있나."

벨라는 더 깊은 곳은 자신이 없는지 가장자리로 걸어 나와 걸터앉았다.

달빛에 비친 벨라는 은은하니 아름다웠다. 성년이 몇 개월 남지 않았다는 그녀의 말마따나 어느덧 성숙한 여인의 모습에 가까워져 가고 있었다.

이제 막 피어난 백합처럼 어딘가 고고하면서도 때 묻지 않은 것 같은 천진함이 교차된 그녀의 모습에 루카스는 이제 자신의 할 일도 얼마 남지 않았다는 생각이 들었다.

물론 아르티드가의 집사직은 계속 맡겠지만 후견인의 무거운 책임이 거의 끝나 가고 있었다.

당차고 야무지게 잘 자라 준 그녀를 보니 흐뭇하기도 하면서도 마음 어딘가가 텅 비어 허전해지는 기분이 들었다.

끝나지 않을 것 같은 날의 끝이 다가온다고 해야 할지.

루카스는 고개를 들고 한편을 바라보았다.

수영장 한편에서는 연인이 달빛 아래 속살거리고 있었다. 그러더니 입맞춤을 시작했다.

"이만 들어가십시오. 밤이 늦었습니다."

루카스는 벨라를 재촉했다. 하지만 그쪽을 힐끔 쳐다본 벨라는 킥킥거리며 도무지 일어설 생각을 하지 않았다.

수영장 물은 달빛에 어스름하니 금물결을 일으켰다. 조용히 밤바다를 가르는 배는 부드럽게 출렁였다.

"루카스는 결혼 안 해요?"

벨라는 가볍게 발을 담그고 첨벙거리며 말했다.

루카스는 고개를 저었다.

"아가씨를 모시는 데 방해가 된다면 할 생각이 없습니다."

그의 말에 벨라는 잠시 생각에 잠겨 물에 반사된 달빛을 바라보았다. 좀처럼 벨라가 일어날 생각을 하지 않자 루카스는 자신의 재킷을 벗어 벨라의 어깨에 감싸 주었다.

"고마워요."

벨라는 그런 루카스를 바라보더니 담담한 미소를 지었다.

"아버지께서 루카에게 얼마나 큰 도움을 주셨는지는 모르겠지만, 루카, 그래도 난 루카가 날 신경 쓰지 말고 행복하게 살았으면 좋겠어요."

벨라의 말에 루카스는 벨라를 잠자코 쳐다보았다.

"나는 어리지 않아요. 루카의 눈에 아직 난 성년이 되기엔 몇 달 남은 청소년일지 모르지만, 내 머릿속은 충분히 삶에 찌들어 봤고, 무엇이 나를 위한 길인지 누가 나를 위해 주는 사람인지 구별할 수 있어요."

달빛에 벨라의 눈빛이 아름답게 빛났다.

"루카가 걱정하는 만큼 약하지 않아요. 이젠 루카 속 썩일 일은 없으니 루카, 루카도 이젠 삶을 즐길 수 있었으면 해요."

벨라는 열일곱 살답지 않은 어른스러운 표정으로 말하며 활짝 웃었다. 루카스는 그런 벨라를 말없이 바라보고 있다가 찬바람이 세게 불어오자 다시 그녀를 재촉했다.

"평소에 그런 이야기를 하시면 모르겠는데, 일말의 연고도 없는 플란네르에 아무 배나 타고 무대책으로 가는 마당에 그런 이야기를 하시니 그다지 신빙성이 없군요. 바람이 찹니다. 이제는 강제로 방에 모시고 가겠습니다. 어서."

벨라는 마지못해 루카스의 손을 잡고 몸을 일으켰다.

"우리 그런 의미에서 밤참으로 간식거리 조금만 더 먹고 들어가요."

벨라의 배 속에서는 꼬르륵 요란한 소리가 울려 퍼졌다.

대답도 안 해 줬는데 벌써 뭔가 먹을 생각에 입맛 다시며 신난 벨라를 보고 어처구니가 없어진 루카스는 저도 모르게 피식 웃고 말았다.

"엇? 루카스 웃었다!"

벨라는 기뻐하며 깡충 뛰었다.

이안과 라울린을 살리겠다며 비장하게 도망 나온 벨라는 다음 날 아침 일찍부터 일어나 크루즈선 안에서 온갖 하고 싶은 대로 다 했다.

루카스에게 프리미엄 케어권을 끊어 달라 하고는 손 케어 발 케어까지 다 받고 얼굴 팩 한다고 드러누워 온갖 경락 마사지도 풀코스로 다 받았다.

"아가씨, 플란네르에 가신다더니 긴장감이 털끝만큼도 없으시군요."

내내 곁에 서서 그 길고 긴 벨라의 미용 시간을 견뎌 내야 했던 루카스가 인내의 끝자락에서 한마디 했다.

그러자 벨라는 루카스를 흘겨보며 말했다.

"이건 다 사업 구상이야 사업 구상. 직접 서비스를 받아 보면서 우리 화장품 회사의 다음 사업을 구상하는 창조적인 시간이라고. 그리고 어차피 지나가는 시간, 걱정해서 뭐 해요. 어차피 똑같아요. 지금 주어진 시간을 소중히 써요. 루카스도 마사지 받아 볼래요?"

벨라의 뻔뻔한 말에 루카스는 사양의 뜻을 분명히 밝혔다.

어느덧 플란네르에 도착해 간다는 승무원의 말에 벨라는 몸을 일으키며 기지개를 켰다.

"와! 시간 알차게 잘 썼다!"

루카스는 고개를 절레절레 저었다.

능구렁이인 것인지 철딱서니인지 알 수 없는 벨라였다. 참으로 고단수였다.

몇 가지 되지는 않지만, 루카스는 벨라의 소지품을 챙겼다. 루카스의 눈치를 보던 벨라가 슬그머니 말을 걸었다.

"루카스, 선착장에서 리체가 기다리고 있을 텐데 기왕 플란네르에 온 김에 우리 베링필드 씨의 아는 사람이 일한다는 곳에 함께 가 보지 않을래요?"

루카스는 단호하게 대답했다.

"안 됩니다. 아가씨는 저와 함께 바로 페로하트행 여객선을 타실 겁니다."

찔러도 피 한 방울 안 나올 것 같은 굳은 표정이었다.

벨라는 기가 팍 죽었다.

갑판으로 나오니 저 멀리 플란네르의 항구가 보였다. 생전 처음 밟아 보는 이국땅이었기에 벨라는 그곳을 멍하니 응시했다.

점점 눈앞에 선명해지는 낯선 지붕과 낯선 건물 형태, 낯선 가로수들이 펼쳐졌다. 배에서 내리는 과정은 출입국 심사와도 같았기 때문에 시간이 오래 걸렸다.

루카스는 벨라의 신분증을 힐끔 보았다. 리체의 여동생 몰리의 것을 뻔뻔하게도 잘도 들고 왔다. 이 말은 몰리가 벨라의 신분증을 가지고 있다는 뜻이기도 했다.

출입국 심사대에서 걸리면 골치 아프겠다 싶어진 루카스

는 미간을 찡그렸다. 그리고 벨라의 신분증을 손을 뻗어 끌어당겼다.

그것은 정교하게 위조된 것이었다.

루카스는 앞뒤를 돌려 보며 눈썹을 꿈틀했다. 벨라는 루카스가 무엇을 보고 심각한지 안다는 듯 맹한 미소를 지어 보였다.

루카스는 한 손으로 이마를 짚으며 긴 한숨을 내쉬었다.

다행히도 별 탈 없이 무사히 빠져나갈 수 있었다. 플란네르에 왜 왔는지 묻는 심사관의 질문에 벨라는 천연덕스럽게 말했다.

"만국 박람회 구경하러 왔어요. 언니랑 언니 친구는 예약해 둔 표가 있어서 여객선으로 어젯밤에 먼저 도착했을 거고요, 저는 표가 없어서 크루즈선을 타고 카르카스 섬을 경유해서 왔어요. 보증인은 먼저 도착한 제 언니와 언니 친구이니 출입국 기록을 살펴보세요."

입술에 침도 안 바르고 술술 거짓말을 하는 벨라를 보며 루카스는 짧게 말했다.

"이분을 통솔하기 위해 따라온 고용인입니다."

출입국 심사장을 빠져나오자마자 루카스는 벨라에게 물었다.

"그런 정교한 여권을 만드는 위조범은 어디서 아셨습니까?"

"후훗, 비밀……!"

과거의 삶에서 알았던 모든 것을 루카스에게 말할 필요는 없었다. 벨라는 그저 혼자 싱긋 웃을 뿐이었다.

루카스는 벨라의 치밀함에 혀를 내둘렀다. 이렇게 머리가 잘 돌아가는 줄은 꿈에도 몰랐다. 어쩐지 그간 속은 기분이 들었다.

"그래서 아가씨께서 혼자 돌아다니는데도 자객이 따라붙지 않은 거군요."

루카스는 혼잣말하듯 중얼거렸다.

"응? 뭐라고 했어요?"

벨라가 물었다.

"아무것도 아닙니다."

루카스는 플란네르에서 페로하트로 가는 배표를 예약하기 위해 항구를 가로질렀다. 밀항자가 있었는지 시끌시끌했다. 워낙 많은 배가 오가는 곳이어서 온갖 사람들이 다 있었다.

타앙!

날카로운 총성이 하늘을 갈랐다.

순간적으로 놀란 루카스는 벨라를 낚아채어 자신의 품에 보호했다. 다행히 벨라를 겨눈 총은 아니었던 모양이었다.

루카스의 귀에 플란네르의 병사가 소리치는 것이 들렸다.

"신분증을 보여 달라 하니 도망쳐서 사살했습니다."

"알겠다. 일행이 있나?"

"수색해 보겠습니다."

또르르르…….

벨라의 발아래로 구릿빛을 내는 원통형 물건이 굴러왔다.

"루카스, 이거……."

벨라는 주워서 루카스에게 보였다.

루카스의 눈이 커졌다.

그것은 금속 탄피였다.

순간 플란네르의 병사가 달려오더니 벨라의 손에서 그것을 탁 채어 갔다.

“함부로 그것을 줍지 마십시오. 국법에 의해 처벌될 수 있습니다.”

플란네르의 병사가 무서운 표정으로 그 말을 하며 금속 탄피를 회수하고는 제 갈 길을 걸어갔다.

루카스는 말없이 서 있었다. 그에게 벨라는 눈썹을 찡그리며 굳은 표정으로 말했다.

“이래도 페로하트로 돌아갈 거예요? 이렇게 플란네르에서는 금속 탄피가 상용화된 마당에?”

루카스는 경직되어 그대로 미동도 없이 생각에 잠겼다.

“루카! 이래서 내가 도망치듯 고집부려 배를 탔다고요! 내 말 아직도 못 믿어요? 우리에겐 시간이 별로 없어요!”

루카스가 잠시의 침묵 후에 입을 열었다.

“리체 아가씨께서 기다리고 계신 장소로 갑시다.”

벨라는 굳은 표정으로 고개를 끄덕였다.

리체를 찾는 것은 그다지 어렵지 않았다. 벨라와 약속한 대로 흰색 드레스를 입고 있었기에 저 멀리서도 확연히 눈

에 띄었다.

"와아! 벨라!"

리체는 벨라를 발견하고 두 손을 맞잡은 채 깡충 뛰었다.

어느새 제법 친해진 둘이었다. 낯선 곳에서 마주치니 더욱더 반가웠다. 리체를 초대했다는 시인 알베르트 엘 크라우츠가 보낸 마차에 올라 리체가 묵고 있다는 호텔로 갔다.

둘은 마치 십 년 만에 재회한 친구처럼 자신들이 그사이 겪은 일을 깔깔거리며 이야기하고 듣기도 하며 마차 안을 떠들썩하게 했다.

그러나 루카스는 내내 심각한 표정으로 팔짱을 낀 채 밖을 내다볼 뿐이었다.

리체가 묵는 방은 6인용 스위트룸이었다. 그 안에 몰리와 하녀 메리가 기다리고 있다가 벨라를 기쁘게 맞아 주었다.

벨라의 신변을 보호하기 위해서는 차라리 여기 묵는 것이 더 나을지 모르겠다고 생각한 루카스는 그녀의 방 앞을 지키고 선 그리젤리의 기사들을 보고는 가볍게 고개를 끄덕였다.

"과이야 베링필드 씨는 어디에 묵는 건가?"

"이 방 복도 끝 저쪽 방입니다."

루카스는 복도 창문을 열어 밖을 내다보며 혹시라도 습격의 위험은 없는지, 외부인 출입 통제는 잘 이루어지고 있는지 꼼꼼히 체크해 보았다.

"나름대로 5성급 호텔이라고 합니다."

루카스는 곳곳을 둘러보고 손끝으로 창틀을 쓰윽 훑어보았다.

"아가씨를 모시기엔 많이 누추하군."

루카스는 바로 재킷을 벗고 커프스단추를 푼 후 삼 단으로 접어 올리고는 걸려 있는 수건을 걸레 삼아 온 구석구석을 반들반들하게 닦아 광을 내기 시작했다.

루카스의 손을 거칠 때마다 침구류는 칼 같은 주름이 잡히고 손때가 앉은 가구들이 갓 새로 칠한 가구처럼 반짝반짝 빛이 나기 시작했다.

하녀 메리는 눈이 휘둥그레져서 그 모습을 바라보았다. 마침 호텔 청소부가 복도를 지나다 말고 눈을 비비며 루카스가 닦고 지나간 자리를 유심히 보았다.

루카스는 바로 커튼과 베갯잇을 걷어 청소부에게 건네며 말했다.

"세탁 담당하는 분에게 전해 주십시오. 세탁 좀 똑바로 하시라고 말입니다."

"이거 방금 간 것인데요?"

루카스는 군데군데 손으로 가리켰다. 거기에는 덜 빨린 얼룩이 남아 있었다.

청소부의 차림새를 훑어본 루카스는 청소부마저 지적했다.

"앞치마를 착용하지 않았군요. 걸레 한 장으로 이 복도 전체를 닦으시는 것은 아니시겠죠? 창문 유리만 닦고 창틀은 닦지 않은 지 오래입니다. 이런 상태로 5성급 호텔인 것이 맞습니까?"

루카스의 지적에 청소부는 핑계를 대기 시작했다.

"워낙 오랜 역사가 있는 호텔이라 안 닦은 게 아니고 찌들어서 못 닦는 겁니다. 닦기는 매일 닦습…….”

루카스는 대답 대신 자신이 닦아 놓은 방 안을 가리켰다.

“지배인께 호텔의 위생 불량 상태에 대해 말씀드리지는 않겠습니다. 제 주인께서 묵으시는 동안 이곳 청소는 제가 알아서 할 터이니 저희 일행 외에 이 복도에 호텔 고용인들은 드나들지 않도록 해 주시겠습니까? 지배인께도 말씀드리겠지만 호텔식도 이용하지 않겠습니다.”

루카스의 기세에 눌린 청소부는 저도 모르게 고개를 끄덕였다. 벨라와 리체와 몰리는 그런 줄도 모르고 방에서 그저 서로 재회의 기쁨을 만끽하며 와글와글 떠들 뿐이었다.

천진난만한 건지, 그마저도 태연함으로 가장하기 위한 벨라의 노력인 건지 알 수는 없었지만, 루카스는 그런 벨라를 믿어 보기로 마음먹었다.

금속 탄피가 상용화된 플란네르군이라고는 하나 사용한 금속 탄피 하나까지 도로 회수해 가는 것으로 보아 접근은 그다지 쉽지 않을 터이다. 한데 벨라는 대체 무슨 믿는 구석이 있는 건지 그저 해맑아 보일 뿐이었다.

루카스는 호위 기사들에게 벨라 일행을 부탁하고는 잠시 호텔 밖으로 빠져나왔다.

만약을 대비해 혹시 화재라도 있으면 어느 비상계단을 통해 탈출해야 하는지, 외부인이 창문으로 침입하기 쉬운지 밖에서 살펴보고 인근의 지리를 훑어야 했다.

벨라에게 말한 적은 없었으나 7개 국어는 유창하게 읽고 쓰고 통역할 수 있었고, 15개 국어는 읽고 쓰는 것은 잘할 수 있었다.

만국 박람회 때문에 세계 각국에서 플란네르를 찾아와서인지 지나다니는 사람들은 각종 언어로 떠들어 대고 있었다. 루카스는 그들이 하는 말에 잠시 귀 기울이며 서 있었다.

그때 한 사람이 루카스에게 다가왔다. 길이라도 묻는 듯 루카스를 부른 노인은 그에게 뭔가 물으려다가 이내 발길을 돌려 돌아섰다. 왠지 수상한 낌새에 루카스는 노인을 훑어보았다.

노인이 몇 걸음 떼려다 말고 뒤돌아 루카스에게 다가오더니 입을 열었다.

"혹시, 제피르 님을 아십니까?"

"누구신지? 저는 그런 사람 모릅니다만."

그의 말에 노인은 아쉽다는 듯 발길을 돌리며 말했다.

"한때 제가 섬기던 분을 닮아서 저도 모르게 실례했습니다. 죄송합니다."

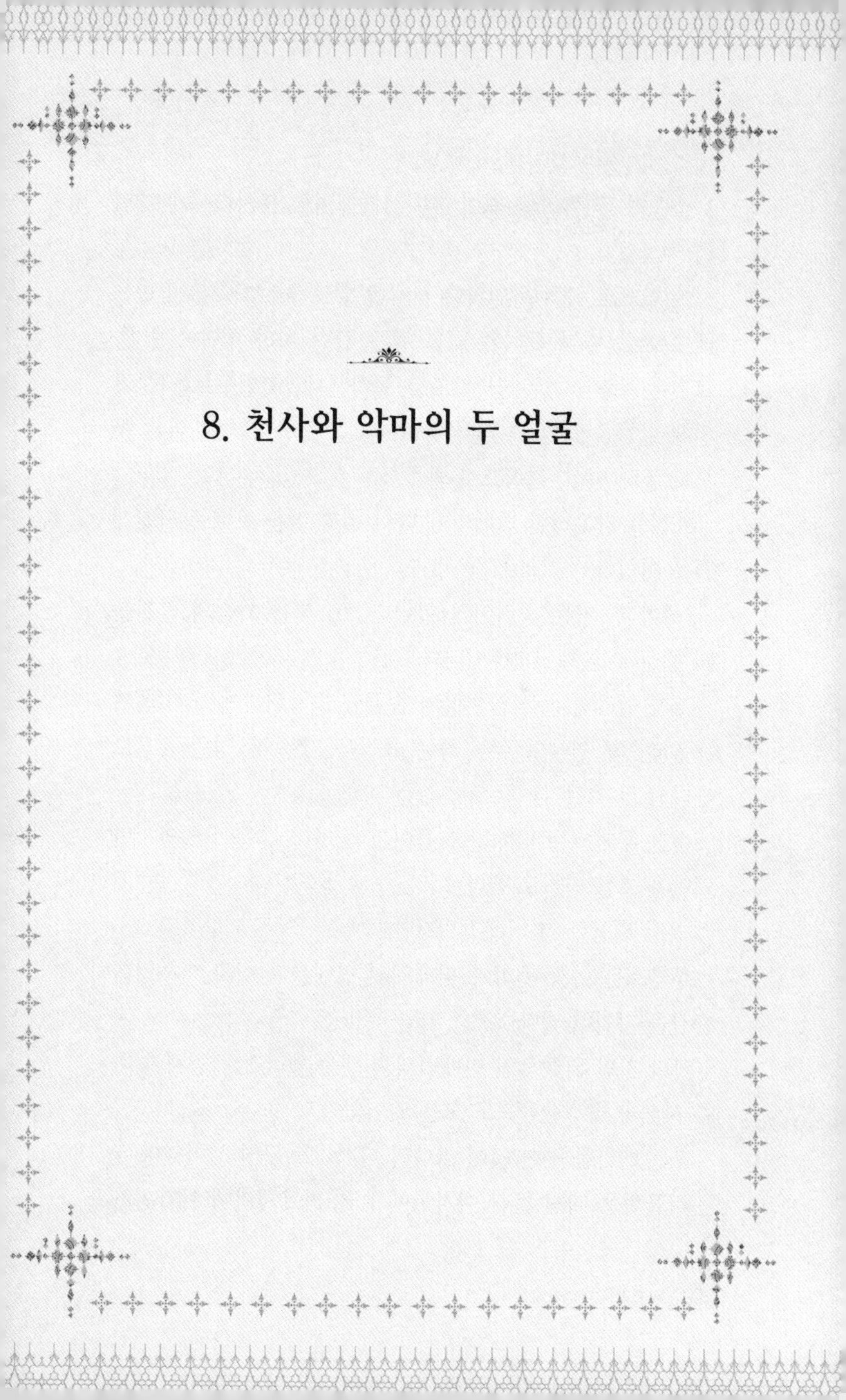

8. 천사와 악마의 두 얼굴

8. 천사와 악마의 두 얼굴

루카스는 그 노인을 쳐다보았다. 그는 뭔가가 아쉬웠는지 머리를 흔들더니 루카스를 향해 되돌아왔다. 그러고는 명함을 하나 내밀었다.

"예전에 알던 사람과 너무 닮아서 하는 말이오. 혹시 조상 중에 액시즈 레크룩스 출신이 있으시오, 젊은이?"

루카스는 그에게 차갑게 잘라 말했다.

"없습니다. 저는 페로하트 제국의 시민입니다."

노인은 명함을 루카스의 손에 일부러 쥐여 주며 말했다.

"호오. 플란네르 말을 능숙하게 잘하는 외국인이었구먼. 만국 박람회를 구경하러 온 손님이라면 언제쯤 돌아가시오?"

"글쎄요. 그리 오래 머물지는 않을 겁니다."

"저 호텔에 머무시는 것이오?"

자신의 지나친 관심을 경계하는 루카스의 모습에 노인은

멋쩍게 웃었다.
“노인네의 주책이라 생각해 주시오. 만국 박람회 구경 잘 하고 가셨으면 좋겠소이다.”
노인은 몇 번이고 뒤를 돌아보며 자리를 떴다. 그가 사라진 후에 루카스는 자신의 손에 쥐어진 명함을 살펴보았다.
[구즈델 퇴역 군인회 간사 네르키안]
루카스는 코웃음을 치듯 숨을 길게 내쉬었다.

‘네 아버지는 널 버린 게 아니야.’
어머니는 울고 있었다.
‘피치 못할 사정으로 우리만 탈출시킨 거란다. 절대로 버린 존재가 아니야. 하지만 그 사실은 비밀이란다. 그러니까 아버지를 미워하지 말아다오.’
어머니는 필사적으로 아들을 달랬다.
‘엄마, 도망가요. 무서워요.’
어린 루카스는 어머니의 치맛자락에 매달렸다.
‘이안을 두고 어딜 가니? 이안은 힘없는 아기야. 이안을 버릴 수는 없단다.’
‘엄마, 새아빠의 말처럼 저는 배신자의 아들인가요?’
루카스의 말에 어머니는 화난 표정으로 루카스의 옷자락을 쥐고 흔들었다.
‘아니야! 절대로 아니야! 세상 사람들이 뭐라고 말하든 너만이라도 네 아버지를 믿어야 한다.’
‘커헉! 숨 막혀요! 놔주세요!’

아들의 애원에 어머니는 그제야 정신을 차리고 움켜쥔 손을 놓았다.

'미안하다, 루카. 엄마가 잠시 흥분해서 그만…….'

어린 루카스는 울며 말했다.

'맨날 새아빠가 때리는데 왜 도망 못 가요? 이안도 데리고 도망가면 되잖아요!'

루카스의 어머니는 대답 대신 루카스를 와락 끌어안았다.

'세상에 더는 우리가 도망갈 곳이 없단다. 미안하다, 아가.'

비명 지르듯 이안이 울어 댔다.

'동생이 싫어! 동생만 없으면 엄마와 어디든 도망갈 건데, 이안 때문에……!'

'루카! 그런 말 하는 거 아니야!'

양아버지를 닮은 회색 머리카락의 동생을 볼 때마다 저도 모르게 주먹에 힘이 들어갔다.

'잘 달래지지도 않고 매일 빽빽 울기만 해서 싫단 말이야!'

루카스의 손이 부르르 떨렸다.

'이래서 플란네르에 오고 싶지 않았다.'

그의 깊은 탄식이 거리를 스쳐 갔다.

플란네르는 액시즈 레크룩스 공국을 병합했다.

그 마지막을 지켜 공국과 생을 함께 마감한 아버지를 기억하는 이가 있을 거란 생각은 했다.

'넌 네 아버지를 쏙 빼닮았단다.'

어머니의 목소리가 귓가에 울리는 것만 같았다.

'네 아비는 주인을 물어 죽인 사냥개다. 배은망덕의 표본이지. 너의 핏속엔 그 미친개의 더러운 피가 흐르고 있어.'

양아버지의 말이 가슴속을 다시금 날카롭게 베어 내는 것만 같았다.

'중요한 건 너 자신이다. 루카스. 아비가 신 포도를 씹었다고 아들의 입이 시큼하지는 않단다. 네 삶은 네 것이다. 아버지의 몫은 아버지에게 넘기고 너는 네 갈 길을 가라. 그러면 된다.'

다비드가 다정스레 내민 손이 지금도 눈앞에 있는 것만 같았다.

루카스는 떨리는 자신의 손을 보았다. 손에는 다비드가 쥐여 주었던 금화 한 닢이 들려 있었다. 행운의 상징처럼 언제나 간직하던 금화였다.

'나는 아버지와는 다르다.'

루카스는 주먹을 움켜쥐었다.

'나는 벨라 아가씨를 반드시 지킨다.'

격해졌던 호흡이 고르게 변해 갔다.

아무 일도 없었던 척, 루카스는 주변을 둘러보고는 필요한 물품을 사러 근처의 가게로 향했다.

"당분간 저녁 식사는 괜찮은 평이 달린 레스토랑에서 하

고, 그 외에는 간단한 식사로 드리겠습니다. 가급적 호텔식은 이용하지 마십시오."

루카스의 말에 벨라는 입을 삐죽거렸다.

"여기서까지 독을 조심해야 할 필요 있을까?"

"방심은 금물입니다."

루카스는 그리 말하며 즉석에서 만든 샌드위치를 벨라에게 건넸다.

시큰둥한 표정으로 샌드위치를 바라보다가 나이프를 이용해 우아하게 잘라 포크로 푹 찍었다. 한 입 조심스레 깨물어 보니 맛이 생각보다 좋았다.

"맛있다! 냠냠."

"소리."

루카스의 지적에 벨라는 눈을 흘기면서 소리가 나지 않도록 우아하게 입에 넣었다.

"버틀러 씨, 샌드위치 잘 만드시네요."

리체의 말에 루카스는 샌드위치를 몇 개 더 만들면서 말했다.

"유학 생활 중에 자주 만들어 먹었습니다."

"샌드위치 가게를 했어도 번성했겠어요."

루카스는 정색하며 대답했다.

"어느 분께서 대책 없이 도망만 치지 않으셨어도 이렇게 형편없는 음식을 드리지 않았을 겁니다."

벨라는 눈누난나 들리지 않는 척 고개를 돌렸다.

"이게 형편없는 식사라뇨! 전에 우리가 먹고 살았던 음식에 비하면 진수성찬이에요. 매일 먹으라고 해도 먹겠어요."

몰리가 열정적으로 외쳤다. 그러나 루카스는 제 주인 외엔 별다른 관심을 보이지 않았다.

몰리는 들릴락 말락 한 목소리로 리체에게 속삭였다.

"언니, 저 사람은 못하는 게 뭐야? 우리 집 옛날 집사 기억나? 천지 차이네. 유학까지 갔다 왔으면 몸값이 꽤 나갈 텐데 월급을 얼마나 받고 일하는 걸까? 상상할 수 없을 만큼 많이 받겠지?"

리체는 난처한 웃음을 지었다. 그리고 그만하라고 몰리의 옆구리를 슬쩍 찔렀다.

"아르티드 영애는 정말 좋겠다. 나면서부터 막대한 재산에다가 타고난 미모에다……, 고용인들이 유능하고 잘생겼어."

몰리는 그런 언니의 눈치에도 아랑곳하지 않고 귓가에 속닥거렸다.

"하루만이라도 아르티드 영애가 되어 보고 싶다……."

몰리는 꿈꾸는 듯한 시선으로 벨라와 루카스를 쳐다보았다.

"불공평해. 신은 왜 한쪽에만 행운을 몰아준 것일까?"

"얼른 먹기나 해."

리체는 몰리의 발을 살짝 밟았다. 그리고 벨라의 눈치를 살폈다. 하지만 벨라는 씩씩하게 먹기만 할 뿐 별다른 기색이 없었다.

벨라와 시선이 마주치자 리체는 어색한 미소를 지었다.

'지키지 못하면 아무 소용 없는 거야.'

벨라는 아무렇지 않게 웃어 보였다.

'타고난 것이 무엇이든 간에 아끼고 힘써서 지키지 않으면 소용없는 거야. 그것이 내가 열심히 살아가는 이유야.'

국력을 과시하는 자리라고 하더니 정말 만국 박람회의 규모는 엄청나게 컸다. 특히나 페로하트에서 화려한 전시장으로 플란네르 측의 기를 팍 꺾으려는 듯 보였다.

"우와 궁전을 옮겨다 놓은 것 같잖아!"

사람들이 지나가다 보고 탄성을 내질렀다.

"바닥도 고급 재질이고 저 벽 장식도 보석이 박힌 거 같지?"

"몇 달 있다 철거할 시설물에 엄청나게 돈 들였네!"

태평하게 관람부터 하는 벨라를 보며 루카스는 눈썹을 꿈틀했다.

벨라는 한 가닥 믿는 구석이 있었지만, 루카스에게는 말하지 않았다.

'내가 무모해 보이겠지. 하지만 그 운은 반드시 만국 박람회장에 등장할 거야.'

벨라는 옆에 선 리체를 바라보았다. 지금 기다리는 그 운이 따지고 보면 리체의 입으로부터 흘러나온 것이었다.

'과거의 리체야, 고마워. 내게 많은 이야기를 해 주어서. 너의 아팠던 과거가 이렇게 쓰일 줄 본인도 몰랐을 테지.'

무엇을 전시했는지 둘러보기도 전에 벨라는 안내 소책자

를 보고 바로 미술 전시관부터 갔다.

"루카! 로드니와 동료 작가들의 전시를 꼭 보고 싶었어요."

그런데 정작 전시관에 와 보니 로드니가 보이지 않았다. 페로하트 미술가 협회 회원들의 작품이라고 쭉 걸려 있지만 낯선 것들만 가득했다.

처음부터 끝까지 다시 돌아보며 기웃거리는데 루카스가 소책자 구석의 작은 글자를 가리켰다.

"고전 화풍을 고수하는 궁정 출신 화가들의 작품이 이쪽에 걸리고, 신경향 사조의 화가들 작품은 건물 뒤편으로 돌아가면 나오는 식물원에 걸린다고 합니다."

"뭐야, 좋은 자리는 남들이 다 차지하고 로드니 그림은 식물원 구석에 걸어? 이런 게 어딨어!"

벨라는 화르륵 불타올라 곧장 식물원으로 자리를 옮겼다.

식물원 입구에 들어서자 낯익은 얼굴들이 눈에 띄었다.

"앤더슨 씨!"

벨라는 큰 소리로 로드니를 불렀다.

로드니가 손님을 맞이하고 있다가 벨라의 모습을 보고 화들짝 놀라서 다가왔다.

"벨라 아가씨! 직접 오신다는 말씀은 전해 듣지 못했는데 직접 여기까지 와 주시다니 감사합니다!"

"로드니, 그림이 식물원에 걸린다는 사실, 미리 알고 있었어요?"

벨라의 말에 로드니는 멋쩍게 웃었다.

"아직 우리 협회의 힘이 미약해서 어쩔 수 없지요."

벨라는 분통을 터뜨리며 말했다.
"관계자 어딨어요! 어디 가서 항의하면 되나요? 제가 강력하게 따지겠어요. 혼을 불살라 그린 작품을 홀대해도 유분수지!"
로드니는 조용히 웃으며 고개를 저었다.
"식물원이라 해서 걱정했는데, 전시해 놓고 보니 일부러 꽃과 조화를 시킨 듯해서 저는 만족합니다. 산책하다가 그림도 보고 꽃향기도 맡고……. 페로하트에 돌아가서도 꽃을 사용하여 전시하는 방법을 발전시켜 볼까 합니다."
로드니의 표정은 편안해 보였다.
벨라는 몇 마디 더 하려다가 입을 다물었다.
진심으로 눈을 감고 꽃 내음을 감상하고 있었다.
그런 그를 보고 있자니 매일 정원에 서서 자신이 가꾼 정원을 바라보던 라이오넬 가드너 씨가 떠올랐다. 핏줄은 어쩔 수 없는 모양이었다. 그의 지그시 눈을 감은 옆모습에서 벨라는 그리운 라이오넬 가드너 씨의 향기를 느꼈다.
'살아생전에 화해하지는 못했지만 어쩌면 꽃향기에서 아버지의 온기를 느낀 것일까.'
"이 그림의 작가입니까?"
상념을 깨고 한 관람객이 말을 걸어왔다.
"네. 제가 이 그림을 그린 로드니 앤더슨입니다."
"화풍이 참 특이하시네요. 이 독특한 붓 질감을 무슨 기법이라고 합니까?"
로드니는 벨라에게 가볍게 인사를 하고는 관람객에게 그

림에 대한 설명을 시작했다.

“아, 그건 제가 자체적으로 개발한 기법이라 딱히 이름을 정해 두지는 않았습니다만, 굳이 붙이자면…….”

식물원이라 홀대받고 있다면 정말 관계자를 불러서 따질 작정이었다. 그러나 식물원의 분위기는 활기찼고 생동감이 넘쳤다. 벨라는 그 모습을 흐뭇하게 바라보았다.

‘원래대로라면 로드니 앤더슨의 그림은 비명횡사한 후에나 호평받았을 거야…….’

돈은 엉뚱한 중개상들이 벌고 로드니의 아내와 아이는 가난 속에 비참하게 살았을 거였다.

지금은 관객과 로드니가 직접 마주하고 그가 죽어서 받았을 찬사를 살아서 제대로 받고 있었다.

관객들의 극찬에 로드니의 뺨이 붉게 물들었는데 그 모습이 참 보기 좋았다.

어쩐지 벨라는 코끝이 시큰거렸다.

늘 미소 짓던 라이오넬의 모습이 떠올랐다. 일찍 돌아가셔서 기억에도 없는 친할아버지보다 라이오넬이 꼭 자신의 할아버지인 것만 같았다.

‘라이오넬 가드너 씨, 지금 이 모습 보고 계시죠? 당신 아들 톰이 이렇게 자신의 재능을 인정받고 있어요. 편안히 눈 감으세요.’

벨라의 가슴도 벅차올랐다. 행복이란 이렇게 나누어 갖는 것이었다.

“꺅!”

우당탕 콰당.

벨라는 갑작스러운 요란한 소리에 뒤를 돌아보았다.

밖에서 '나 잡아 봐라' 하며 남녀가 희롱하는 소리가 들리더니만 결국 사달이 나고 말았다.

도망치던 여자는 꼴불견인 줄도 모르고 잡힐 듯 말 듯 장난을 치다가 치맛자락을 밟고 넘어졌다. 여자에게 깔린 이젤이 우당탕 소리를 내며 쓰러지고, 걸려 있던 그림이 공중으로 붕 떴다.

"아야얏! 어맛! 피! 티베리! 나 꿍해또요! 꿍해서 피도 났져요! 호 해 주세요!"

혀가 반 토막으로 잘리기라도 한 것인지 여자는 혀짤배기 발음을 하며 뒤를 돌아보았다. 셔츠가 반쯤 풀어진 차림의 남자 하나가 큰 소리로 웃으며 화원 안으로 들어왔다.

"그러게 어디서 앙탈이야. 순순히 내게 올 것이지."

모두의 이목이 남자에게 쏠렸다.

남자의 옷은 플란네르 고위 관료만이 입는 고급 정복 스타일이었으나 한창 뜨겁게 놀던 모양인지 조금만 더 손대면 상의가 홀랑 벗겨질 판이였다.

검다 못해 짙푸른 광택이 도는 긴 머리를 단정하게 묶고 왔을 텐데 그 머리끈도 반쯤 풀려 한쪽 어깨에 쏠려 있었다.

그런 남자의 옆모습을 보며 벨라는 어딘가 낯익은 듯한 느낌에 고개를 갸웃거렸다.

분명 처음 보는 남자였다. 그런데 어디선가 본 듯한 느낌을 지울 수 없었다.

“전시 그림을 깔고 앉으면 어떻게 합니까!”

그 그림을 그린 화가가 울상을 지으며 달려갔다.

“일어나십시오! 계속 깔고 계실 겁니까?”

화가가 일으켜 세우려 하자 여자는 짜증을 왈칵 내었다.

“네가 뭔데 감히 내게 일어나라, 마라야? 웅! 티베리! 이 사람 좀 혼내 줘요. 내가 누군지 알아보지도 못하고.”

티베리라 불린 남자가 여자에게 다가가 손을 내밀자 여자는 마지못해 일어나며 화가에게 눈을 흘겼다.

화가는 찢어져 버린 그림에 울화통을 터뜨렸다.

“그림을 이 지경으로 만드시면 어떡합니까?”

“사람이 넘어질 수도 있는 거지, 되게 빡빡하게 구시네.”

여자는 자신의 뒤에 서 있는 남자를 믿고 큰소리를 쳤다.

“미안하다고 사과하는 게 먼저 아닙니까? 3년 동안 그린 그림입니다!”

화가의 말에 여자는 입술을 삐죽였다.

“다시 그리면 될 거 아니에요! 나무 부스러기에 내 옷이 찢어진 거 변상하는 게 먼저 아니에요? 왜 이런 거친 나무를 써서 내 옷이 찢어지게 만들어요!”

여자는 사과 대신 연인의 팔에 매달리며 화가에게 호통을 쳤다.

그 남자는 아무래도 여자의 편을 들 것 같았다.

“그 그림 얼마요? 돈 몇 푼이나 한다고. 까짓것 가격을 말씀하시오. 내 변상해 드리리다.”

“변상이고 뭐고 일단 사과를 해 주셔야죠!”

화가의 말에 티베리는 한쪽 눈썹을 찡그리며 입꼬리를 비죽 올렸다.

"사과? 그게 뭔데?"

순간 "하!" 하고 코웃음을 치는 소리가 들렸다.

벨라였다.

로드니는 사색이 되어서 벨라의 옷자락을 끌었다.

"아가씨, 조용히 계십시오. 저자는 플란네르의 재상 마르쿠스의 아들인 티베리입니다. 아무도 건드리지 못하는 존재이니 모른 척하십시오."

'티베리'라는 이름에 벨라의 귀가 쫑긋했다. 벨라가 기다리는 만국 박람회의 운은 바로 저자였다. 이렇게 곧바로 만나게 될 줄은 예상치 못했다.

'저자의 시선을 끌어야 한다.'

벨라는 마른침을 삼켰다. 그리고 보란 듯 큰 소리로 외쳤다.

"모르면 배워야죠!"

벨라의 목소리에 티베리의 시선이 그쪽으로 향했다. 도도하게 콧대를 세운 묘령의 아가씨가 자신을 노려보고 있었다. 어쩐지 그 보라색 눈동자가 투명하고 맑아 보였다. 첫눈에 시선을 사로잡는 미인이었다.

'예쁜데?'

꼿꼿하게 힘주었지만 아담한 어깨와 허리선이 아름답게 휘는 가느다란 허리를 거쳐 적당히 잘록한 엉덩이, 그리고 세련된 버슬 드레스 차림이 우아하게 보였다.

그는 자신의 옆을 힐끔 쳐다보았다.

그 팔에 매달려 있는 싼 티 나는 여인과는 상반되는 여자였다.

티베리는 저도 모르게 입술을 쓰윽 혀로 핥았다.

'누군가가 날 가르치려 들면 반발하는 편이지만…….'

감히 자신에게 '모르면 배워야죠!' 따위의 싹수없는 말을 던졌으나 어쩐지 얼굴이 마음에 들자 그 말도 달콤하게 들렸다.

"날 가르치려 드는 여인이라니. 참신하군. 나는 '고결하고 드높은' 마르쿠스의 아들이자 제4 보병 연대의 지휘관 티베리다. 그러는 아가씨의 이름은 무엇이지?"

벨라의 심장이 미친 듯이 두근거리기 시작했다.

'분명 전해 들은 바로는 피바람을 일으키며 후계자가 되는 자라고만 했는데 보병 연대 지휘관이라니. 이게 웬 떡이냐!'

그야말로 저자의 주머니를 뒤지면 금속 탄피라도 나오지 않을까 하는 기대감에 부풀었다.

하지만 그런 생각도 잠시, 남의 그림을 망가뜨려 놓고도 사과는커녕 두둔만 하는 개차반 같은 인간과 꼭 친분을 쌓아야 한다는 것에 기분이 가라앉았다.

벨라는 마른침을 삼키며 용기를 내었다.

"나는 아르……."

벨라는 말하려다가 황급히 입을 다물고는 목소리를 가다듬었다.

"저는 몰리 엘 롬바르트, 롬바르트 백작가의 여동생입니다."

그가 몇 걸음 다가왔다. 그의 초록색 눈동자가 반짝였다.

티베리라는 남자는 처음 보는데 이상하게도 낯익다는 느낌이 자꾸만 들었다.

"롬바르트 영애, '엘'을 쓰는 것으로 보아 페로하트 출신이로군. 뭐, 괜찮아. 페로하트면 어때. 후훗. 내게 사과를 가르치시겠다? 어떤 식으로 가르쳐 줄 건데?"

그가 손을 뻗어 벨라의 뺨을 쓰다듬으려고 했다. 가만히 상황을 지켜보던 루카스의 눈썹이 꿈틀했다. 여차하면 루카스는 그의 팔을 꺾어 버릴 생각이었다.

벨라는 우렁찬 목소리로 외쳤다.

"이게 몇으로 보이시나요?"

갑자기 자신에게 손가락 네 개를 펼쳐 보이는 벨라를 보며 티베리는 어리둥절했다.

"4……?"

그 말이 떨어지자 무섭게 벨라는 손가락으로 식물원 채광창 밖으로 보이는 건물을 가리켰다.

"저기는 무슨 전시관인가요?"

티베리가 바로 대답을 못 하자 벨라는 손에 든 소책자의 약도를 펼쳐 보였다.

"과학…… 관?"

티베리의 대답에 벨라는 아주 진지한 표정으로 응했다.

"'사'와 '과학'을 아시니 저는 사과학을 가르쳤습니다. 이제 사과를 알았으니 사과를 하시죠."

식물원엔 찬바람이 휑하니 불었다.

티베리가 미간을 찡그리며 말했다.

"그걸 지금 농담이라고 하나? 제정신이야?"

벨라는 뻔뻔하게 대꾸했다.

"사과하실래요, 아니면 이런 농담을 계속 들으실래요? 무한 반복이 가능합니다만?"

어처구니없다는 듯 벨라를 빤히 바라보던 티베리가 갑자기 큰 소리로 웃었다.

"어디 가서 그런 농담 함부로 했다가는 목 날아갈 것 같은데?"

"제 목을 치시든 말든, 교양 있는 신사라면 사과학을 배우신 후엔 사과하셔야죠. 그게 도리입니다."

고개를 절레절레 저으며 티베리는 웃어 댔다.

"참 특이한 요청이군. 이런 농담 하는 사람이 친구면 절교를 하고, 연애 상대면 뒤도 돌아보지 말고 도망가라 하던데, 어쩔 수 없지. 당장 꼬리 내리고 도망가야겠는걸."

그의 초록색 눈이 미소를 가득 담고 반짝거렸다.

"그림에 대해 정― 중히 사과합니다. 그림값은 영수증으로 보내십시오. 내가 누군지는 아까 말했으니 됐나?"

그러더니 티베리는 식물원을 나가려고 했다. 여자는 벨라에게 눈을 흘기고는 티베리에게 매달렸다.

"웅웅, 이 옷 망가진 건 어떻게 해요!"

"그건 네가 알아서 할 바이지 나랑 무슨 상관인가?"

티베리의 말에 여자는 사색이 되어 그의 옷자락을 붙잡았다.

"티베리, 나 넘어졌다고요! 호 해 주고 안아 주고 새 옷도 사 주고 해야죠!"

티베리는 언제 그녀와 다정했냐는 듯 낄낄거리고 웃으며

그녀를 뿌리쳤다.

“몹쓸 농담을 들었더니 제정신이 확 드는 걸 어쩌란 말이야. 제 발목 하나 간수 못하는 여자는 갑자기 흥미가 떨어졌어.”

“티베리!”

장난치듯 웃으며 나가는 그의 뒤를 여자가 종종걸음으로 따라 나갔다.

기대 이상의 정보에 벨라는 의미심장한 미소를 지었다.

어디로 가면 그를 또 만날 수 있을지 짐작이 갔다.

고급 술집 하데스, 몰락한 귀족 영애들을 접대부로 거느리고 영업을 하던 귀족 전용 유흥업소. 벨라는 과거 하데스에서 망가진 인생을 살던 때를 떠올렸다.

‘벨라. 세상일에 관심 없어도 귀 기울일 필요는 있어. 여긴 고급 술집이라 손님 눈에 잘 띄면 팔자를 펴는 수도 있고, 투자해서 목돈을 만지는 경우도 있거든.’

리체는 그리 말했지만, 정작 본인도 부를 거머쥐는 것에 그다지 관심이 없었다. 삶 자체가 피곤하고 힘겨웠기 때문이었다.

유흥업소 여성들의 유일한 낙이란 스캔들에 대해 떠들어대는 것이었다.

귀족 누가 숨겨진 정부가 있다더라, 누가 누구의 사생아라더라, 누가 누구랑 치정극을 벌였다더라…….

그런 이야기는 굳이 들으려 애쓰지 않아도 늘 들려오는 내용이었다.

하지만 리체는 자신의 이야기도 남의 이야기하듯 덤덤하게 이야기하곤 했다.

'어쩜 이렇게 자세히 알아?'

벨라의 말에 리체는 지친 표정으로 미소를 지어 보였다.

'언젠가, 통속 소설이라도 써 볼까 싶어서. 시인의 꿈도, 작가의 미래도 가능할 것 같진 않지만 그래도…….'

뉴스도 관심 없고 세상살이에도 관심 없던 벨라에게 오로지 소식통은 리체였다. 지금 현재의 삶에서 리체가 알려 준 것들은 얼마나 큰 도움이 되는지 모른다.

벨라는 리체가 과거의 삶에서 들려준 이야기를 다시 천천히 곱씹어 보았다.

'내가 하데스로 팔려 와 계속 교육을 받다가 실전에 투입된 것이 만국 박람회 때 열린 연회였어.'

'어땠어?'

벨라의 물음에 리체는 쓰디쓴 미소를 머금었다.

'내 첫 상대는 플란네르의 재상 아들이었는데 끔찍했어. 그가 싫어서 앙칼지게 대답할수록 흥분해서 좋아하는 거야. 성격도 종잡을 수 없고, 흰 장갑에 집착하는 싸이코였어. 연회 마지막 날에 농담처럼 결혼하자 해서 도망 나왔어. 그런데 그 인간이 나중에 형제와 아버지까지 제거하고 재상이 되어 막강한 권력을 거머쥐었대. 이럴 줄 알았으면 그때 잘

보여 둘 걸 그랬나? 그랬다면 이 삶이 조금은 나아졌을까?'

벨라는 리체의 손을 잡고 초대장을 보내 준 시인의 강연 회장으로 갔다. 리체는 자신을 초청해 준 시인에게 감사의 마음을 전하고 다른 문인들과 인사를 나눴다.

벨라는 리체가 쓴 것 외엔 일말의 관심도 없었으므로 시간이 빨리 가길 바랄 뿐이었다.

빈둥거리던 벨라의 눈에 낯익은 뒷모습 하나가 스쳐 갔다.

벨라는 화들짝 놀라 뒤에 있던 루카스를 불렀다.

"루카, 봤어요?"

"라보쉬 남작 말씀입니까?"

루카스는 착 가라앉은 목소리로 대답했다. 잘못 본 것이 아니었다. 벨라는 고개를 끄덕거렸다.

"따라가 볼까?"

"네."

벨라는 리체와 시인에게 양해를 구한 뒤 호위 기사 제스로를 동행해 라보쉬 남작의 뒤를 밟았다.

눈치를 챈 것일까.

그는 순식간에 방향을 틀어 강연하는 문학인의 대기실에 들어가 버렸다.

벨라가 그 대기실 문을 벌컥 열었을 때 그곳에는 하데스 시절에 알았던 또 다른 몰락 영애 그웬과 하데스의 포주 그레고리, 하데스의 관리 실장이라 불리는 건달 리키가 있었다.

벨라의 눈이 휘둥그레졌다. 그러나 그들은 대체 웬 여자가 쳐다보나 하는 듯한 시선을 보내고는 이내 자신들이 하던 이야기를 마저 하고 있었다. 현생에서는 그들과 만난 적이 없을 테니 당연했다.

벨라는 저도 모르게 빤히 그웬을 쳐다보았다. 과거의 삶에서 벨라는 그웬과 그다지 좋은 사이가 아니었다.

분가루가 팡팡 날리게 찍어 바르던 그웬이 분첩을 신경질적으로 닫았다. 그러고는 벨라에게 못마땅하다는 듯 한마디 던졌다.

"왜 그렇게 쳐다봐요? 그 시선 좀 돌리시죠?"

그제야 벨라는 고개를 돌리고 주변을 살폈다. 분명 이곳으로 들어온 것 같은데 라보쉬 남작의 모습은 보이지 않았다.

"무슨 일로 오셨습니까? 이곳은 함부로 외부인이 드나드는 곳이 아닙니다만."

문학 인사의 대기실 담당자가 경계의 눈빛으로 벨라 일행을 살피고는 대기실 밖으로 내보내고 문을 닫아 버렸다.

분했지만 대기실 안에 있을 핑곗거리가 없었다.

벨라는 혼잣말로 중얼거렸다.

"그웬이 왜 여기에 있지? 리체가 없으니까 대신 뽑힌 건가?"

왠지 오늘 밤에 있을 연회에서 그웬을 다시 만날 것 같았다.

하필이면 문인들의 대기실에 그들이 버젓하게 들어가 있는 것도 수상했고, 라보쉬 남작이 몸을 숨긴 것도 수상했다.

"루카스, 라보쉬 남작이 여기로 들어간 것이 맞다면 분명히 다시 나올 거예요. 근처에 숨어서 지켜볼까요?"

방법을 강구하던 중 때마침 리체와 시인이 이야기를 나누며 오는 것이 보였다.

"리체! 같이 들어가자!"

리체는 벨라를 마주치고 깜짝 놀랐다.

"어머! 미리 와 있었어?"

"쉿. 여기로 라보쉬 남작이 들어갔어. 우리 좀 데려가."

리체는 시인에게 말했다.

"잠깐 대기실에 들어가서 이야기를 더 나눌 수 있을까요? 고전 시가에 나오는 음율론을 재해석한 것이 로나스 연가라는 견해에 대해 더 듣고 싶어요. 이 친구도 로나스 연가를 좋아하거든요. 같이 들을 수 있을까요?"

"기꺼이."

시인은 웃으며 문인 대기실 안으로 벨라와 루카스를 함께 이끌었다. 벨라는 로나스 연가가 뭔지 모르지만 알아듣는 척 억지웃음을 지으며 주변을 둘러보았다.

벨라의 뒤에 서서 가만히 이야기를 듣고 있던 루카스의 시선이 어느 한쪽을 향했다.

문인들 사이에서 걸어오는 것은 다름 아닌 벤자민이었다.

벤자민은 문인들과 악수를 하고는 씨익 미소를 지어 보이더니 가까이 다가왔다.

"아르티드가의 영애께서 여긴 어인 일이실까?"

벨라는 긴장해서 어깨가 뻣뻣해져 왔다.

약간 흐트러져 보이는 백금발 머리. 날카로워 보이는 눈매가 미소 짓자 천진한 악동처럼 보였다. 잘 차려입은 고급 슈트와 과하지 않은 듯 장식된 단추와 부토니에가 눈에 띄었다.

'겉모습만 보면 누구나 호감을 가질 만한 매력적인 이성으로 보일 테지.'

과거에 그에게 뼛속까지 시린 배신을 당한 벨라에게는 그저 속이 검은 인간 쓰레기로 보일 뿐이었다.

"만국 박람회 구경하러 왔죠. 신기한 게 많네요."

벤자민은 벨라의 머리부터 발끝까지 호기롭게 쭈욱 훑어보았다. 그의 눈매가 갸름해졌다.

"당신도 투자하러 오셨나?"

"그러는 그쪽은 왜 여기에 온 걸까요?"

눈을 느리게 감았다 뜬 후, 그가 입을 열었다.

"이상하군. 내 꿈이 어지간하면 다 맞는데 당신에 관한 것은 참 달라. 꿈에서 본 당신은 이렇지 않았거든?"

뱀 같은 그의 시선이 끈끈하게 벨라의 얼굴을 스쳐 갔다.

"인간이란 근본이 바뀌지 않는 법인데, 참 흥미로워."

그러고는 놀랍다는 투로 속삭였다.

"당신의 꿈에서는 세세한 부분까지 다 보이는 건가? 화장품이 내 관심 밖이어서 그런 걸까? 어떻게 트렌드를 그렇게 자세히 알지? 마치 모두 다 알고 나서 화장품을 출시하는 것 같잖아."

벤자민은 눈을 가늘게 뜨며 벨라를 훑어보았다.

"당신이 어디까지 아는지 모르겠지만."

그는 느릿하게 강조해서 말했다.

"될 수 있으면 서로의 밥그릇은 건드리지 말자고."

"저번에도 그 소리더니 또……!"

그가 벨라와 이야기하는 동안 문인 대기실에 있는 장식장을 옮긴다며 인부들이 들어왔다.

"이렇게 보니 그럴싸해 보이기도 해."

벤자민은 입맛을 다시며 벨라의 위아래를 훑어보았다.

"내가 꿈에서 본 아르티드 영애는 서명 하나 제대로 할 줄 몰라서 이렇게 쓰는 것이 맞는지 아닌지 긴가민가하던 사람이었거든?"

장식장을 옮겨 나가는 모습을 루카스가 바라보니 인부는 넷인데 그 밑으로 보이는 다리는 다섯 쌍이었다.

미간을 찡그리며 그쪽으로 다가서려 한 순간 벤자민은 루카스를 막아섰다.

"루카스 버틀러 경, 당신도 내 꿈과는 참 달라. 당신이란 사람은 꿈에서 본 그대로지만, 아르티드 영애와는 거의 원수와도 같았거든."

벤자민은 미소를 지었다.

"대체 어찌 된 일이지? 둘 사이에 무슨 일이 있었던 거야?"

루카스는 벤자민의 말을 무시하고 비켜나 인부들 쪽으로 가려 했다. 그러나 그는 또다시 루카스의 앞을 막아섰다.

"설마, 이젠 주인을 장악하고 쥐락펴락하게 된 것인가? 늘 벨라를 조종하고 싶어 했잖아. 당신의 취향대로, 당신의 꼭두각시로……."

벤자민은 뱀처럼 속삭였다.

"얼마나 조종하기 좋아. 부모를 일찍 잃은 고아라니. 막대한 재산도 있고."

벤자민의 하늘색 눈동자가 날카롭게 빛났다.

"이젠 당신이 시키는 대로 무엇이든 할 정도로 세뇌당한 것 같은데 당신의 노력에 손뼉을 쳐 주겠어."

겉보기엔 표정 변화가 없는 루카스였으나 멈춰 서 있는 자체가 매우 불쾌함을 증명하고 있었다. 그사이 인부들이 문밖으로 나가 버렸다.

루카스가 뒤늦게 밖으로 나갔을 때 인부는 넷밖에 없었다.

"그럼 바빠서 이만."

벤자민은 히죽거리며 발걸음을 옮겼다.

"그럼……, 저는 언제 가는 건가요?"

하데스의 고급 창부 그웬이 나가려는 벤자민을 붙잡고 물었다. 그는 잠시 눈치를 보더니 그웬에게 말했다.

"그곳엔 알아서 오라고."

눈치 없는 그웬이 큰 소리로 말했다.

"같이 가시는 거 아니고요? 저는 마르쿠스 님 저택이 어디 있는지도 모르고, 초대장도 없어서 들여보내 주지 않을 텐데요."

그는 미간을 찡그렸다.

"다른 사람과 함께 오면 돼."

여전히 그웬은 생각을 전혀 하지 않고 말했다.

"다른 사람이 누군데요?"

벤자민은 잡아먹을 듯 낮게 으르렁거리는 목소리로 말했다.

"자플란 남작과 같이 오라고! 말귀 못 알아들어?"

빙고!

벨라는 속으로 쾌재를 올렸다.

하데스 시절 눈치 없기로 둘째가라면 서러울 민폐녀 그웬이 이렇게 반가울 수가 없었다.

벨라는 루카스에게 속삭였다.

"루카스, 우리가 다음으로 가야 할 곳은 플란네르의 재상 마르쿠스가 자택에서 여는 연회예요. 거기로 가면 뭔가 실마리가 풀릴지 몰라요."

"무슨 말씀입니까. 구체적으로 알려 주십시오."

루카스의 말에 벨라는 잠시 고민했다.

'내가 아는 사실을 말할까?'

과거에 리체가 접대했던 티베리라는 존재는 그 당시에 별 볼 일 없었지만, 후에 권력을 잡을 것이었다.

그는 페로하트를 쥐락펴락해 굴욕적인 조약에 도장을 찍도록 만든다. 그 사진이 신문에 대문짝만하게 난 것을 과거의 벨라는 똑똑히 보았다.

티베리의 관심을 끌면 금속 탄피에 대해 알게 될 가능성이 높아질 거라 생각했다.

벨라는 루카스의 눈을 빤히 바라보았다. 루카스는 벨라가 대답해 주기를 기다리고 있었다.

'티베리의 관심을 끌겠다고 말하면 루카스는 뭐라고 말할까?'

생각해 보나 마나였다.

분명 이마에 힘줄이 빠직해서 고개 숙이고 암흑 오라만 풍기고 서 있다가 당장 괴력을 발휘해 벨라를 떠메고 페로하트행 배에 올라탈 것이다.

'그럼, 그럼. 그렇고 말고.'

벨라는 비장한 표정으로 고개를 끄덕였다.

'수행 기사도 있고, 곁엔 리체와 루카스가 있으니까 괜찮겠지. 예의범절은 괜찮았다고 들었으니 상관없을 거야.'

"말씀하십시오."

참다못한 루카스가 먼저 입을 열었다. 벨라는 주변을 둘러보고는 루카스에게 속삭였다.

"오늘 저녁 플란네르의 재상 마르쿠스의 저택에서 벌어지는 연회에서 무언가 중요한 일이 일어날 거야. 거기에 가야만 해요."

루카스의 표정이 약간 미묘해졌다.

"중요한 일이 무엇입니까?"

벨라는 루카스에게 이리 가까이 오란 손짓을 했다. 루카스가 허리를 숙여 벨라에게 귀를 기울이자 그녀가 속삭였다.

"거기 가면 금속 탄피를 얻을 수 있어요."

"네?"

루카스의 눈썹이 꿈틀했다.

"무슨 근거로 그런 말씀을 하시는 겁니까?"

벨라는 심각한 표정을 지었다.

"과거에 봤는데 티베리 집에 가면 금속 탄피가 산더미같이 쌓여 있을 거예요. 거기서 하나 슬쩍하면 돼. 가자."

루카스는 믿어지지 않는지 진지하게 벨라에게 되물었다.

"정말입니까?"

벨라는 입술에 침도 바르지 않고 뻔뻔하게 둘러대었다.

"나 믿죠? 옛날에 신문으로 티베리 집에 산처럼 쌓인 금속 탄피 사진을 본 적이 있어요."

"왜 진작 말씀해 주시지 않으셨습니까?"

루카스의 말에 벨라는 눈을 데굴데굴 굴리며 거짓말을 했다.

"미리 말했어도 믿어 주지 않을 거 같았어요. 내 기억이 맞나 일단 여길 와 본 거예요. 티베리와 마주친 걸 보면 과거에 본 그 신문 내용이 맞아요."

루카스는 뭔가 탐탁지 않은 눈빛으로 벨라를 쳐다보았다.

"루카! 무슨 일이 있어도 나를 믿는다면서요? 나 못 믿어요?"

그의 눈빛은 사람을 꿰뚫는 듯한 날카로움이 있어서 잘못이 없어도 사람을 켕기게 하곤 했다.

지금이라 해서 별다를 바는 없었다.

하지만 여기서 눈빛이 흔들리는 사람이 지는 것.

벨라는 루카스의 낌새가 딴지를 걸 것 같은 분위기인지라 진땀을 흘렸다.

"그 무엇이 되었든 남의 물건을 슬쩍하는 건 좋지 못합니다."

루카스의 말에 벨라는 미간을 팍 찡그렸다.

"훔치는 게 아니야! 미래를 대비하는 거지. 전쟁을 막으면 우리는 수많은 사람을 살리게 되는 셈이야. 그 수많은 사람의 목숨하고 탄피 하나 가져가는 거랑 뭐가 더 중요해? 뭐가 더 중요하냐고!"

"와아! 루카스! 이 초대장을 어떻게 구한 거예요?"

벨라는 마르쿠스의 저택에 들어갈 수 있는 초대장을 손에 쥐고 펄쩍 뛰었다.

"별거 아닙니다. 아가씨의 화장품 회사 스타더스트의 플란네르 지사의 간부의 친척이 마침 마르쿠스 재상의 비서관으로 일하고 있어서 그쪽으로 힘을 써 봤습니다."

루카스의 말에 벨라는 그저 신날 뿐이었다.

"아가씨, 지금 기뻐할 때가 아닙니다. 아가씨는 지금 이곳에 맨몸으로 오셔서 연회장에 갈 때 입으실 옷도 마땅찮습니다."

"빌려 입으면 되죠."

벨라의 태평한 말에 루카스의 눈썹이 꿈틀했다.

"아르티드가의 후계자께서 누가 입었는지도 모를 옷을 대충 입으신다니 말도 안 됩니다."

"안 될 게 뭐 있어요. 상대방이 내가 입은 옷이 빌린 것인지 맞춘 것인지 알게 뭐람. 어차피 며칠 있을 것도 아닌데."

"제가 안 됩니다!"

루카스가 단호하게 말했다.

"아가씨의 모습은 아르티드가의 모습, 사소한 것 하나라도 지나칠 수 없습니다."

그럴 줄 알았다는 듯 루카스의 표정을 살피던 벨라는 천연덕스럽게 한숨 쉬듯 말했다.

"할 수 없죠. 뭐. 그럼 플란네르 최신 유행복을 한 벌 사서 입고 갈까요?"

"네?"

벨라는 자신의 옷차림을 한번 쓱 둘러보며 거울을 바라보았다.

"플란네르는 맞춤복 말고 프리미엄 기성복도 판다고 들었어요. 거기 가서 한 벌 사 입죠, 뭐."

"프리미엄 기성복?"

루카스는 자신이 모르는 단어가 나오자 당황했다.

세상에 그가 모르는 단어가 존재한단 말인가?

바늘로 찔러도 피 한 방울 나오지 않을 것 같은 무표정의 그가 요 근래 당황해서 짓는 표정을 보는 것이 왜 이렇게 꿀맛인지. 벨라는 혼자 쿡쿡 웃었다.

물론 그 정보 역시 과거에 리체의 경험담에서 얻은 내용이었다.

'플란네르는 의복 개혁을 단행한 직후였다지…….'

페로하트에서는 미리 만들어진 옷은 가난한 사람들이 사 입는다는 인식이 있었지만, 플란네르에서는 국가가 기성복을 장려하고, 귀족이나 부자를 겨냥해 한정 생산한 프리미엄 기성복을 팔았다.

마침 그 프리미엄 기성복을 파는 가게가 만국 박람회장 근처에 있었다.

'……딱 72벌 한정으로 만든 옷이 있는데 그 옷이 그렇게 예뻐서 갖고 싶었어.'

리체의 말이 지금 곁에서 듣는 것처럼 생생하게 귓가를 맴돌았다.

'이참에 리체와 한 벌씩 사서 쌍둥이처럼 입고 다녀도 재밌겠다. 물론 몽땅 사다가 되팔아도 좋고.'

"정말 내가 가도 되는 거야?"

벨라의 옷을 골라 주는 것인 줄 알고 따라갔다가 얼결에 예쁜 옷을 얻어 입은 리체가 얼굴을 붉혔다.

"그럼! 지금 아니면 언제 플란네르 고위 관료의 저택에서 벌어지는 연회에 참석해 보겠어? 그런 것도 구경해 보고 해야 나중에 글 쓸 때 더 많은 경험을 녹여 낼 수 있지."

요즘 리체가 로맨스 소설을 몰래몰래 쓰고 있다는 사실을 아는 벨라는 미소를 지었다.

리체는 얼굴이 빨개져서 어찌할 줄 몰랐다.

"나…… 너무 신세만 져서 어떻게 하지?"

리체는 고개를 숙였다. 자존심이 강한 그녀였다. 아무리 호의라지만 마냥 받기만 하는 것이 마음 편치 않았다.

벨라는 그런 리체의 손을 잡았다.

"공짜 아니라도 그래. 세상에 어느 누가 늘 나의 곁에 동행해 주고 말벗을 해 주겠어? 게다가 언젠가 네가 글로 성공하면 나보다 더 유명세를 떨칠지도 몰라. 그땐 네가 내게 옷 사 주기다?"

"과연 그런 날이 올까?"

떨떠름하게 웃는 리체에게 벨라는 눈웃음을 지어 보였다.

"믿어. 미래를 아는 내가 말하는데, 넌 분명 글로 성공할 거야. 성공할 예정이야."

'거짓말.'

하지만 그것이 친구의 굽은 어깨를 펴게 할 수 있다면 몇 번이고 거짓말을 하겠다고 마음먹었다.

'채 피어나기도 전에 스러진 친구의 재능을 꼭 지켜 주겠어.'

남의 돈을 퍼다 쓰라 쥐여 주어도 염치없다 차마 쓰지 못하는 이 착한 친구의 행복을 위해서라면 그 무엇도 할 수 있을 것 같았다.

리체가 거울로 자신이 입은 프리미엄 기성복을 이리저리 둘러보는 동안 벨라는 옷을 여러 번 갈아입어 보았다.

루카스가 묵묵히 곁을 지키고 있었지만, 그 무표정 사이로 시야가 풀리는 듯한 느낌을 지울 수 없었다.

'쿡쿡.'

무표정한 얼굴 너머 그의 감정을 읽는 것이 재밌어서 흥분될 지경이었다.

천하의 루카스도 긴긴 쇼핑의 기다림에 인내심의 한계가 바짝바짝 다가오고 있었다.

"루카스, 이 옷은 어때?"

벨라가 고른 옷은 새하얀 투피스 드레스. 버슬 드레스가 아닌 발목이 드러나는 개량 의상이었다.

거의 반쯤 영혼이 유체 이탈한 루카스는 그저 오케이 사인을 보낼 뿐이었다.

입어 보고 착용 상태를 점검하는 것도 어디 한두 번이어야 꼼꼼히 지켜볼 텐데 기나긴 선택의 시간에 그의 철옹성 같던 인내심이 툭 하고 끊길 지경이었다.

그 순간, 벨라는 그 옷을 야심 차게 꺼내 보였다.

이 옷은 발매 당시에 전통을 파괴한 형식에 충격 그 자체였던 옷이었다.

페로하트에서는 그 옷이 욕먹었지만, 10년쯤 후에 다시 들고나왔을 때는 복각판으로 판매되었는데 원 디자인의 옷은 웃돈이 붙어 부르는 게 값이었다.

'꼭 입어 볼 거야.'

벨라는 자신이 플란네르에 왜 왔는지는 잊지 않았지만, 일단 어렵게 온 이상 주어진 모든 시간을 알차게 쓰고 싶었다.

"아가씨, 무턱대고 플란네르에 와서 뜬금없이 금속 탄피를 입수하겠다며 적국의 연회장에 가시는 분치고 지나치게 여유로우십니다."

매장에 걸린 시계를 보며 연회 시간이 임박했음을 안 루카스가 보다 못해 한마디 했다.

벨라는 못 들은 척 콧노래를 부를 뿐이었지만 속마음은 달랐다.

'루카스. 실은 나도 떨려. 과연 내가 이안과 라울린을 살

릴 수 있을까? 황태자의 예정된 운명을 바꿀 수 있을까? 자신 없고 두려워.'

벨라는 눈에 힘을 주어 거울에 비친 자신의 모습을 노려보았다.

'하지만, 지난 삶에서 수없이 겪어 봤어. 두려워해도 시간은 흘러가고, 초조해한다고 해서 시간이 멈춰 주지 않아. 두려움 앞에서 떠느라 내게 주어진 이 시간을 1초도 헛되이 쓰고 싶지 않아.'

벨라는 자기 자신에게 싱긋 웃어 보였다.

'어차피 부딪쳐야 할 난관이라면, 두려움은 부딪칠 때 생각할래. 설령 내가 실패하더라도 난 당신들과 함께한 이 시간이 행복했으므로 기꺼이 죽을 수 있어.'

그것이 벨라의 솔직한 마음이었다.

과거의 삶에서 해외여행을 다녀 본 적도 없고, 바다를 건넌 적도 없고, 친구와 손잡고 쇼핑을 해 본 적도 없고, 루카스와 이렇게 아옹다옹해 본 적도 없었다.

이 모든 순간이 행복했고 즐거웠다.

'그러니까, 나는 후회하지 않아.'

"헉!"

재상 마르쿠스의 저택으로 타고 갈 마차를 대절해 온 루카스는 호텔에서 나오는 벨라의 차림새를 보고 그야말로 외마디 비명을 내질렀다.

버슬 드레스가 아니었다.

상의는 허수아비가 걸친 포대 자루 같았고, 치마는 인어처럼 몸의 윤곽을 드러내는 형태인데, 끝단이 프릴 꽃방석 위에라도 얹힌 것 같았다. 세트라는 모자는 쓰레기통을 거꾸로 뒤집어쓴 것처럼 보였다.

위에서 아래까지 모두 흰색이라 밋밋한데, 상의 가슴팍엔 어린애 머리통만큼 큰 흰색 꽃 장식이 앞판에서 뒤판으로 이어져 있었다. 그중 가장 최악인 것은 발목이 드러난다는 것이었다.

"옷이 이게 뭡니까!"

늘 침착하던 루카스가 이번엔 기함을 토하며 큰 소리로 외쳤다.

"응? 아까 루카스가 괜찮다고 했던 옷이잖아요."

너무 태연한 벨라의 얼굴이 얄밉기까지 했다.

"여기 사람들은 이렇게 입어요."

루카스는 흥분해서 말을 잇지 못했다.

"늦었어요. 시간 없으니 빨리 가요."

벨라는 별것 아니라는 듯 손짓을 하며 마차에 올랐다.

"여긴 플란네르예요. 플란네르에선 플란네르 스타일을 따라야지. 안 그래요?"

루카스는 얼굴이 시뻘게진 채로 입을 벙긋거렸으나 벨라는 시큰둥한 표정으로 말했다.

"출발해요."

재상 마르쿠스의 저택에 도착했을 때 처음 느낀 것은 플란네르의 재상이란 사람이 사는 저택치고는 투박하고 그다지 멋이 없어 보인다는 것이었다.

'포르위네 성은 둘째치고 그리젤리 저택만큼의 아름다움도 없네.'

당연히 꽃이 흐드러지게 피어 있어야 할 정원엔 저택을 방어하는 벽의 일부인 것처럼 나무만 빽빽이 늘어서 있었다.

마차에서 루카스의 부축을 받으며 내릴 때 초저녁부터 취해서 나 잡아 봐라 하는 연인들의 모습을 보고 여기도 별다를 건 없다는 생각을 했다.

그러나 저택 안으로 들어서자 페로하트와는 확연하게 다른 분위기에 압도되었다.

연회라고 하기에 무도회 같은 것을 떠올렸다.

적당히 손님들과 춤추며 떠들다가 티베리에게 접근하면 될 거로 생각했는데 처음 들어선 입구서부터 바이올린 연주자가 신들린 독주회를 하고 있었다.

결코 춤곡이 아니었다. 차라리 바이올린 독주 감상회를 방불케 했다.

사람들은 화려하게 차려입었으되 비즈니스를 하러 온 사람들 같았다. 하나 비즈니스라고 하기엔 사방에 그림이 걸려 있고 한편으론 신간 서적이 빼곡히 꽂혀 있어 무언가 엄숙한 분위기를 풍겼다.

'사교 모임?'

벨라는 처음 겪어 보는 분위기에 적잖이 당황했다.

입구에서 초대장을 확인하고 들여보내는 사람들도 장관, 차관, 기업가, 자수성가한 전문직 종사자 등등 단순히 귀족이라 해서 들어오는 것이 아니었다. 딱 봐도 서로의 참석 목적이 빤히 보이는 사람들이 하나둘 모여들었다.

그나마 아는 사람이라곤 리체를 플란네르로 초대해 준 시인뿐이었다.

"어머! 여기서도 뵙네요!"

반가워하는 리체에게 시인이 악수하며 반가워했다.

"초대장을 받으셨군요! 이럴 줄 알았으면 같이 오는 건데. 문인 협회 사람들 모두 박람회 행사가 끝나고 이곳에 초청받았습니다."

꽤 튀어 보일 거라 생각했던 벨라의 옷도 이곳엔 비슷한 부류의 옷을 입은 여성들이 많아 저절로 묻혀 들어갔다.

벨라는 루카스가 우두커니 서 있자 그의 옷자락을 끌며 속삭였다.

"거봐. 내 말 맞지? 이 옷을 입어도 별로 이상하게 쳐다보지 않는다고."

"그렇군요. 이런 큰 변화는 대대적인 개혁 없이는 불가능한데…… 플란네르가 이렇게 바뀔 줄 예상치 못했습니다."

루카스는 페로하트에서 전해 듣던 플란네르의 풍광과 현재의 일면이 다른 것에 생각할 것이 많아진 모양이었다.

벨라는 리체를 따라 문인 협회 쪽으로 쪼르륵 따라갔다.

루카스는 주변을 둘러보았다.

자신에게 시선이 쏠려 있다는 것은 말하지 않아도 알 수 있었다.

사람들이 눈을 크게 뜨며 루카스의 아래위를 훑어보았다.

연미복 차림의 그의 의상이 튀어 보여서 시선을 끄는 것이 아니었다.

사람들은 그의 얼굴을 보며 수군거렸다.

"……방금 봤어? 저 남자."

"정말 닮았네……."

뒤통수가 따갑도록 많은 사람의 시선이 루카스에게 꽂혔다.

그들이 누구와 닮았다고 수군거리는지 말하지 않아도 루카스는 알 수 있었다.

"제피르가 살아 돌아온 줄 알았어."

"살아 있다면 저렇게 젊을 리가 없잖아."

루카스 쪽으로 가로질러 온 한 나이 든 남성이 그의 얼굴을 이리저리 쳐다보더니 일행에게 말했다.

"한쪽 눈이 갈색이고 한쪽 눈이 파란색이네? 확실히 제피르는 아니야."

"하긴, 제피르는 초록색 눈이었으니까."

"그런데 생긴 게 소름 끼치게 닮았어."

그 수군거리는 소리에 루카스는 조용히 눈을 감았다.

“루카스, 이번 학기 성적이 뚝 떨어졌더구나. 대학 생활이 힘들더냐? 나이 차이가 크게 나는 학생들과 함께 다니려니 편하지만은 않겠지.”

다비드 엘 아르티드는 성적표를 들고 늦여름의 녹음이 우거진 창가에 서 있었다.

어린 루카스는 그저 고개를 숙이고 서 있을 뿐이었다.

“이런이런, 성적 한 번 낮게 나왔다고 그렇게 의기소침할 필요는 없다. 사람은 뭐든 다 잘할 수는 없어. 잘하는 게 있으면 못하는 것도 있지. 다음에 만회하면 된다. 그러니 고개를 들어.”

다비드는 웃으며 성적표를 책상 서랍에 집어넣었다.

“저…… 그만두면 안 될까요?”

루카스는 최대한의 용기를 내어 말했다.

실은 진작에 도망치고 싶었다. 하지만 자꾸만 다비드의 눈빛이 떠올랐다.

세상에서 유일하게 자신을 편견 없이 바라봐 주는 눈. 아니, 세상 사람들 모두가 그에게 너는 안 된다고 말할 때 넌 무엇이든 될 수 있다고 확고한 편견을 가지고 응원해 주는 사람.

그의 눈이 실망에 잠기는 것을 보는 것이 괴로웠다. 그래서 도망칠 수 없었다.

"왜?"

다비드의 눈을 볼 수가 없어서 눈을 질끈 감고 고개를 돌렸다.

"저는…… 출생부터가……."

주인을 문 개, 자신을 키워 준 주인을 몰락시킨 액시즈 레크룩스 공국의 제피르가 제 아버지 맞습니다……. 일설이 아니라 사실입니다.

그 말을 차마 내뱉을 수가 없었다. 언젠가 주인을 물 개를 키우는 거라고 사람들이 비웃는 소리를 견디기가 힘들었다.

배신자의 피가 흐르는 몸, 양부를 죽게 했다는 배덕, 어려서부터 도박판이나 끌려다니고 무언가를 훔치고 속이라 배우며 자란 그가 언젠가는 아르티드 후작의 뒤통수를 거하게 때릴 거라는 소곤거림을 견딜 수 없었다.

'비뚤어질 테다. 그렇게 함부로 말하는 입들을 찢어 주리라.'

가슴 가득 들어찬 저주의 말들을 차마 아르티드 후작 앞에서 내뱉을 수는 없었다.

조용히 루카스를 바라보던 다비드는 책상의 다른 서랍에서 편지 봉투 하나를 꺼냈다.

"네가 동급생에게 덤벼들었다가 심하게 맞았다는 말은 지도 교수에게서 들었다. 그리고 그 보복으로 추측되는 일련의 소동이 일어났고 너를 괴롭히던 동급생이 크게 다쳤다더군. 심증이나 정황은 있지만, 너에게는 물증이 없다는 이야기도 전해 들었다."

루카스는 아무런 변명도 하지 않은 채 입을 일자로 굳게 닫고 고개를 숙이고 있었다.

다비드는 루카스를 말없이 바라보다가 한참 만에 입을 열었다.

"모나스 판테온 생활이 힘들다면 유학은 어떠냐? 페로하트 제국이 넓다고는 하나 한 우물이다. 원하는 대학에서 원없이 공부하게 해 줄 테니 한 가지만 약속해다오. 네 마음속의 어둠에 지지 않겠다고 말이다."

실망시켜 드려 죄송하다고 말하고 싶었다. 하지만 아무리 노력해도 가슴속에 깃든 분노가 좀처럼 가시지 않았다. 툭하면 화가 났고 툭하면 모든 것이 비관적으로 다가왔다.

'내게 이렇게 돈을 쏟아붓고 있는데…… 나는 그에 걸맞지 않은 쓰레기다.'

자신이 쓰레기인 것보다, 쓰레기에게 돈 투자했다고 비웃는 사람들이 다비드를 상처 줄 것이 두려웠다. 그가 자신의 실체를 깨닫고 깊은 실망을 하기 전에 도망가 버리고 싶었다.

목이 메어 왔다.

간신히 울음을 씹어 삼키고 루카스는 천천히 입을 뗐다.

"후작님, 동전에는 양면이 있습니다. 후작님께서는 동전의 앞면이 나오길 바라시지만, 뒷면이 나와 버리면 어떻게 하죠?"

느닷없는 질문에 다비드는 고개를 갸웃했다.

루카스는 뒤이어 입을 열었다.

"저에게 수많은 도움을 주신 것은 감사합니다만, 제가 후작님의 기대에 부응하지 못하는 형편없는 존재이면 어떻게 하죠? 저는 동전의 뒷면일 수 있습니다."

다비드는 루카스를 바라보며 일순간 복잡 미묘한 표정을 짓는가 싶더니 이내 환하게 웃어 주었다.

"동전의 앞면만 던지면 되지. 너는 이미 동전의 앞면만 던지는 법을 알고 있잖아?"

다비드는 다가와서 루카스의 어깨에 손을 얹었다.

"그저 던지고 남이 정해 준 결과가 너의 전부일까? 동전은 네 손에 있고 너는 그것을 원하는 대로 조종할 수 있어. 마찬가지야. 설령 네게 동전의 앞뒷면 같은 빛과 어둠이 존재하더라도 너는 충분히 빛을 끄집어낼 수 있다."

"그러다 뒷면이 나오면 어떻게 하죠? 노력해도 안 되면……?"

"루카스. 네가 노력해서 안 되는 것이 지금까지 있었던가?"

다비드의 웃는 눈에 루카스 자신의 모습이 거울처럼 비쳐 보였다.

"그 동전은 네 것이다. 나는 너를 믿는다."

루카스는 감았던 눈을 떴다.

그리고 그날 다비드가 건네주었던 금화 한 닢을 다시 꺼내 보았다. 항상 시계 주머니에 넣어 다니는 것이었다.

'동전은 나의 것이다.'

심호흡을 한 번 한 후 그는 예의 무표정한 얼굴로 돌아가 벨라를 놓치지 않도록 일정 걸음 내에서 따라다녔다.

벨라는 리체의 뒤를 쫄레쫄레 따라다녔다.

연회를 돕는 시종들이 쟁반에 음식을 들고 돌아다니기에 그중 하나를 집어 입에 넣었다.

크래커 같은 것 위에 정체불명의 분홍색 반 고형물이 출렁거렸는데 생긴 것과는 달리 상큼한 맛이었다. 이참에 몰래 칵테일 맛 좀 볼까 싶어서 칵테일 잔을 하나 집었는데 바로 루카스의 손이 그 잔을 가로채 갔다.

"아직 안 됩니다."

루카스는 고이 접어 둔 손수건을 품에서 꺼낸 후 테이블에 놓인 빈 와인 잔 하나를 집어 들어 휘황찬란한 빛이 나도록 재빠르게 닦아 냈다.

그리고 테이블 위의 오렌지 하나를 집어 들어 즉석에서 쥐어짜더니 잔을 하나 가득 채웠다.

"제가 확인한 것만 드십시오."

"힝……."

벨라는 아쉬운 듯 입맛을 다시며 오렌지 주스를 한 모금 마셨다.

본래 테이블 곁에서 주스를 짜던 시종의 눈이 휘둥그레져서 루카스가 짠 오렌지 껍질을 조심스레 뒤집어 보았다. 알갱이 하나 남김없이 완벽하게 꽉 짜서 껍질만 남아 있었다.

다른 귀족이 그 모습을 보더니 루카스에게 자신의 잔도 채워 달라는 듯 잔을 내밀었다.

그 잔을 정중히 거절하고 루카스는 벨라의 뒤를 따랐다.

주스 짜던 시종이 필사의 힘을 다해 주스를 짰으나 덜 짜인 과육이 너덜너덜하게 남을 뿐이었다.

벨라가 무언가를 먹으려 할 때마다 루카스가 난입해서 그녀가 쓸 접시와 포크 따위를 닦았다.

순식간에 새것처럼 광이 반짝반짝 나는 것을 보며 다른 귀족들이 자신의 접시와 포크를 다시 들여다볼 뿐이었다.

세계 공용어는 페로하트어라서 연회장에서 지체 높은 사람들이 하는 이야기는 대충 알아들을 수 있었다. 벨라는 리체의 곁을 따라다니는 척하며 주변을 힐끔힐끔 쳐다보았다.

티베리가 어디 있을까 열심히 찾아봤지만, 그는 코빼기도 보이지 않았다.

다만 재상 마르쿠스와 그의 여러 아들은 여기저기서 사람들과 이야기를 나누고 있을 뿐이었다.

'뭐, 여기 없다면 바깥의 나 잡아 봐라 커플들 사이에 있겠지.'

"아, 루카스 버틀러 경, 반갑습니다."

그때 한 사람이 루카스를 보고 다가와 말을 걸었다.

"저야말로 초대장을 구해 주셔서 감사합니다."

루카스의 대답을 들어 보니 아마 이 사람이 스타더스트 플란네르 지사의 총책임자인 듯했다.

"그러잖아도 사업 투자 및 매장 확장 문제로 언젠가 한 번

상담하고 싶었습니다."

루카스가 그 사람과 이야기하는 사이 자신을 못 볼까 싶어서 벨라는 시종이 쟁반에 들고 지나가는 맛있어 보이는 케이크에 손을 뻗었다.

"안 됩니다."

루카스의 팔은 길기도 했다.

"제가 맛본 후에 드십시오."

사업 이야기를 하면서도 루카스는 뒤통수에도 눈이 달렸는지 벨라의 모든 행동을 놓치지 않았다.

교양을 쌓는다고 노력하였으나 어려운 전문 용어나 법률 관련 이야기는 들어도 몰랐다.

어느새 지루해진 벨라는 연회장의 사람들을 하나하나 관찰하였다.

플란네르의 재상 마르쿠스는 만국 박람회에 참석한 귀빈 중 몇을 따로 불러서 산업에 연관된 이야기를 하려는 모양이었다.

마르쿠스 곁에 찰싹 들러붙어 있는 두 명의 아들이 아마 적장자 자리를 두고 경쟁하는 자들일 것이었다.

벨라는 그들을 유심히 바라보았다. 한쪽의 이름은 아크란이고 또 다른 하나는 샬리드라 했다.

수행 비서가 엄연히 마르쿠스의 곁에 있는데도 그들은 마르쿠스가 물 한 모금 마시는 것조차 경쟁하며 물을 떠다 바쳤다. 그리고 주변에 다른 형제가 접근하는 것을 적극적으로 견제하는 눈치였다.

연회장 한쪽이 시끌시끌했다.
그쪽으로 시선을 돌리자 드디어 티베리의 모습이 보였다.
여태 정원에서 나 잡아 봐라 놀이를 했는지 상대 여자의 옷은 낙엽이 붙고 엉망이었으며, 티베리 또한 단추가 어디서 떨어져 나갔는지 셔츠를 제대로 여미지 않아 불량한 옷차림새였다. 벨라는 그들의 옷차림새를 뚫어져라 쳐다보았다.
"귀빈들 모두 모인 자리서 이게 무엇이냐! 칠칠맞게시리!"
마르쿠스가 방탕한 아들 티베리를 보며 미간을 찡그렸다. 그러나 표정은 썩 불쾌해 보이지 않았다.
"죄송합니다. 각하!"
티베리 본인도 혼나지 않을 것을 아는지 씨익 웃으며 연회장에 놓인 음식을 하나 집어 입에 쏙 넣으며 지나갔다.
저 멀리 입구에서 누군가가 들어오고 있었다.
그웬의 모습이 한눈에 들어오는 것을 보니 뒷사람은 보나마나 하데스와 관련된 사람들일 것이고, 그 옆에 나란히 걸어오는 신사는 윌머 엘 자플란 남작일 가능성이 높았다.
윌머 엘 자플란.
페로하트 뒷골목 사채 시장의 대부이자 벨라의 이모 마리앤 디올러스의 정부인 자의 실물을 보는 것은 처음이었다.
'저 작자의 환심을 사고자 마리앤 이모가 무일푼이 된 나를 끝까지 털어먹었지.'
꼬챙이처럼 길고 마른 사람이었다. 얼굴도 길쭉한 편인데 턱 끝은 두 개인 듯 갈라져 있었다. 가느다랗고 동그란 금테 안경을 썼으며 코 밑엔 야비한 메기수염이 두 가닥 달려 있었다.

'누가 봐도 나는 악덕 사채업자요 하는 인상이네.'

벨라는 눈썹을 찌푸리며 주변을 둘러보았다.

어느 한쪽에서는 자리 잡고 앉아 내오는 코스 요리로 저녁 식사를 했고, 다른 한쪽에서는 비즈니스 이야기를 나누며 차를 마시고, 다른 한쪽에서는 고상한 토론을 하는 동시에 여자와 남자가 서로 핑크빛 시선을 교환하고 있었다.

이 모든 것이 한곳에서 다 이루어질 줄이야.

다만 처음 입장하는 사람은 다들 상석에 있는 재상 마르쿠스에게 인사를 하고, 시종이 큰 소리로 그 사람들이 누구인가를 읊어 참석한 다른 이들에게 누가 왔는지 알리는 것이 특이했다.

플란네르의 전통 사교춤은 페로하트의 왈츠와는 사뭇 달랐다.

남녀 커플이 손을 잡고 걸어갔다가 반대로 돌아 다시 손잡고 걸어서 눈인사하고 다른 동반자에게 인도하는데 화려한 발동작도, 다정한 손동작도 없었다. 그저 손뼉 치고 무릎 치고 쎄쎄쎄 하는 것으로 보일 뿐이었다.

자플란 남작은 재상과 인사를 나누자마자 따로 플란네르 고위 관료들과 한자리에 앉아 이야기를 나누기 시작했다.

갑자기 피아노 연주자 곁에 티베리가 나타나더니 콰과광 소리를 내며 피아노 건반에 손을 얹었다.

사람들이 일제히 티베리를 바라보자 티베리는 큰 소리로 웃더니 외쳤다.

"오늘은 해외에서 오신 손님들도 많은데 지루한 전통춤 말고 페로하트에서 유행한다는 화려한 왈츠곡으로 해 볼까요?"

아직 머리카락에 붙은 낙엽도 떼지 않은 티베리가 순간 생긴 것과는 달리 능숙한 솜씨로 왈츠곡을 연주하기 시작했다. 삐익 휘파람 부는 소리와 함께 너도나도 일어나 왈츠 대형을 이루기 시작했다.

그런데 이상했다.

피아노 치는 티베리의 모습이 자꾸만 낯익게 느껴지는 것이었다.

게다가 곡조도 익숙했다.

'트리스탄…….'

과거의 삶에서 벨라의 피아노 개인 교사였던, 그리고 현재의 삶에서는 예절 선생이라며 찰스 숙부가 들이밀었던 그의 모습이 티베리와 겹쳐 보였다.

딱 체형도 비슷했다.

'설마 트리스탄……? 아냐. 비슷하긴 한데 같지는 않아.'

벨라는 저도 모르게 고개를 저었다. 그리고 주변을 다시 한번 둘러보았다. 그러고 보니 지금 흘러나오는 곡은 트리스탄이 벨라를 위해 작곡했다고 거짓말했던 샴록 지역의 민요를 왈츠풍으로 연주하는 거였다.

벨라는 고개를 돌려 마르쿠스를 바라보았다. 그리고 마르쿠스의 두 아들 아크란과 샬리드를 바라보았다.

'모두 검은 머리카락에 초록 눈!'

전형적인 플란네르인의 형질이었다. 그러고 보니 저들 네

사람은 모두 트리스탄과 많이 닮은 점이 있었다.

벨라는 긴장하여 마른침을 꿀꺽 삼켰다. 티베리를 가까이서 한 번 더 쳐다봐야 확신이 생길 것 같았다.

왜 티베리를 처음 보았을 때 그리 익숙한 느낌이었는지 다가갈수록 선명해져 갔다.

'일단 피아노 치는 자세부터 비슷해!'

다 같이 한 선생에게서 배웠을 때 나타나는 듯한 특징적인 피아노 운지법. 비슷한 페달을 밟는다든가, 곡조를 처리하는 방식 등등…….

"페로하트에서 오신 몰리 엘 롬바르트 영애?"

피아노를 치다 말고 티베리는 자신의 근처에 선 벨라를 힐끔 쳐다보더니 이름을 기억하는 것을 칭찬해 달라는 듯 씨익 웃었다.

트리스탄과 닮았지만, 선이 더 굵고 유쾌했다.

벨라는 티베리의 셔츠 자락에서 불량스레 떨어진 단추 자국을 쳐다보았다.

'실밥이 고른 길이로 예리하게 잘린 것으로 보아 가위나 칼로 자른 게 아닐까?'

장난치듯 건반을 쾅쾅쾅 치며 연주하는 티베리의 손은 손마디가 굵고 굳은살이 박여 있었다.

트리스탄은 손이 여자 손처럼 길고 가늘었다. 전형적인 피아니스트의 손이었다.

만약 티베리가 정말로 한량이라면 손마디가 가늘었을 거였다.

'쉼 없이 힘들게 노력한 마디 굵은 손! 떡 벌어진 어깨랑 검게 그을린 피부로 보아 실제로 군사 훈련을 잘 받은 자의 모습이야.'

그의 머리카락에 아직 대롱대롱 매달려 있는 낙엽 하나는 어디서 뒹굴다 붙은 것이 아니라 일부러 끼워 넣었음이 분명했다.

'왜일까? 이런 위장을 하는 이유는……?'

벨라의 눈이 티베리를 훑었다.

티베리가 그런 벨라에게 말을 걸었다.

"그런 식으로 바라보면 곤란합니다?"

'뭐래?'

벨라는 당황한 눈으로 그를 바라보았다.

게슴츠레한 눈빛으로 바라보는 그가 부담스러워서 식은 땀이 흘렀다.

"호수처럼 아름다운 눈망울로 가련한 사슴마냥 절 바라보면 어찌 가만히 있겠습니까, 사랑스러운 레이디? 나는 그렇게 바라보는 여자를 가만히 내버려 두지 못하는 로맨티스트라서……."

헉!

이런 느끼함은 지금까지 겪어 본 적 없는 강력한 것이었다.

"신청곡을 그대에게 받아야겠는걸?"

그가 한쪽 눈을 찡긋했다.

"자! 페로하트에서 오신 손님을 위하여, 신청곡은?"

벨라가 얼어붙은 채 입가만 실룩거리고 있자 티베리는 그

윽한 눈빛으로 바라보며 말했다.
"그래, 그 눈빛, 자꾸 그렇게 열렬한 눈빛으로 쳐다보시면 흥분되잖습니까, 레이디?
'옜다, 신청곡. 그거 치는 사이 도망가자.'라고 생각한 벨라는 얼른 대꾸했다.
"박쥐, 서곡, 왈츠 구간이요."
벨라는 그 말을 하면서도 시선이 문가 쪽으로 걸어가는 티베리와 질펀하게 놀다 온 여자 손님을 향했다. 티베리가 위장이었다면 그 여자 손님도 무언가를 감추기 위한 위장이 아니었을까.
순간 티베리는 벌떡 일어나더니 벨라의 손을 잡고 끌고 가며 본래의 연주자에게 소리쳤다.
"들었지? 숙녀분의 신청곡이다. 어서 연주 시작해!"
벨라는 졸지에 사람들이 플란네르 전통 사교춤을 추던 자리로 끌려갔다.
"페로하트에서 오신 아가씨, 저와 함께 춤을?"
티베리는 왈츠 기본자세를 취하며 벨라의 허리에 손을 감고 다른 한 손으로는 벨라의 손을 끌어당겼다. 그의 손이 벨라가 낀 흰 장갑을 은밀하게 더듬었다.
"나는 흰 장갑을 낀 숙녀만 보면 마음이 설레더라."
그가 벨라의 귓가에 훅 하고 더운 김을 내뿜듯 속삭였다.
'으악! 느끼해!'
벨라는 당황하여 얼굴이 빨개졌다.
그리고 뒤돌아 리체를 쳐다보았다.

리체와 함께 왔으니 당연히 티베리의 관심이 리체에 쏠릴 줄 알았다. 그런데 리체는 이 상황이 그저 장난 같은지 흰 장갑을 낀 손을 흔들어 보이며 벨라에게 '화이팅!' 하는 입 모양을 지어 보였다.

똑같은 흰 장갑이건만 뭔가 잘못 걸린 듯한 기분이었다. 티베리의 눈빛이 끈적끈적하니 콧김이 한 번 뿜어지는 것 같았다.

뭔가 위험하다. 마치 지렁이의 피부에 손이 닿은 듯 벨라는 그에게 잡힌 손을 빼려고 애썼다.

그러나 그는 버터 듬뿍 담은 미소를 지은 채 순순히 손을 놓아주지 않았다. 남들이 눈치채지 않게 둘은 손을 빼고 붙들고 하며 신경전을 벌였다.

참다못한 벨라가 어금니를 악 깨물며 말했다.

"저는 아직 성년이 되려면 몇 달 남았습니다만? 이만 놔주시죠?"

마음 같아서는 발로 정강이를 콱 걷어차 주고 싶었다.

순간 이곳에 금속 탄피에 대한 정보를 얻으려고 왔다는 사실을 기억해 내고 간신히 참았다.

"미성년은 춤추면 안 되나?"

"그건 아니지만……."

미간을 찡그린 벨라의 눈에 저 멀리 입구로부터 벤자민이 들어서는 모습이 눈에 띄었다.

벤자민은 들어오자마자 그웬 일행을 보고 그쪽을 향해 걸어가려다가 멈칫했다.

그웬이 멍청하게 떠들어 댄 탓에 마르쿠스의 연회에 참석한다는 사실을 흘리긴 하였으나 벨라가 떡하니 나타나 한복판에서 눈에 띄게 춤추고 있을 줄 상상하지 못했다.

심지어 그 춤추는 상대가 티베리였다!

"도대체 어디까지 알고 있는 거지?"

벤자민은 혼잣말로 중얼거리며 하데스 관계자를 노려보았다.

그웬은 자신이 여길 왜 왔는지도 잊고 낯설고 맛있는 음식으로 배를 채우기 바빴다.

벤자민은 그들과 함께 있는 윌머에게 다가가 낮은 목소리로 말했다.

"페로하트 최상급 접대부를 데려온다더니 이게 뭡니까?"

그도 분하다는 듯 한마디 대꾸했다.

"근래에 순결한 귀족 처녀를 구하는 것이 마땅찮아서……. 어쩌다 보니 일이 꼬였소이다. 제국 최고의 명성을 가진 하데스라더니 한물갔나 보군요."

그러더니 윌머는 벨라 쪽을 턱 끝으로 힐끔 가리키며 벤자민에게 조용히 속삭였다.

"저 여자는 뭡니까? 우리 타깃은 아니지만 그래도 마르쿠스의 아들 중 하나. 작업을 시작하기도 전에 선수를 쳐서 접근하더니만 훼방 놓을 틈도 주지 않더이다."

벤자민은 주먹을 움켜쥐고 벨라를 노려보았다.

"저 멍청한 여자도 디노르센의 내막을 다 알고 있었던 걸까? 남의 밥상은 건드리지 말라고 그렇게 신신당부를 했건만

이 판을 자기도 한입 먹어 보겠다 이거지? 하지만 플란네르의 내부 사정은 또 어떻게 알았던 거야? 대체 의도가 뭐야?"

시종이 그를 위해 음료를 내오자 벤자민은 목이 타는 듯 몇 모금 들이켰다.

티베리는 장난치듯 벨라를 상대로 왈츠를 추었고 벨라는 눈을 하얗게 치뜨고 입술은 뾰로통한 채로 마지못해 왈츠를 추는 듯 보였다.

그런데 의외로 그 조합이 보기는 좋았다. 그들의 춤을 보고 다른 참석자들이 속삭였다.

"잘 어울린다!"

"한창때로군."

벤자민은 팔짱을 낀 채 초조하게 바라볼 수밖에 없었다.

대체 벨라의 꿍꿍이가 뭔지 알 수 없었다.

'라보쉬 남작을 빼돌린 것은 극비였는데 어떻게 알았으며, 여기까지 어떻게 따라온 거지? 정보가 어디서 샌 건가?'

"저 아가씨는 대체 누구지?"

초대받은 손님들은 다들 한마디씩 던지며 벨라에 대해 호기심을 보였다.

개량된 투피스 드레스는 벨라가 입으니 상당히 고급스러워 보였다.

인어공주를 연상시키는 그 옷은 머리부터 발끝까지 오로지 흰색이었지만 상의에 화려하게 세공된 꽃 포인트가 눈길을 사로잡았고, 은은하게 반짝이는 금속광택의 실을 섞어 짠 재질이라 움직일 때마다 샹들리에 불빛에 아롱져 별 가

루를 뿌린 듯 빛났다.

밤갈색 풍성한 머리카락이 출렁이고 신비한 느낌을 주는 보랏빛 눈동자가 인상에 남았다. 섬세하게 짜인 흰색 장갑은 그녀의 손 윤곽을 더욱 돋보이게 해 주었다.

"처음 보는 아가씨인데? 만국 박람회에 관람 온 외국 여성인가? 귀족 모임에서 저런 여자를 본 적은 없는걸?"

"페로하트 사람이래. 스타더스트 화장품 있잖아. 거기 실소유주라더군."

"호오, 그래? 비싼 아가씨네? 돈도 많고 얼굴도 예쁘고."

"연줄 동원해서 한번 알아볼까?"

다른 사람들이 수군거리는 소리를 들으며 벤자민은 코웃음을 쳤다.

'진저리 쳐지는 성격의 소유자인 건 알려나?'

어려서부터 꿈속에 수시로 한 여자가 나타났었다. 그 여자는 몹시도 징징거리는 여자였다.

달래고 또 달래도 늘 불안해하며 지나치게 매달렸다. 그녀의 비위를 맞추다 질려서 꿈이라 해도 짜증이 났다.

'벤자민, 나를 지켜 줘. 벤자민, 무서워, 벤자민, 대신 처리해 줘. 벤자민, 안아 줘. 벤자민, 나를 영원히 사랑해 줘. 벤자민…… 벤자민…….'

그런데 그 거머리 같던 여자가 지금 눈앞에서 춤을 추고 있었다.

꿈에서는 그리도 넌덜머리가 나더니 이렇게 보니 또 제법 예뻐 보였다.

원래 저렇게 주변에 반짝거림을 몰고 다니는 여자였던가.

'아니지. 현실에서 겪어 본 적이 없으니 겉과 속이 딴판인지 내가 알 게 뭐야.'

그는 눈을 갸름하게 뜨고 벨라를 뚫어지게 바라보았다. 그러다가 월머 엘 자플란 남작이 작게 속삭이는 소리에 고개를 돌렸다.

"굳이 당신과 파이를 나눠 먹을 필요는 없었는데 불청객이 나타나 더 작게 쪼개려고 하는군요. 이렇게 된다면 당신과 손잡아야 할 이유를 모르겠습니다."

벤자민은 자플란 남작을 향해 비릿한 웃음을 지어 보였다.

"이 사실을 황제 폐하께서도 아신다면 어떻게 하실지 궁금합니다만. 뭐 저야 그 어느 쪽이든 상관없습니다. 제게 더 큰 돈을 벌게 해 줄 쪽을 따를 테니까요."

자플란 남작은 화가 나면 귀가 살짝 뒤로 젖혀지는 사람이었다. 그의 이마가 불끈거릴 때마다 귀도 같이 꿈틀거렸다.

"빌어먹을 예지몽!"

"플랜 A를 택하든 플랜 B를 택하든 어쨌건 간에 승자는 플란네르로 점찍어 둔 것 아닙니까? 높으신 그분께서 정하신 대로 흘러갈 테니 기왕 벌인 판, 소소한 푼돈이나 만지지 말고 이참에 거하게 돈을 긁어모아 봅시다."

재수 없게 웃으며 말하는 벤자민을 쳐다보는 자플란의 금테 안경이 번뜩였다.

"투자란 그렇게 하는 것이 아닙니다."

자플란 남작의 싸늘한 목소리에 벤자민은 전혀 개의치 않고 대꾸했다.

"소심하시기는. 좀 더 큰 그림을 그리십시오. 기왕 힘들게 벌인 판, 뽑을 건 확실하게 뽑아야죠."

"지나친 욕심은 화를 부릅니다."

그의 말에 벤자민은 그저 하하하 웃을 뿐이었다.

그런 벤자민에게 자플란 남작은 고개를 저었다.

"필요 없다는데도 도와주겠다는 저의도 알 수 없을뿐더러, 이 일로 페로하트가 큰 타격을 받을 것을 미리 다 알면서도 여기에 크게 베팅하는 이유도 수상쩍게 느껴집니다. 당신 목적은 클라라 황녀와의 국혼이라 하지 않았습니까?"

벤자민은 뻔한 것을 묻는다는 표정으로 입꼬리를 비죽 끌어 올리며 입을 열었다.

"궁지에 몰아 놔야 제가 내민 손을 더 감사히 잡을 것 아닙니까? 그게 제가 사업을 벌이는 방식입니다."

벤자민의 대답에 자플란은 코웃음을 쳤다.

한편……

뜨거운 티베리의 입김이 벨라의 목덜미를 스쳤다.

왈츠를 추다 말고 벨라는 으악! 소리를 내며 그의 손을 뿌리쳤다.

"뭐 이런 거로 다 놀라십니까 레이디? 제가 그렇게 뜨겁습니까?"

티베리가 느물거리는 웃음을 지으며 벨라의 손을 다시 잡아 끌어당겼다. 얼결에 그의 품에 안긴 벨라의 허리에 티베리의 손이 착 감겼다.

그 와중에도 티베리는 벨라의 장갑 낀 손을 쉴 새 없이 비비적거렸다. 누가 장갑 변태 아니랄까 봐 장갑이 닳아서 구멍이 날 지경이었다.

벨라는 눈을 부릅뜨고 그를 노려보았다. 인상 쓰는 이유를 뻔히 알면서 그러는지 그는 내내 싱글거리고 있었다.

"손만 잡고 있습니다만?"

그가 먼저 속삭였다.

잡힌 손에 애벌레가 꿈틀거리는 것처럼 소름이 끼쳤다. 벨라의 인내심이 한계에 다다랐다.

"난 미성년자라니까아아아! 야 이 치한 변태 말미잘아!"를 외치며 무르팍으로 놈을 팍 찍어 치려는 순간 어느 손이 재빨리 벨라를 끌어당겼다. 루카스의 커다란 손이었다.

힘있게 꽉 잡아 부드럽게 당기는 그의 손.

벨라의 눈이 커졌다.

파트너가 교체되는 타이밍을 이용해 루카스가 벨라를 가로채 간 것이었다.

무표정한 얼굴로 난입한 루카스는 벨라를 보호하듯 품으로 불러들여 그녀의 어깨를 끌어당기고 왈츠 스텝을 한 바퀴 돌듯 자연스럽게 벨라를 데리고 대열 밖으로 빠져나왔다.

곧바로 그의 손이 벨라의 손에서 벗어났다.

티베리의 손에서 벗어나려고 그렇게 용을 썼던 것이 무색할 정도로 너무나 쉽게 빼내 온 루카스를 보며 벨라는 춤추느라 솟아오른 흥분을 가라앉혔다.

루카스가 벨라의 상기된 뺨을 보더니 차가운 물 한 잔을 내밀었다. 벨라는 목말랐던 터라 반가웠다. 그가 안전을 확인한 후 준 것을 받아 벌컥벌컥 마셨다.

"역시 내 맘 알아주는 것은 루카뿐이야."

벨라는 보랏빛 눈을 환하게 반짝이며 빈 잔을 루카스에게 건넸다.

"루카, 왈츠 출 줄 알았어요? 미처 몰랐어요! 그렇게 잘 출 줄."

루카스는 표정 변화 없는 얼굴로 대답했다.

"왈츠 출 줄 모릅니다."

"엑?"

벨라는 그가 왈츠 스텝을 자연스레 맞춰 줬던 것을 떠올리고 깜짝 놀랐다.

"모르는데 어떻게 박자 맞춰서 데리고 나왔어요?"

"눈치껏 하면 됩니다."

루카스는 아무렇지 않다는 듯 말했다.

문인들과 한 테이블에 앉아 있던 리체가 벨라에게 손을 흔들었다. 벨라는 분하다는 표정으로 리체의 곁에 앉았다.

"뭐 저런 변태가 다 있어?"

벨라의 말에 리체는 눈을 크게 떴다.

"무슨 일이야?"

"춤추는 내내 장갑이 닳아 구멍이 날 정도로 손을 비비적거리더라고. 소름 끼쳐 정말!"

벨라의 말에 리체가 질색했다.
"세상에! 겉보기엔 그냥 왈츠만 추는 것 같았어. 저 사람 장갑 변태인가? 왜 장갑에 집착하고 난리람?"
"내 말이!"
"우아하신 분들만 모인 자리에서 고귀하신 분이 그러시다니 차마 수준 떨어지는 말을 할 수는 없고, 이런 개구리 날에 뜬 쌍무지개 같은 인간을 봤나! 조카의 신발 끈 같은 경우도 다 있네!"
리체가 우아한 얼굴로 미간을 찡그리며 우아하게 말했다.
"풉!"
벨라는 리체의 말에 웃고 말았다.
"리체, 그런 말은 어디서 배웠어?"
벨라가 웃는 것을 보자 리체는 덩달아 같이 웃으며 말을 마저 이어 갔다.
"귀족 체면에 고상한 말만 해야 하잖아? 하지만 이건 경우가 아니지. 우아하게라도 이 상황을 표현해 줘야 하는 것 아니겠어?"
리체는 목을 가다듬고서는 낭랑한 목소리로 기품 있게 말했다.
"에라이 시바쑤리갈 한잔할 사람, 이런 미네랄 같으신 분!"
"재밌네."
느닷없이 리체와 벨라의 사이에 의자가 하나 불쑥 놓이더니 그 자리에 티베리가 털썩 앉았다.
그는 그 느물느물한 눈웃음을 지으며 두 손을 깍지 끼고 그 위에 턱을 괴었다. 리체와 벨라 둘 다 한 번씩 힐끔 쳐다본 그는 미소 지으며 말했다.

"그러고 보니 두 분 다 매력적인 흰 장갑의 아가씨로군요. 말하는 것까지 제 마음에 쏙 드는 경우는 정말 오래간만입니다만?"

당황한 리체의 얼굴이 온통 홍당무처럼 붉어졌다.

"워어. 벌써부터 제게 반하시면 곤란합니다. 제게 마음을 빼앗긴 것을 이렇게 노골적으로 얼굴에 드러내시다니 제 마음도 덩달아 설레잖습니까?"

뭔 인간이 입만 열었다 하면 느끼해서 토해 주고 싶은지 모를 일이었다.

"아, 난감하군요. 한쪽은 톡 쏘는 듯한 매력에 한쪽은 부드럽게 속삭이는 매력이라니. 평소에 취향 타는 레이디 만나는 것은 드문 일인데 오늘은 한꺼번에 둘씩이나."

그는 정말로 난감하다는 듯이 어깨를 으쓱했다.

"어쩌지?"

그는 손으로 턱 끝을 만지작거리면서 진지하게 고민하는 표정을 지었다. 그러더니 느닷없이 리체의 목덜미를 낚아채더니 그대로 끌어당겨 키스하려 했다.

리체의 눈이 휘둥그레져서 그를 밀어낼 틈도 없이 입술이 부딪치려는 순간—

갑자기 그는 리체를 휘어잡았던 손을 놓더니 벨라를 향해 손을 뻗었다.

"애매할 땐 실전으로!"

재빨리 몸을 돌린 벨라의 뺨과 티베리의 쭉 내민 입술 사이로 루카스의 손바닥이 텁 하고 가로막았다.

"제겐 남자 손바닥에 키스하는 취미는 없습니다만."

극혐의 표정으로 티베리는 고개를 뒤로 빼며 입술을 벅벅 문질렀다. 루카스는 무표정한 모습으로 손수건을 꺼내 자신의 손을 뽀득뽀득 닦으며 말했다.

"장난이 지나치십니다. 이쯤 하십시오."

"감히 마르쿠스의 아들, 나 티베리의 연애 사업을 방해하는 자는 일찍이 없었는데 뒤끝이 두렵지도 않으신가 봅니다?"

장난인지 진담인지 모를 싱글싱글 웃는 얼굴로 티베리가 하는 말에 루카스는 침착한 목소리로 대답했다.

"어차피 연애 사업이 목적이 아니시란 것, 잘 압니다. 이 자리에서 대각선으로 보이는 테이블 때문에 여기 앉으신 것 아닙니까?"

벨라는 루카스가 말한 방향을 바라보았다. 그쪽에는 여러 사람이 앉아서 무언가 주거니 받거니 하며 공치사 중이었다. 그중에는 마르쿠스의 다른 아들이 앉아 있었다.

"아, 그렇습니까? 저는 흰 장갑에 사족을 못 쓰는지라. 장갑 이외엔 눈에 띄는 것이 없는데 말입니다."

"당신께 없는 힘을 경계하시는 것 아닙니까?"

티베리는 딴청을 부리며 넘어가려다가 루카스의 말에 눈빛을 날카롭게 반짝였다.

"그렇게 저의 속내가 빤히 드러나 보이던가요? 하하…… 이런, 표정 관리 좀 잘해야겠습니다. 오늘 처음 본 사람에게

조차 간파를 당하다니. 기왕에 제 속내를 읽어 내셨다면, 적당히 저의 연애 놀음에 협조 좀 해 주시든가요."

티베리는 재밌다는 듯 웃으며 벨라를 향해 한쪽 눈을 찡긋했다.

"하지만 저의 이 뜨거운 심장은 진심입니다. 레이디. 이렇게까지 저의 가슴을 뛰게 하는 여인은 드물었습니다."

당장이라도 티베리의 마빡을 한 대 때려 주고 싶은 충동을 간신히 억누르며 벨라는 입을 열었다.

"진심인 분의 셔츠 단추가 가위로 잘려 있군요. 머리에 꽂은 나뭇잎은 이제 그만하면 떼지 그러세요. 그냥 붙은 거랑 일부러 쑤셔 넣은 것과는 차이가 납니다. 아까 그 여자랑 정말 연애한 것은 아니죠?"

그 말에 티베리가 즐겁다는 듯 웃었다.

"이런, 큰일 낼 분들이시군. 굳이 내가 예쁜 여자를 두고 연애한 척만 해야 할 이유가 있습니까?"

벨라는 티베리가 쳐다보는 대각선 방향의 테이블을 바라보았다.

마르쿠스의 아들 샬리드가 자플란 남작의 말에 손을 저으며 거들먹거리고 있었다. 무언가 조건이 맞지 않는지 그는 마지막으로 한 번 더 손 내미는 자플란 남작의 손을 휙 밀쳐냈다.

"저 테이블에서 거래가 파투 나는 것을 확인하고 당신이 저들과 거래하려는 생각 아닌가요?"

"글쎄에……."

티베리가 히죽거리며 웃었다.

그때 자리에서 일어서려는 샬리드의 어깨를 두드리며 도로 앉히는 자가 있었다. 벤자민이었다.

벤자민이 대체 뭐라고 했는지 샬리드는 눈을 크게 뜨더니 순순히 자리에 앉았다. 벤자민은 손을 들더니 가방을 가져와 무언가를 샬리드에게 보여 주었고, 이때다 싶은 자플란 남작은 그웬을 샬리드의 옆자리에 앉혔다.

티베리의 기색을 살핀 루카스는 그에게 나지막이 말했다.

"페로하트에 있는 트리스탄이란 사람이 형제 아닙니까?"

티베리의 눈썹이 살짝 움찔거렸다.

"트리스탄이 누구?"

"본명은 소베르. 마르쿠스의 여러 사생아 중의 하나죠. 페로하트에 첩자로 암약 중인 듯한데, 그가 소개해서 온 사람이 저들 중 자플란 남작 아닙니까? 당신은 자플란 남작과 샬리드가 손잡는 것을 막고 싶은 거고."

루카스의 말에 티베리의 눈빛이 순간적으로 싸늘하게 바뀌었다. 지금까지 실실 웃던 인상과는 사뭇 다른 느낌이었다.

"그런 것 따윈 전 모릅니다. 제가 관심 있는 건 이 새하얀 장갑을 낀 아가씨뿐. 도대체 제게 무슨 목적으로 접근한 것인지 수상해서 당장 경비를 불러 압송해 가라 해야 할 것 같지만."

티베리는 예의 그 느물거리는 미소를 지으며 벨라의 흰 손을 다시 한번 잡고 쓰윽 쓸어 올렸다.

"그래도 다정한 사랑의 속삭임은 들려주고 보내 드리는

게 인지상정이겠지요. 레이디?"

벨라의 손을 잡고 일어서면서 티베리는 루카스에게 재빨리 속삭였다.

"뒷문으로 나가면 일하는 사람들만 드나드는 쪽문이 있는데 그것을 열고 들어가 발판 밑을 열면 지하 계단이 있지. 그것은 4층에 있는 끝 복도로 통하는데, 출입구로 나오기 전에 발판을 들면 또 다른 통로가 4층 정반대의 문 없는 방으로 통해 있어. 그쪽으로 와."

표정을 갈무리한 티베리가 다시 벨라 쪽을 보며 능글맞게 말을 이었다.

"레이디. 저는 성격이 급합니다. 이 타는 가슴의 불길을 꺼 주실 분은 레이디뿐입니다."

그가 벨라의 손을 끌어당겨 손끝에 초강력하게 느끼한 키스를 한 후 입술로 츄~ 하는 표정을 지은 후 정원 쪽으로 후다닥 끌고 갔다.

순간 루카스는 티베리를 쫓아가야 하나 갈등이 일었지만 일단은 그를 믿기로 했다.

'가장 위험한 건 티베리겠지만.'

루카스는 아까 벨라가 티베리의 낭심을 걷어차 버리려던 순간을 기억해 냈다.

아마 가만 놔뒀으면 티베리의 평생을 벨라가 책임져야 하는 사태가 발생했을지도 모를 일이었다.

그는 벨라를 구한 것이 아니라 티베리를 구한 셈이었다.

'라울린은 대체 벨라 아가씨에게 뭘 가르치기에 아가씨가

나날이 과격해지시는지.'

루카스는 고개를 절레절레 저었다.

'아가씨는 결코 약하지 않다.'

평소 벨라가 기초 체력 훈련을 한다며 개머리 총판을 휘둘러 까부숴 댄 통나무와 벽돌을 떠올렸다.

모르는 사람이 봤으면 코끼리가 밟고 걷어찬 흔적으로 봤을 거였다.

그 하얗고 작은 손에서 어찌 그런 괴력이 나오는지.

벨라는 얼결에 티베리의 손에 끌려가면서도 루카스의 말에 혼란스러운 기분이었다.

'트리스탄이 누구?'

'본명은 소베르. 위대한 재상 마르쿠스의 여러 사생아 중의 하나죠.'

벨라는 지난 대화를 떠올리며 눈썹을 찡그렸다.

'루카스는 그걸 어떻게 알고 있었을까?'

"꽤나 재밌는 손님이로군요. 후훗."

티베리가 방긋 웃었다.

"어찌 들으셨기에 그간 공들인 연극을 한 번에 간파하신 것인지, 제 딴엔 필생의 작품이었습니다만?"

왠지 그의 얼굴은 웃고 있는데 눈빛은 분하다는 듯 활활 타오르고 있었다. 어쩐지 지금 그에게 시험을 당하는 것 같은 기분이 들었다.

"흰 장갑 변태라는 사실 말이에요?"

"흰 장갑을 정말로 좋아하는 것은 사실입니다만, 페로하트에서는 그런 사소한 내용까지 누군가 보고해 줍니까?"

으슥한 나무 근처로 끌고 간 티베리는 무려 벽 치기 자세로 벨라를 내려다보았다. 싱글싱글 웃고 있었지만 실은 허튼소리 하면 가만 안 두겠다는 듯한 위협적인 분위기가 모락모락 피어오르고 있었다.

주변을 둘러보았지만, 루카스는 따라오지 않았다.

시험을 통과해야 한다면 장난 같은 그의 질문에 제대로 된 대답을 해 주어야 했다.

"고명하신 재상 마르쿠스는 따로 결혼하지 않고 수많은 아들을 두었죠. 당연히 후계자도 정해 놓지 않았고."

벨라는 고개를 들어 그의 얼굴을 바라보았다.

"티베리, 재상 마르쿠스의 삼남. 장남인 아크란과 차남인 샬리드와는 달리 외척이 없죠. 그래서인가요? 이렇게 방탕하게 살고 큰 욕심 없어 보이는 척 위장해서 살아가는 것이."

벨라의 말에 티베리의 눈빛이 달라졌다.

"당신 밑으로 있는 형제들은 모두 하나둘씩 처분당하고 없죠. 당신은 살아남기 위해 부단히도 노력해서 지금 그 자리에 서 있어요."

티베리의 눈이 가늘어졌다.

"소베르의 존재는 어떻게 알았지?"

사실 트리스탄에 대해 전해 들은 내용이 없어 곤란한 기분이 들었다. 루카스는 그런 중요한 사실을 알고도 왜 자신에게 말해 주지 않았는지 원망스러울 뿐이었다.

눈치를 보니 정말로 트리스탄이 플란네르에 잠복한 첩자

였던 모양이었다.

적당히 둘러대어 넘겨야 할 것 같았다.

"일단 생긴 게 닮았거든요."

미심쩍은 눈길로 쳐다보는 그에게 벨라는 열심히 둘러대었다.

"트리스탄은 숙부님이 어디선가 예절 선생이라며 데려왔어요. 다른 데서 피아노 개인 교사 일을 했다는데, 알고 보니 그란첼 백작가에도 연줄이 있었어요. 캐도 캐도 고구마 덩어리가 딸려 나오는 바람에 그에 대해 유심히 지켜보고 있었죠……."

벨라의 말에 티베리는 눈빛을 반짝거렸다.

"그란첼 백작가……."

그의 입가에 씨익 미소가 배어 나왔다.

"그란첼 백작가를 알아?"

"그럼요, 그 재수 없는 집안을 어찌 모를 수가 있어요?"

벨라는 알리사의 모습을 떠올렸다. 어디든 여왕벌처럼 군림하며 남이 자신보다 주목받는 것을 못 견뎌 하던 그 재수 없는…….

"어디든 자신이 남들 머리 위에 있는 줄 알죠."

벨라는 입술을 삐죽거렸다.

"소베르와 그란첼 백작가의 사이를 알고 있었다고?"

티베리가 다시 물었다. 벨라는 고개를 끄덕였다.

"호오. 어린 아가씨가 제법이군. 보통 페로하트의 돈줄은 자플란 남작이 쥐고 있는 줄로 아는데 그 윗선이 그란첼 백작이라는 사실은 나도 어렵사리 파악했는데. 벌써 알고 있다니까 김빠지잖아?”

헙!

벨라는 그의 입에서 뜻밖의 말을 듣게 되어 눈이 휘둥그레졌다. 하지만 표정을 읽히면 안 되었다.

“그걸 당신은 어떻게 알고 있었어요?”

그가 씨익 웃었다.

“생각보다 장하다 이건가요, 레이디? 아가씨 생각보다는 제가 좀 더 괜찮은 인물일 겁니다.”

“그런 거 같네요.”

벨라는 기왕 그가 떡밥을 문 김에 시험 삼아 좀 더 떠봐야겠다고 생각했다.

과거의 리체에게 듣기를 그는 유력한 후계자 후보가 아니었다.

‘디노르센 전투에서 이긴 플란네르 측에서는 오르젠 평원을 차지했어. 그야말로 마르쿠스는 승승장구했지. 그때 정권 다툼에서 밀려난 티베리는 숨죽이고 지내다가 후에 형들이 저지른 실수를 만회하며 아버지의 신임을 얻고, 자기 세력을 키우다가 어느 날 반정을 일으켜서 자신이 아버지의 자리를 냉큼 차지했어.’

벨라는 눈앞의 티베리를 빤히 바라보았다.

반정으로 형과 아버지를 처단하고 정권을 잡을 정도로 야심만만한 인물.

형제들을 처단하는 건 그렇다 치고, 자신을 가로막는다면 설령 그것이 제 아비라 해도 쳐 낼 인간이 티베리였다.

그는 분명 겉으로 보이는 것보다 치밀한 인물임이 틀림없었다.

"당신은 앞으로 플란네르의 재상이 될 사람이니까요. 저야말로 당신이 저평가 기대주인 지금 당신에게 접촉해서 당신의 미래에 투자하고 싶은 거랄까요?"

그의 눈동자가 흔들렸다.

"레이디? 당신의 정체가 대체 뭐지?"

"당신의 투자가를 자처하고 온 사람이라고 해 두죠."

그는 입꼬리를 비죽 끌어 올리며 미소를 지었다.

"참 재밌네. 그럼 내게 투자해서 당신이 얻을 것이 뭐지?"

이것은 더욱더 강력한 시험이었다.

'어쩌지? 지금 하는 대답에 따라 일이 확 틀어질 수도, 극적인 결과를 얻을 수도 있는데……. 중요한 것은 그가 기대하는 대답일 텐데 대체 뭘까?'

그저 리체의 옛이야기를 생각해 내고 대책 없이 뛰어든 것이었다.

이곳에 오면 금속 탄피를 구할 방법이 있을까 싶었는데, 이상하게도 자플란 남작과 벤자민을 만나게 되었고 라보쉬 남작을 빼돌려 이곳으로 데려온 것에 벤자민이 관계있다는 것을 알게 되었다.

그것만으로도 심각해질 지경인데 티베리의 입에서 자플란 남작 위에 그란첼 백작이 있다는 말을 들었다.

'그래서였나? 카이런 황자와 알리사의 결혼이 성사될 운

명인 것이……?'

"뜸 들이지 말고 대답해 주시죠, 레이디?"

티베리의 말에 벨라는 엉겁결에 말했다.

"전 알리사 영애가 카이런 황자와 혼인하는 것을 막고 싶어요!"

티베리의 눈빛이 강렬하게 반짝거렸다. 그의 목소리가 순간적으로 떨렸다.

"카이런 황자? 대체 무슨 의도지?"

벨라는 순간적으로 무슨 말을 해야 할지 말문이 막혔다.

"하. 놀랍군. 내 정보력도 그리 나쁘진 않다고 생각했는데 그쪽은 나보다도 완전히 앞서 있군!"

벨라는 도저히 그 이상을 둘러댈 수는 없었다. 뭐라 잘못 말했다가 판을 다 엎어 버리게 될지 알 수 없었기 때문이었다.

하지만 그 대답이 티베리의 마음에 든 모양이었다.

티베리는 한 손을 이마에 얹더니 미친놈처럼 고개를 젖히고 웃어 댔다.

하도 제정신이 아닌 놈 같아서 벨라는 주변을 둘러보았다. 순간 티베리가 벨라를 덥석 끌어안고 강제로 고개를 숙여 키스하는 것이 아닌가.

꺅! 소리를 내지르려는 것을 티베리의 손가락이 입술을 막았다.

"쉿. 티 내고 싶지 않으면 얌전히 계세요, 레이디. 여기는 보는 눈이 한둘이 아니니 우리는 여기서 연애질이나 진~하게 연출해 보이자고요. 알겠습니까?"

아슬아슬하게 가로막은 티베리의 손가락에 벨라는 심장이 미칠 듯이 뛰었다.

겉보기엔 둘이 열렬한 키스를 하는 것으로 보일 판이였다. 하지만 벨라의 입술은 티베리의 손가락에 짓눌리고 있을 뿐이었다.

"뭐, 진짜로 키스해도 당신이라면 괜찮은 기분이 들 것 같긴 합니다만."

벨라의 눈에 깃든 당황스러움의 기색을 읽으며 티베리는 씨익 웃었다.

"저도 자존심이 있는 남자, 레이디가 원하지 않으면 저도 하지 않습니다. 원하십니까?"

그의 초록색 눈동자가 바로 코앞에서 반짝거렸다.

벨라는 식은땀을 흘리며 정신없이 고개를 가로저었다.

그 모습에 티베리는 개구진 표정으로 천천히 고개를 들어 벨라를 품에서 놓아주었다.

"자, 이제 당신의 보호자가 뭐라고 대답하는지 들으러 가봅시다. 무사히 그곳까지 가기 위해서는 우리는 사랑에 빠진 미친 남녀를 연출할 필요가 있지요. 자, 레이디. 뛰십시오. 출입구가 어디 있는지는 아까 같이 들었다고 생각합니다만? 레이디 퍼스트…… '나 잡아 봐라!'를 외쳐 주십시오."

티베리는 두 팔을 벌리며 당장이라도 그녀를 안을 것처럼 다가왔다.

"어서!"

티베리의 말에 벨라는 치맛자락을 걷고 전속력으로 뛰었다.

당황한 티베리의 발이 꼬여서 털썩 자빠졌다.

"레이디! 너무 빠릅니다!"

도저히 저놈과 사랑에 빠진 척 끼 부리며 머리에 꽃을 달고 뛸 수가 없었다. 놈과 같이 뛰느니 부끄러움은 온통 벨라의 몫이 될 것 같았다.

정말로 출입문 아래의 깔판을 들고 그 아래를 조심히 들춰 보니 다른 출입구가 나왔다. 그리고 티베리와 함께 그 좁은 출입구를 따라가자 문 없는 비밀의 방이 나왔다.

그 안에는 루카스가 기다리고 있었다.

"이 저택에 비밀의 방이 몇 개 있지만 제가 모든 위치를 아는 것은 아닙니다. 주로 비밀리에 무언가 작당 모의를 하기 좋은 장소죠, 레이디."

안으로 들어가자 티베리는 벽장에 있는 태엽 같은 것을 슬쩍 돌렸다. 그러자 무언가 우르릉 쾅 하고 움직이는 소리가 들렸다.

"안전 장치입니다. 당신들이 허튼소리를 하거나 저에게 해를 끼칠 것에 대비해 출입구를 봉쇄해 두었지요. 제가 죽으면 방 밖으로는 아무도 나갈 수 없습니다. 그래서 저는 이 방을 진실의 방이라고도 부릅니다만. 우리 허심탄회하게 속마음을 털어놓아 봅시다."

티베리가 미소를 지었다. 벨라는 루카스가 먼저 이야기하는 것보다 자신이 먼저 이야기를 꺼내서 루카스에게 자신이 새로이 알게 된 사실을 눈치 주기로 마음먹었다.

"제가 먼저 말할게요."

루카스가 말리려는 듯 손을 잠시 들어 올렸으나 벨라는 그의 의사를 무시하고 루카스 옆에 있는 의자에 가서 털썩 앉았다.

떨렸다. 하지만 자신에게 지지 않으려는 듯 교만하게 코끝을 들어 올리고 모두 다 아는 것처럼 입꼬리를 씨익 끌어올렸다.

"전 알리사 엘 그란첼 영애가 정말 싫어요. 세상을 모두 자기가 쥐고 흔드는 줄 안다니까. 그런데 카이런 황자와 결혼하게 되면 골치 아파요. 알리사와 한 황실에서 함께 지내기를 원치 않거든요?"

루카스는 대체 벨라가 무슨 이야기를 하는 것인지 알 수 없었다. 그저 눈만 몇 번 느리게 감았다 떴다 하며 잠자코 벨라를 지켜보았다.

"굳이 그쪽을 흔들어야 할 이유라도? 단순히 싫다는 감정만으로 이 큰일을 꾸밀 거라 생각되지는 않습니다만. 레이디?"

티베리의 말에 벨라는 좀 더 그럴싸한 핑계를 대기로 마음먹었다. 황태자가 위장 연애를 하자 했으니, 이참에 그 사실을 이용해도 좋을 듯했다.

"저는 황태자 전하와 결혼할 생각이거든요."

"호오?"

속으로 점점 일이 더 커진다 생각했다. 손바닥에 식은땀이 났다.

'기왕 거짓말하는 김에 어설프게 하는 것보다 크게 뻥 터

뜨려!'

벨라는 그의 눈치를 힐끔 살폈다.

'무언가 대단한 사람과 거래한다는 생각이 들어야 자신이 지닌 패를 내보일 거야.'

"페로하트에 당신네 끄나풀이 한둘이 아닐 테고. 인맥 동원해서 조사해 봐요. 칼리아스 황태자가 지금 무슨 추문에 휩싸였는지. 공개 석상에 나오지도 못하고 외부 활동이 전면 금지된 이유가 바로 저 때문이라고요."

"당신이?"

티베리는 흥미롭다는 듯 벨라의 위아래를 훑어보았다.

"황태자 전하와 결혼하는 데 방해가 되어요. 알리사 영애와 황실에서 엮이고 싶지도 않고, 그분의 황위 계승에 경쟁자를 두고 싶지도 않아요."

벨라의 뜬금없는 말에 루카스는 표정을 감춘 채 둘을 지켜보았다. 티베리의 표정을 보니 일단 흥미를 계속 끄는 데에는 성공한 듯 보였다.

벨라는 새초롬하게 고개를 돌렸다.

"알리사 영애를 견제하고자 하나 그쪽의 돈줄은 엄청난데다 저는 플란네르 측에 연줄이 없어서 이참에 당신과 연합하고 싶어요."

'에라 모르겠다. 일아 더 커져라.' 하는 심정으로 티베리의 앞으로 일어날 일을 자신의 허풍에 적절히 뒤섞기로 했다.

"듣자 하니 당신은 지금은 발톱을 감추고 있지만 언젠가는 당신 가문의 모든 것을 먹어 치울 준비가 되어 있다던데.

두 형은 언제든 당신을 파문시키려고 벼르고 있다죠? 당신 아버지도 당신에게 힘 실어 줄 생각은 없고 그저 귀엽다 재롱을 바라보는 정도고요."

빙고!

벨라는 티베리의 침묵을 보며 그의 정곡을 찔렀음을 눈치챘다.

'오죽하면 형제와 부모를 처치하고 권력을 거머쥐었으랴.'

하데스의 고급 창부였던 아픈 과거에서 배운 것이 하나 있었다.

'사람들은 수많은 가면을 쓰고 살아가지만, 정곡을 찔리는 순간에는 조용해지지.'

술주정 가운데 오가던 수많은 헛소리 사이로 언뜻 보이는 진실의 눈빛. 그것을 알아보는 힘이 벨라를 그 시궁창에서 그나마 살게 해 주었다.

거짓된 표정으로 자신의 발톱을 감추고 살아왔을 그가 자신의 속마음을 찔리자 그 순간만큼은 눈빛이 미묘하게 흔들렸다.

"어때요? 저는 알리사 영애와 경쟁하게 되는 것을 막고, 당신은 위의 두 형이 당신을 견제하여 파문시키는 것을 막고. 당신도 자신이 위태로운 자리에 있으니 밀정과 연애질하는 척하면서 소식을 주고받은 것 아닌가요?"

벨라는 아마도 그 여자가 소식통일 거라 생각했다. 그러지 않고서야 사랑하지도 않는데 은밀하게 속삭일 만한 일이 무엇 있겠는가 싶었다.

순전히 찍기였다.

'에라이. 모 아니면 도다.'

자신이 아는 미래의 이야기를 최대한 교묘하게 짬뽕해서 입 밖으로 내보냈다. 생각보다 뻥이 술술 쳐졌다.

'틀렸으면 어쩌지?'

순간 불안하기도 했지만 티 내서는 안 되었다.

어쨌든 간에 칼리아스는 디노르센 전투에서 부대와 함께 생을 마감하게 될 것이고, 카이런 황자는 알리사와 혼인하고 황제의 뒤를 잇게 될 것이다.

티베리는 디노르센 전투 후 세력이 커질까 봐 견제하기 위해 형들이 먼저 정치적 공격을 해서 내쫓으려 할 것이고 그 위기를 기회로 삼아 형과 아버지를 제거해 버리고 재상 자리에 오를 거였다.

'그건 사실이잖아. 뻥에 사실을 섞었는데 아니면 말고…….'

억지로 끌어 올린 입꼬리가 파르르 떨렸다. 하지만 이쯤 떡밥을 던졌으니 루카스가 뒷수습을 해 주지 않을까 하는 희미한 기대도 있었다.

'루카는 만능이니까 허세와 거짓말이 탄로 나도 나를 탈출시켜 줄 거야. 아닌가?'

어설프게 딴 이야기하다 티베리에게 들키느니 무언가 많이 알고 있을 루카스에게 은근슬쩍 대화로 정보를 떠넘기는 편이 나았다.

'루카스. 제발 내 거짓말을 간파해 줘!'

벨라는 루카스를 힐끔 쳐다보고는 말을 이어 갔다.

"표면상으로 자플란 남작이 페로하트의 사채 시장을 좌우하고 있지만 실은 그 돈은 그란첼 백작의 돈 아니에요? 그러니까 감히 내세울 것 없는 가문에서 카이런 황자와의 결혼을 추진하는 거겠죠? 칼리아스 황태자가 망해야 카이런 황자가 후계자가 될 테니 그란첼 백작은 칼리아스 황태자를 엿 먹일 술책을 쓰고 있는 거고요. 그것이 플란네르로서는 손해 볼 것이 없으니 해 볼 만한 일이고요. 안 그래요?"

묵묵히 듣고 있던 루카스의 눈이 커졌다.

티베리는 벨라의 말에 감탄하듯 웃으며 대답했다.

"와아…… 이럴 수가. 이렇게 손바닥 안을 들여다보듯 모두를 간파하고 있는 레이디가 존재할 줄이야! 레이디의 말을 들으니 이제야 맞춰지지 않던 퍼즐이 다 꿰맞춰지는 기분인걸? 아직 성년도 되지 못한 아가씨께서 대체 어디까지 파악하고 있는 거야? 정보력이 엄청난데?"

한동안 침묵이 감돌았다. 벨라는 후속타로 무슨 말을 해야 할지 감이 오지 않아 입을 다물었고, 루카스는 벨라의 말에 자신이 알고 있는 정보들을 끼워 맞춰 대조해 보고 있는지 생각에 잠겨 있었다.

티베리는 무언가 즐거운 듯, 팔짱을 낀 채로 왔다 갔다 하며 따로 고민 중이었다.

'후아……. 발끝이 저릿저릿하니 높은 절벽에 아슬아슬하게 서 있는 기분이야.'

침묵을 깨며 루카스가 차분하게 입을 열었다.

"칼리아스 황태자께서 살아 계시는 편이 티베리 님 당신에게도 이득일 겁니다."

"무슨 까닭으로 그리 말씀하시는 겁니까? 여태 가만히 있던 저를 당신들 좋을 대로 끌어들이시려고요?"

싱글거리는 티베리의 표정이 얄미웠다. 감히 사자 아가리에 머리를 들이밀다니 하는 듯한 느낌이었다.

"플란네르의 이득은 제 아버지의 이득이기도 하고, 저 또한 가치가 올라가는 일입니다. 그런데 왜 굳이 제가 당신들을 도와야 합니까? 형들이 저를 눈엣가시로 여겨서 없애려고 한 것은 하루이틀 일이 아닙니다만 굳이 당신들이 대신 해결해 줄 문제도 아닌 듯한데 말입니다."

루카스는 품에서 초대장을 꺼냈다.

스타더스트 화장품의 플란네르 지사인 사람의 인맥으로 구한 초대장이었다.

자신에게 초대장을 내밀자 티베리는 의아한 눈으로 루카스를 바라보았다.

"저는 아르티드가의 집사며 벨라 아가씨의 후견인이자 아가씨의 재산을 관리하는 역할을 맡고 있습니다. 스타더스트 플란네르 지사도 그런 수익 관리의 일환이죠."

티베리는 의미심장한 표정을 지으며 루카스를 훑어보았다.

"저는 매일 투자한 기업들의 재무제표를 분석하는 것으로 시간을 보냅니다. 공산품이든 농산물이든 그 시세가 오르내리는 것과 새로운 기술이 발표되는 것도 살펴보죠. 그 모든 것을 잠자코 지켜보노라면 보이는 것이 있습니다."

루카스가 무슨 말을 하려는 건지 의도를 알 수 없자 티베리는 그의 눈을 똑바로 바라보았다.

"전쟁만큼 확실한 투자는 없죠."

"뭐라고?"

티베리가 되물었다. 그러나 루카스는 막힘없이 무표정한 얼굴로 말을 이어 갔다.

"근래에 산업화의 바람이 불어 자고 일어나면 세상이 바뀌죠. 그러다 보니 예전과는 달리 돈 굴리는 것이 도박처럼 변했습니다. 크게 배팅하면 크게 벌거나 크게 망하죠. 적은 금액으로 안전하게 자금을 굴리기보다 한탕으로 크게 벌고자 하는 사람이 넘쳐 난단 말입니다."

루카스는 차갑게 눈빛을 반짝였다.

"그란첼 백작은 페로하트가 패배하는 쪽으로 크게 돈을 걸었습니다. 안 그렇습니까?"

"그게 무슨 말입니까? 제가 알아들을 수 있는 쪽으로 설명해 주셨으면 좋겠습니다만."

티베리의 말에 루카스는 설명을 이어 갔다.

"근래에 출처 모를 큰돈들이 플란네르로 흘러들었습니다. 플란네르는 한창 개혁을 하느라 치른 비용이 막대합니다. 그런데 풍족한 비용으로 훌륭히 완수했습니다. 동맹을 버려 가면서까지 단순하게 요새를 차지한 게 아니지 않습니까? 뭡니까? 오르젠 평원에 매장된 그 천혜의 자원이란."

루카스의 말에 티베리의 눈빛이 잠시 미묘하게 흔들렸다. 벨라는 그 찰나의 순간을 놓치지 않고 읽어 냈다.

술집 손님들의 개판 오 분 전의 변덕을 간파하던 그 예리한 눈썰미를 티베리에게 써먹고 있었다.

티베리에게서 대답이 없자 루카스는 마저 말을 이어 갔다.

“그건 이전에는 쓸모없었지만, 신기술로는 뽑아 쓸 수 있는 잠재력을 지닌 것일 테죠. 그 이득은 페로하트가 전쟁에서 패배해야만 거둘 수 있으니 이런 물밑 작업을 할 테고 말입니다.”

루카스의 말에 티베리는 크게 웃었다.

“전쟁으로 큰돈을 번다……. 거참. 뚜껑을 열어 보기 전까지는 그 누구도 알 수 없는 것인 줄 알았는데 승패를 미리 아는 사람도 있습니까? 신기하군요.”

“불가능한 일은 아닙니다. 벨라 아가씨께선 오르티우스 요새가 플란네르 측에 넘어가기 전 이미 알고 계셨으니까요.”

“벨라?”

티베리는 흥미롭다는 듯 턱을 쓰다듬었다.

“나에게 이름이 몰리라고 할 때는 언제고 벨라?”

티베리가 눈썹을 추어올리며 말하자 루카스는 대신 대답했다.

“그 점은 양해해 주십시오. 언제나 암살 위협 속에 살아오신 분이십니다.”

벨라가 그 틈에 끼어들었다.

“모든 위험을 무릅쓰고 당신과 만나러 왔다고요!”

티베리는 벨라의 말에 희미하게 웃었다.

속마음을 들키기 직전의 연막작전 같은 미소였다.

“제가 더 위험한 자이면 어쩌시려고요. 혹시 압니까? 꽤

마지막은 다정하게
II

돈 많은 집안 같은데 제가 당신을 이대로 억류하고 몸값을 요구한다면 말입니다. 저로서는 그편이 더 안전하고 돈 편히 버는 방법일 것 같은데."

티베리는 느끼하게 웃었다.

'어후 제발 웃지만 말아라…….'

벨라는 속으로 한숨을 쉬며 입을 열었다.

"황금 알을 낳는 거위를 잡아서 뭐 하시게요? 하루 튀겨 먹는 거로 끝내실 건가요?"

벨라의 말에 티베리는 크게 웃었다.

"뭐? 황금 알을 낳는 거위? 지금 자신이 그런 존재란 말입니까, 레이디?"

"당연하죠. 그럼 저를 달리 뭐라 표현합니까? 마이너스의 손?"

"미다스의 손입니다."

옆에서 루카스가 질색하며 대꾸했다.

"알아욧! 안다고요!"

벨라는 머쓱함을 감추며 힘주어 말했다.

"뭐, 내가 어떤 사람인지도 조사하면 다 나올걸요? 가진 게 돈뿐이 아니라 이 머리! 머리도 얼마나 좋다고요!"

어쩐지 티베리의 웃는 표정이 비웃는 것 같다는 생각도 조금 들었다. 하지만 질 수는 없었다.

'지금 사자의 아가리에 머리를 집어넣고 있는 것이 아닌가?'

후회가 살며시 밀려왔지만 이미 시작된 거짓말, 무를 수도 없었다.

“당신은 권력을 거머쥐기 위해서는 수단과 방법을 가리지 않을 사람이란 거 잘 알아요. 하지만, 명분은 때론 일을 더 쉽게 만들기도 합니다. 저는 당신에게 명분을 주겠어요.”

티베리가 피식 웃었다. 그 웃음이 더 기분 나빴다. 벨라는 미간을 팍 찡그리며 말했다.

“칼리아스 황태자를 직접 만나게 해 드리면 되죠? 저와 여기서 이러쿵저러쿵 밀약을 하는 것보다, 그와 확실하게 손잡으면 되는 거잖아요?”

벨라의 호언장담에 루카스와 티베리 둘 다 눈을 크게 떴다.

“어쩌자고 그런 호언장담을 하십니까!”

밀실에서 빠져나온 후 루카스가 불같이 화를 내었다.

그렇게 진심으로 화난 표정은 벨라가 멍청하게도 위임장에 서명해서 벤자민에게 전 재산을 홀라당 넘긴 이후로 현재의 삶에서는 처음 보는 것이었다.

“황태자 전하를 여기로 오게 하면 되잖아요. 보니까 사안도 보통 사안이 아닌데. 그란첼 백작이 정말 플란네르가 승리하는 쪽에 투자한 것이 맞아요?”

벨라의 천연덕스러운 대답에 루카스는 할 말을 잃었는지 한숨만 크게 쉬고는 창가를 서성였다. 그가 이렇게 당황스러워하는 모습을 직접 보기는 처음이었다.

“아가씨, 황태자 전하께서 이리 오라 하면 오고 저리 가라 하면 가실 분입니까?”

“나랑 계약 연애를 하기로 했는데 그 정도도 못해 줄까?”

"여기는 플란네르입니다! 곧 전쟁이 벌어질 적국입니다만!"
"그런데? 뭐?"
벨라의 천연덕스러운 대답에 루카스는 할 말조차 잃고 말았다.
그는 입에서 불이라도 뿜을 듯 눈썹을 찡그리다가 간신히 속으로 그 불덩이를 삼키듯 한숨을 쉬었다.
"후우……."
심호흡을 마친 그는 마른세수하듯 얼굴을 몇 번 쓸어내리고는 침착을 되찾았다.
"아가씨, 사고를 치시려거든 최소한 제게 말씀은 해 주시고 치십시오. 지금 엄청난 실수를 하신 건 아십니까? 뒷감당을 무슨 수로 하실 겁니까?"
벨라는 천진난만한 표정으로 웃으며 말했다.
"루카스가 있잖아요."
"아가씨! 지금 이게 장난입니까?"
다시 입으로 거대 화염이라도 발사할 것 같은 루카스에게 벨라는 눈을 새초롬하게 내리깔며 말했다.
"루카스. 질문은 내가 먼저 했어요. 그란첼 백작이 플란네르가 승리하는 쪽에 투자한 것이 맞느냐고요."
루카스가 잔소리를 퍼부어 대기 전에 벨라는 선수를 쳤다.
"전 대충 거짓말하고 상황을 모면하려고 했는데 루카가 판을 크게 깔아 줬잖아요. 그란첼 백작이 플란네르가 승리하는 쪽에 투자했다고. 제 거짓말에 장단 맞추는 거라 하기엔 루카스도 꽤나 심각한 발언을 했는데, 그 근거가 무엇이죠?"

루카스는 또다시 하려던 잔소리를 간신히 어금니로 씹어 삼키며 눈을 감았다.

"아가씨, 자플란 남작이 아니라 그란첼 백작이 돈줄을 쥐고 있다고 미리 말씀하셨어야죠. 덕분에 저도 무리수를 두어야 했습니다. 게다가 카이런 황자께서 알리사 영애와 혼인할 거라는 것도 제게 미리 알려 주셨어야 할 내용입니다. 대체 그런 중요한 이야기들을 왜 제게 먼저 알려 주지 않으셨습니까?"

벨라는 눈을 동그랗게 떴다.

"응? 전에 말했잖아요. 칼리아스 황태자가 전사한 후로 카이런 황자가 뒤를 이어서 황태자가 되고 곧 황제가 될 거라고."

"그 혼인 상대가 알리사 영애라는 말씀은 없었습니다!"

"응? 그랬어요?"

진심 참고 또 참아도 도저히 억누를 수가 없는지 루카의 이마에 힘줄이 꿈틀했다. 그의 뚜껑이 휙 열릴 듯 말 듯 뜨거운 주전자처럼 이성의 끈이 왔다 갔다 하고 있었다.

하지만 벨라는 마치 예상하였다는 듯 눈빛을 반짝이며 자신을 흥미롭게 쳐다보고 있었다.

'저 표정, 뭔가 불안한데?'

루카스는 엄습해 오는 불길함을 억누르며 화를 내는 것이 벨라가 바라는 바 같아서 심호흡만 연거푸 해 댔다.

간신히 마인드 컨트롤을 한 후 헛기침을 몇 번 했다.

"아가씨께서 제게 말씀하지 않으신 것들을 지금 모두 알려 주십시오. 그래야 제가 이 상황을 어찌 대처할지 판단할 수 있습니다."

벨라는 그제야 리체에게 들었던 내용을 털어놓았다. 티베리가 어떤 인물인지, 그에 대해 어떻게 알게 되었는지, 그의 권력욕과 정권을 잡는 과정 등등.

"자, 이제 내가 아는 건 숨김없이 모두 루카한테 털어놓았어요. 더 이상 숨긴 건 없어요."

팔짱을 끼고 듣고 있던 루카스는 차갑게 대꾸했다.

"아가씨, 나중을 위해 도주로 같은 것을 숨기신 것 아닙니까? 정말 한 점 숨김없이 모두 털어놓으신 것 맞습니까?"

벨라는 억울하다는 듯한 표정으로 말했다.

"루카, 난 모든 것을 털어놓았어요. 그간 숨긴 건 리체에게 전해 들은 이야기라 내가 직접 확인해 본 것이 아니어서 스스로 검증해 볼 기회가 필요했을 뿐. 정말이에요! 숨긴 것 없어요!"

여전히 루카스는 팔짱을 낀 채 벨라를 뚫어져라 쳐다보고 있었다.

"믿는다며! 내가 하는 말 모두 다 믿는다면서요!"

벨라의 하소연에 루카스는 시큰둥한 눈빛으로 조용히 대꾸했다.

"믿게 좀 해 주십시오. 제가 어찌 행동할지 뻔히 알면서 계산에 넣고 일부터 저지르지 마십시오."

"그러니까 대답해 줘. 그란첼 백작이 플란네르에 승부수를 건 것을 짐작한 이유를!"

후…….

루카스는 숨을 길게 내쉰 후 천천히 입을 열었다.

"아가씨, 제가 아르티드가의 재산을 운용하는 방식에 대해 들으셨을 겁니다."

루카스는 신중히 말을 이어 갔다.

"투자할 만한 대상의 시세와 자금 흐름을 주기적으로 들여다봅니다. 한 가지를 투자한다고 해서 그 항목만 봐서는 전체 흐름을 못 읽습니다. 오랫동안 빠짐없이 시장 상황을 분석하다 보니 투기 자금의 흐름도 대강 파악하고 있습니다."

루카스의 눈빛이 빛났다.

"그런데 그중에서는 미리 그 사건이 일어날 줄 알고 있었던 것처럼 딱 맞아떨어지는 투자가 존재합니다. 그 흐름의 중점에는 반드시 자플란 남작이 있더군요."

벨라는 눈을 크게 떴다.

"정말?"

금시초문이라는 듯한 벨라의 표정에 루카스는 다시 한숨을 쉬었다.

"물론 물증은 없습니다. 정황상 심증뿐이죠. 당사자가 되어 그 사건을 들여다본 것은 아니니 말입니다."

물증이 없다는 말에 실망스러워하는 벨라의 표정을 보고 루카스가 말을 이어 갔다.

"그중 가장 극적인 케이스는 전쟁 관련된 물품에 대한 선투자입니다. 우연이라 하기엔 잘 맞아서 미리 알고 있었나 싶을 정도였죠."

루카스는 낮고 힘 있는 목소리로 말했다.

"아가씨께서 말씀하신 페로하트의 미래, 전쟁에서 지고 제국이 쇠퇴하는 과정에서 승승장구하는 그란첼 백작가에 대한 이야기를 듣고 의아하던 참입니다."

루카스는 벨라의 눈빛을 살폈다. 정말로 맹하니 아무것도 몰랐던 듯한 표정이었다.

"카이런 황자께서 황위를 계승하시는데 그 배우자가 알리사 영애이고, 자플란 남작의 자금이 그란첼 백작가의 것이라면 퍼즐처럼 전후 상황이 맞춰집니다."

루카스의 말에 벨라는 심장이 쿵쾅거렸다.

"즉 전쟁을 두고 모종의 거래가 있지 않고서야 그 투자에서 손해 보지 않을 리가 없다는 겁니다."

쿵.

심장이 곤두박질치는 기분이었다.

"전쟁이 투자 기회라고?"

어쩐지 끔찍한 예감이 들었다. 전쟁은 수많은 것을 페로하트로부터 앗아 갔다. 날이 갈수록 침체해 가던 페로하트의 뒷골목 풍경이 벨라의 눈앞을 주마등처럼 스쳐 지나갔다.

'불경기인데도 잘사는 사람들은 호화롭게 잘도 살아갔지…….'

부와 빈의 극과 극이 누군가는 투자를 잘해서, 돈을 잘 벌어서, 누군가는 투자를 잘못해서, 돈을 잘 못 벌어서 일어난 일이라 생각했었다.

'그런데 처음부터 돈 벌릴 판이 짜여 있었고 그 판을 미리 알았던 사람들만 돈을 벌 수 있는 상태였다면?'

문득 벨라는 소름이 오스스 돋아 왔다.

"아가씨, 아가씨께서 마지막으로 보신 신문 기사는 전 세계가 참전하게 될 거대 전쟁에 대한 내용이라 하셨지 않습니까?"

루카스가 냉랭한 목소리로 말했다.

루카스의 유언장을 손에 구겨 쥐고 화이트포럼 다리에서 강물 아래를 바라보던 그때, 휴지 조각처럼 바닥을 뒹굴고 있던 신문지 나부랭이가 떠올랐다.

[일촉즉발의 상황, 세계 각국에 당겨진 전쟁의 운명에서 페로하트는 어디로 가는가?]

태풍의 눈 속 고요함처럼 세계가 편을 갈라 거대한 전쟁의 소용돌이에 들어서기 전 찰나의 침묵 속에서 벨라는 다리 위에서 몸을 던졌다.

저도 모르게 벨라의 어깨가 바르르 떨려 오고 있었다.

'이런 거였나?'

심하게 심장이 두근거리고 입술이 바짝바짝 타들어 갔다. 전율이란 것이 벨라를 압도했다.

"혹시, 그 전쟁도 누군가에겐 돈벌이가 되었을까요?"

벨라는 혼잣말처럼 중얼거렸다.

"전쟁이란 것이 그렇게 간단한 문제는 아닙니다. 단순히 돈벌이만으로 전 세계가 전쟁에 말려들 정도로 사람들의 생각이 그렇게 짧지는 않습니다. 전쟁이란 보통 복합적인 이유로 일어납니다."

루카스의 말에도 불구하고 벨라의 떨림은 가라앉지 않았다.

"누군가의 분쟁을 또 다른 이가 돈벌이의 시점에서 바라본다면?"

떨고 있는 벨라를 보며 루카스는 냉정하게 잘라 말했다.
"확대 해석은 금물입니다. 아무리 돈이 중요하다지만 인간이 그렇게 인성을 바닥으로 내던지면서까지 돈을 탐하겠습니까?"
벨라는 고개를 흔들었다.
"아냐. 그런 사람도 있을 수 있어요."
벨라의 머릿속엔 벤자민이 선명하게 떠올랐다.
미래에 대해 알게 된 지식을 고스란히 자기 돈벌이에 쓰는 탐욕스러운 벤자민의 현재 모습이, 벨라의 마음을 이용해 재산을 먹어치우려고 가면을 뒤집어쓰던 음흉한 벤자민의 과거 모습이…….
"충분히 가능해요."
"아가씨, 정신 차리십시오. 그런 생각은 그저 가정입니다. 아가씨께서 미래의 일을 잘 안다고 하시지만, 지금은 그 미래도 수없이 바뀌었고 바꾸어 가고 있지 않습니까?"
벨라는 자신이 술집들을 거쳐 가며 바라본 인간 군상들의 모습을 떠올렸다.
점점 쇠퇴해 가는 경제, 줄어드는 일자리, 헤어 나올 수 없는 가난과 좌절. 희망에 대한 포기…….
그러나 그마저도 누군가에게는 돈을 긁어모을 기회였다는 생각이 벨라의 머릿속을 스쳤다.
"모두 다 망한 것은 아니었어요."
벨라는 계속해 넋 나간 사람처럼 중얼거렸다.
"끝까지 그란첼 백작가는 잘 먹고 잘살았어. 심지어 황제

보다도 더…….”

“아가씨, 정신 차리십시오. 우리는 팩트만 체크해야 합니다. 섣부른 억측도, 근거 없는 의심도 경계해야 합니다. 아가씨의 논리대로라면 부자는 모두 죄인입니까?”

보다 못한 루카스가 벨라에게 차갑게 잘라 말했다.

벨라는 여전히 멍하니 과거의 기억을 더듬고 있었다.

“뭔가, 논리적으로 설명할 수는 없지만, 이상해. 벤자민의 꿈도 그렇고, 나의 회귀도 그렇고…….”

“잘살았다는 것이 범죄는 아닙니다. 설령 그란첼 백작가가 아가씨가 보고 오신 마지막 날까지도 승승장구하였다 해도 그들이 가진 부가 어둠의 경로로부터 얻은 것이라고 속단하는 것은 논리적으로도 맞지 않습니다.”

벨라는 루카스의 말에도 고개를 계속해 흔들었다.

“아냐. 뭔가 이상해요.”

벨라는 떨리는 입술로 더듬더듬 말을 이어 나갔다.

“단순히…… 나의 회귀는 우리 그리젤리 사람들을 행복하게 해 주기 위해서 다시 얻은 기회라고 생각했어요. 당신들이 나로 인해 불행해진 과거를 되돌려서 바르게…….”

벨라의 표정이 혼란스러워졌다.

“그런데 단순히 내가 똑바르게 살아가는 것만으로는 그리젤리 사람들을 구해 줄 수가 없어요. 시대의 흐름을 잘못 타고난 팔자 탓이라고 원망해도 변하는 게 없어요.”

벨라는 입술을 살짝 깨물었다.

“이대로 가면 라울린과 이안을 살릴 수 없는 건 둘째치고,

침체되고 불황을 겪을 페로하트 사람들의 운명도 바뀌지 않아요. 전 세계가 말려들 전쟁이 기다리고 있어요."

벨라의 안색이 핼쑥해졌다.

"미처 생각하지 못하고 있었나 봐. 그 상황이 다시 돌아오지 않을 줄 알았나 봐. 당장 디노르센 전투 하나 막는다고 될 일이 아니야."

벨라는 눈빛을 반짝이더니 루카스를 뚫어지게 바라보았다.

"황태자 전하를 도와야 해요. 그것이 내 회귀의 이유였나 봐요."

무언가 그제야 깨달은 사람처럼 벨라는 주먹을 꼭 쥐었다.

"세상을 바꾸는 건 황태자 전하일 거야."

"아가씨!"

마치 환영이라도 보듯 혼자 중얼거리는 벨라를 보다 못해 루카스가 나섰다.

그러나 벨라는 루카스에게 움직이지 말라는 듯 손바닥을 내보이고는 다시 혼자 중얼거렸다.

"단순히 그분을 디노르센에서 전사하지 않게 하는 것으로 끝이 아니었어요. 누군가의 불행을 이용해서 다른 사람이 투자하고 돈을 벌지 않게 해야 해요. 그 점을 황태자 전하께 일깨워 드려야 해요. 보다 적극적으로 그분을 도와야 하는 거였어요."

루카스는 그런 벨라를 빤히 쳐다볼 수밖에 없었다.

벨라는 스스로에게 다짐하듯 말했다.

"그분을 적극적으로 보좌하겠어요. 그분이 바로 서야 해요. 나는 그분의 보좌관이 될래요.”

한참 말없이 벨라를 바라보던 루카스는 긴 한숨을 내쉬었다.

“아가씨, 무슨 결심을 하시든 간에 지금 이 상황을 어떻게 해결하실 생각입니까? 철저히 조사해서 얻은 결과가 아니라 아가씨의 허세와 허풍 덕에 거짓말하다 얻어걸린 진실을 어찌하실 것인지 계획이 있습니까?”

제정신으로 돌아온 벨라는 루카스를 쳐다보다가 환한 미소를 머금으며 말했다.

“그건 루카스가 알아서 대응 전략을 짜 줘야지. 안 그래요? 내가 무슨 능력이 있겠어요? 루카스만 믿을게요. 이 상황을 수습해 줘요.”

뜬금없이 눈을 찡긋하며 새끼 고양이 흉내를 내는 벨라를 보고 루카스는 할 말을 잊었다.

“하아…….”

“이 모든 이익을 굳이 나에게?”

샬리드는 의아하다는 듯 물었다. 벤자민은 교만한 표정으로 샬리드를 바라보다가 천천히 입을 열었다.

“저는 당신의 친구가 되기를 원합니다.”

샬리드는 그런 벤자민을 날카롭게 노려보았다.

"당신이 정말 미래를 내다볼 수 있는 거라면, 티베리 저놈에게 붙을 것이지 굳이 내가 저놈 손에 죽게 될 거라는 것을 알려 주는 이유가 뭡니까?"

그의 말에 벤자민은 싱긋 웃었다.

"적의 적은 친구라고 하지 않던가요? 저는 저 여자에게 언젠가 죽을 미래를 가지고 있고, 당신은 이복동생에게 언젠가 죽을 미래를 가지고 있으니 우리 둘 다 저 둘을 공통의 적으로 여길 이유는 충분합니다."

샬리드는 미심쩍은 얼굴로 잠자코 있다가 입을 열었다.

"미래라는 것은 입 밖으로 내뱉었을 때 이미 미래가 아닐 텐데, 당신들이 제 아버지나 아크란이 아닌 저를 로비 대상으로 삼은 이유가 찜찜하군요."

"역시 신중한 성격답습니다."

벤자민은 씨익 웃으며 말했다.

"다시 말씀드릴까요? 티베리가 혈족의 피도 망설임 없이 뿌려 가며 정권을 잡은 후에 플란네르가 강성합니다. 페로하트는 플란네르에게 매번 두들겨 맞고 뭔가를 떼 줘 가며 더 공격하지 말아 달라 애원할 정도로 무너지죠. 저는 페로하트가 곤란한 정도만 원하지 기존 질서를 재배치해 가면서까지 페로하트를 무너지게 하고 싶지 않습니다. 투자 면에서 페로하트가 무너지는 것은 제게도 손해거든요."

벤자민의 눈빛이 위험하게 반짝거렸다.

"티베리보다는, 온건한 당신이 더 투자 가치가 있단 말입니다."

아직도 망설이는 샬리드에게 벤자민이 뱀처럼 속삭였다.
"본래 예정되어 있던 미래에서는 당신이 이 제안을 한마디로 거절하고 난 빈 테이블에 티베리가 앉는단 말이죠. 티베리는 그 거래를 받아들이고 적당히 우리의 뒤를 봐주는 척하다가 우리의 뒤통수마저 딱 때리고 투자금을 혼자 먹어치워 버립니다. 그리고 그 투자금으로 비밀리에 자신의 군대를 기르죠. 바로 당신과 당신 아버지의 목을 딸 그 군대 말입니다."
샬리드의 눈빛이 불안하게 흔들렸다. 그 모습에 벤자민은 훗 하고 웃었다.
"자플란 남작은 예정된 미래대로 여기 왔습니다. 그리고 그에게 티베리와 손잡으면 안 된다고 제가 슬쩍 조언해 준 탓에 그도 당신을 반드시 설득해야 한다는 쪽으로 마음을 굳혔습니다."
벤자민의 빈 와인 잔에 와인이 쪼르륵 채워졌다. 벤자민은 와인으로 목을 축인 후 이야기를 이어 갔다.
"어차피 떼일 돈이라면, 자플란 남작은 윗분에게 상황이 좋지 못해 손해를 봤다 둘러대고 그 돈을 조금이라도 자기가 먹는 편이 낫겠죠. 전쟁만큼 남는 장사도 없다지만, 어차피 전쟁도 도박. 이쪽이 이길 줄 알고 돈을 걸었다가 손해 보면 어쩔 수 없이 체념할 수밖에 없는 돈 아닙니까? 게다가 그 돈을 당신이 먹는다면 티베리가 비밀리에 군대를 양성할 돈줄도 차단하는 셈이 되고요."
벤자민의 눈빛이 음침하게 반짝거렸다.

샬리드는 마지못해 고개를 끄덕였다.

"죽기 싫으면 당신과 손을 잡아라?"

벤자민은 대답 대신 뜻 모를 미소만 지었다.

샬리드는 부아가 치민다는 듯 주먹을 꾹 눌러 쥐었다.

"티베리 이놈, 여자나 밝히고 권력에 별 관심 없는 척하더니, 가장 위험한 놈을 곁에 두고 있었어. 제길."

그러더니 샬리드는 벤자민을 똑바로 바라보며 말했다.

"페로하트 측에서 우리 군대가 후장식 소총을 개량해 비밀리에 일전을 벌일 준비를 한다는 사실을 알고 있으면서도 손 놓고 있다니 놀랍군요! 미친 거 아닙니까?"

벤자민은 킥킥 웃으며 대꾸했다.

"바뀌는 미래가 있는가 하면, 시대의 큰 흐름은 바뀌지 않더군요. 페로하트가 쇠퇴하는 것은 정해진 시대의 흐름이 아닌가 싶습니다. 페로하트는 평화가 너무 길었습니다. 긴 평화는 강철도 녹으로 바꾸죠. 페로하트는 침몰해 가는 배입니다."

샬리드는 경계의 눈빛으로 벤자민을 바라보았다.

"망하게 하지만 결정타는 먹이지 말고 이익만 챙긴다? 페로하트에서 이 일을 알면 반역죄 정도에서 그칠 것 같지 않군요. 당신 목숨은 아홉 개입니까? 자플란 남작의 하수인인가 했는데 동업하는 척 딴 주머니를 차고. 당신이 제 뒤통수를 치지 않으리란 보장도 없는데 굳이 이 위험한 일에 저를 끌어들이는 꿍꿍이가 뭡니까?"

벤자민은 묘한 표정을 지으면서 대꾸했다.

"모든 것을 알고 있는 자의 여유라고 해 둡시다. 세상이

제 예상을 벗어나지 못해 식상하다 할지. 이미 평탄하고 지루한 길을 어찌 걷는지 겪어 봤으니 이번엔 스릴 넘치는 길을 택해 보고 싶달까요?"

칼리아스는 공식 석상에 참석하는 것은 모두 뒤로 미루고 외출이라곤 모나스 판테온 대학에 출석하는 것밖에 허용되지 않았다.

그것도 일주일에 한 번. 나머지는 지도 교수를 황궁으로 초빙하여 개인 강습을 받았다.

모나스 판테온의 교칙에 아무리 황족이라도 일주일에 한 번 이상은 직접 교정을 밟아야 한다는 조항이 있었기 때문이었다.

황제의 분노는 생각보다 뒤끝이 길었다.

"감히 짐의 허락 없이 연애질이라니! 제국을 물려받을 황태자 네가 지금 그럴 여유가 있더냐?"

황제의 꾸지람에 칼리아스는 울컥 화가 치밀었다.

'그러는 아바마마도 연애의 결과로 카이런과 클라라를 얻지 않으셨습니까?'라고 따지고 싶었지만 그래 봐야 잔소리만 더 할 것이 뻔해서 꾹 눌러 참았다.

"그 눈빛 건방지다. 어느 안전이라고 그리 불순하게 치뜨는가!"

황제의 호통에 칼리아스는 눈을 내리깔았다.

"당장이라도 황위를 물려주랴? 네가 황위에 오르면 짐보다 더 나을 성싶으냐? 오냐, 지금이라도 물려주마. 어디 이 제국을 잘도 말아먹어 보아라. 신의 은총을 타고났다 하여 이 아비가 우스워 보이는 모양인데 그래. 네가 보위를 잇고 얼마나 제국이 잘 굴러가는지 두고 보자."

벌써 몇 번째 반복해 듣는 말인지 모르겠다. 황제는 칼리아스의 연애 스캔들이 불쾌했는지 번번이 들먹이며 불편한 심경을 감추지 않았다.

"황제 폐하, 양위만은 철회해 주소서!"

"안 됩니다! 제국의 태양이신 폐하께서 스스로 권좌에서 물러나신다니요! 하늘의 해가 검게 가려지고 바다가 붉게 물드는 것과 같습니다. 제국의 신민들을 버리지 마소서!"

주변에 있던 대신들이 머리를 조아리고 황제에게 통사정했다.

칼리아스는 어금니에서 으득 소리가 나도록 악물며 황제 앞에 무릎을 꿇었다.

"폐하, 부디 양위만은 물러 주소서. 아직 식견이 짧고 어리석어 그 큰 짐을 짊어질 능력이 제겐 없습니다. 권좌에 올라 계속하여 선정을 베풀어 주십시오."

속마음은 몇 번이고 '그래, 까짓거 황위를 내팽개치고 싶으면 내팽개치란 말이야. 자꾸 엎드려 당신을 붙잡게 하지 말고!'라고 고함이라도 지르고 싶었지만 애써 그 말을 목구멍으로 삼켰다.

황위를 물려받겠다고 되레 고개를 치켜들면 네놈의 역심을 이미 알고 있었다고 길길이 뛸 게 뻔했기 때문이었다.

그가 원하는 것은 단 하나.

제국의 국민들이 신의 은총을 타고난 칼리아스가 황제의 발아래 엎드려 아직 자신은 황제의 현명함에 이르지 못한다며 엎드려 빌고 그를 붙잡아 다시 권좌에 앉게 하는 것이었다.

그렇게 함으로써 신께 권능을 인정받지 못한 황제가 신하들의 애원으로 마지못해 권좌에 다시 앉는다는 연극을 이끌어 내 본인의 위엄을 내세웠다.

이 반복되는 레퍼토리가 지긋지긋했다. 하지만 어쩌랴. 이 모든 것도 정치라면 정치인 것을.

진을 뺄 대로 빼고 나서 간신히 황태자의 궁으로 돌아가는 것을 허락받았다. 오랫동안 꿇어앉아 있느라 다리가 저릴 지경이었다.

짜증 나서 오만상을 찌푸린 채 걸어가는 칼리아스에게 시종장이 달려와 신문을 건넸다.

"나중에 읽겠다."

거절하려는 칼리아스에게 한사코 시종장은 그 신문을 쥐여 주었다.

"꼭 읽어 보셔야 합니다. 또 불똥이 튀게 생겼습니다."

눈살을 찡그리고 그 신문을 펼친 칼리아스의 눈이 일시에 커졌다.

"뭐야! 이 여자는!"

신문에 대문짝만하게 박힌 얼굴은 벨라였다. 그것도 웬

남정네의 손을 잡고 다정하게 바라보는……!

[본지 독점, 황태자의 연인, 플란네르의 난봉꾼에게 홀리다. 사랑의 노선 변경, 황태자비가 될 수 없다면 재상의 며느리라도?]

바라라락 소리를 내며 신문 종이가 흔들렸다. 칼리아스의 눈에서 강렬한 빔이 쏟아져 나와 종이를 활활 불사르는 듯했다.

시종장은 제가 신문을 건네줘 놓고도 머쓱한 표정을 지으며 식은땀을 흘렸다.

이전에 스캔들 기사가 떴을 때도 칼리아스에게 달달 볶여 죽는 줄 알았는데 이번엔 기필코 튀겨 죽일지도 모른다는 생각에 칼리아스와 시선이 마주치자 억지로 미소 짓던 입가가 떨렸다.

"에헤헤……."

시종장은 칼리아스의 부담스러운 눈빛을 애써 피했다. 그의 금안은 특히나 화가 나면 금속성 광택이 심하게 났다. 오늘은 정말로 괴기 소설의 주인공처럼 눈빛이 번쩍거렸다.

"후후후……."

칼리아스가 음산하게 웃었다. 그가 웃을 타이밍이 아닌데 웃자 시종장은 화들짝 놀라 칼리아스의 기색을 살폈다.

칼리아스의 한쪽 입꼬리만 비죽 올라가서 입가를 실룩이고 있었다.

"후…… 아하하핫!"

칼리아스는 한 손으로 신문지를 바짝 구겨 쥐고 한 손으로는 흘러내리는 푸른 머리카락을 쓸어 올리며 고개를 치켜들었다.

"카아아악!"

웃는 것인지 괴성인지 알 수 없는 탄성을 버럭 내지른 칼리아스는 신문지를 광속으로 마구 쥐어뜯어 던지고는 뛰다시피 걸어 황태자궁으로 급히 돌아갔다.

"보자 보자 하니까 이 여자가! 내 친필 편지까지 받았으면 감사히 여기고 조용히 무기 개량에나 힘쓸 것이지 플란네르 재상의 아들? 어디서 사고를 쳐도 이런 대형 사고를 치고 돌아다녀! 나랑 계약했으면 다른 남자와 염문도 뿌리지 말고 닥치고 얌전히 지내야 할 거 아냐! 내 체면이 뭐가 돼! 악! 악!"

황태자궁의 시종들이 깜짝 놀라 갈팡질팡했다. 그렇게 광분한 칼리아스의 모습은 처음 보았다.

"엔리케! 오늘 자 제국 신문 연예부 기사 쓴 기자 놈 잡아와! 당장! 그리고 오늘 자 신문이나 황색 잡지 모조리 다 긁어 와! 꾸물거리지 말고!"

칼리아스가 버럭버럭거렸다.

"빨리빨리이!"

황태자궁이 폭발할 지경이었다.

칼리아스는 책상에 앉아 한쪽 다리를 꼬고 불쾌한 자세로 앉아 깊은 생각에 잠겼다. 그의 주변으로는 쓰다 내던진 편지지가 산처럼 쌓여 있었다.

황태자의 보좌관 에클레르는 그의 심기를 거스를까 봐 안절부절못하고 있었다. 이미 시종장이 한차례 깨지고 나간 후여서 더욱더 좌불안석이었다.

"황태자 전하, 외람된 말씀이오나 어차피 계약 연애 아니셨습니까? 연락을 긴밀히 취해도 의심을 받지 않으려고 일부러 연애하는 것처럼 계약한 것이라고요."

"그렇지."

칼리아스는 건성으로 대답을 하면서 내내 벽을 쏘아보고 있었다.

"그럼 그 아가씨가 다른 스캔들에 휘말렸다 하여도 전하께는 그다지 상관이 없지 않습니까? 그런 헤픈 여성인 줄 몰랐다 하고 연락을 끊으셔도 이상할 것 없는 것 같은데요? 굳이 해명을 요구할 필요까지야……."

"그건 그렇지."

칼리아스는 그렇게 대답하면서도 손에 쥔 빈 편지지를 와그작 움켜쥐었다. 생각할수록 분한 표정이었다.

"그저 계약 연애인데……."

보좌관 에클레르는 말을 이어 가려다가 헙 하고 입을 다물었다. 칼리아스가 자신을 째려보는 눈빛이 심상찮았기 때문이었다.

"애초에 나를 살리겠다면서 접근한 여자였어."

마치 바람피운 마누라를 잡으러 가는 듯한 분위기라고 말하고 싶었지만 할 말을 꿀꺽 삼킨 에클레르는 칼리아스의 눈치만 보았다.

"에클레르."

오늘따라 칼리아스가 음산한 목소리로 그를 불렀다.

"네…… 네엣?"

긴장한 에클레르는 대답마저 더듬었다.

“벨라는 내가 두 달 후에 죽을 운명인데 그 운명을 바꿔 주겠다고 약속했어. 그래서 계약 연애하는 척해 가며 연락을 주고받으려 했어. 그런데 날 죽일 적국으로 간 것도 모자라 상대는 플란네르 제4 보병 연대 지휘관이자 재상 마르쿠스의 아들. 그놈이 날 쏘게 될 놈일지 모르는데 그런 놈과 스캔들이나 내며 노닥거릴 때야 지금?”

다시 칼리아스의 눈에서는 빔이 뿜어져 나오는 듯했다.

“날 반드시 살려 내겠다며! 내가 살아야 페로하트의 운명도 함께 영원할 거라고 했잖아! 그런데 감히!”

칼리아스는 화를 참다못해 부들부들 떨었다.

“미래를 알고 있으면 뭐 해! 내가 죽을 운명을 피할 수 없다면 미래를 아는 게 무슨 소용이야! 날 구해 주겠다고 해 놓고 연애 행각이나 벌이고 있으면 내가 뭐가 돼!”

칼리아스는 벌떡 일어나 두 주먹으로 책상을 쾅 내리쳤다.

책상 위에 그의 주먹 자국이 빠각 하고 남겨졌다.

단단하기로 소문난 마호가니 목재를 사용한 책상을 살그머니 손으로 더듬어 본 에클레르는 다음에 이어지는 황태자의 말에 더 놀라고 말았다.

“이딴 황태자 자리 따위, 안 해! 카이런 자식이나 가지라고 해!”

9. 사냥꾼의 덫

9. 사냥꾼의 덫

"과이야는 왜 돌아오지 않는 거지? 군수품 창고를 관리하는 친구에게 가 보겠다고 했잖아?"

벨라가 식사를 마치고 입을 손수건으로 닦으며 말했다.

"그러게. 벌써 일주일째인데."

리체의 대꾸에 잠자코 접시를 치우던 루카스가 입을 열었다.

"위조 신분증이며 관련 서류도 모두 두고 갔습니다. 도주한 것으로 봐도 좋을 것 같습니다……."

"헙!"

벨라는 설마 했던 예감이 현실로 다가옴을 깨달았다.

벨라가 티베리와 친분을 쌓고 모종의 계약을 하는 동안 과이야는 돌아오지 않았다. 칼리아스가 내건 포상의 규모가 작지 않았음에도 불구하고 그는 안전한 길을 택한 모양이었다. 어쩐지 저자는 믿을 바가 못 된다고 호언장담하던 라울린이 생각났다.

"그저 사기꾼이었을까?"

벨라의 말에 리체는 눈치를 보다가 조심스레 입을 열었다.

"벨라, 일이 너무 커진다고 생각하지 않아? 꼭 티베리 그자와 손을 잡았어야 했을까? 난 왠지 두려워."

"그자도 부모, 형제를 죽이고 권력을 얻는 것보다는 적장자로 인정받아서 권좌에 오르고 싶어 해. 이해관계가 맞아 들어 가는 한 한배를 탄 셈이지."

벨라는 조용히 손수건을 탁자에 내려놓았다.

"처음엔 라울린과 이안을 살리려 했던 것뿐이었어. 그러나 막상 직접 와서 보니 단순히 그들이 살고 죽고의 문제가 아니야."

벨라의 눈빛이 어두워졌다.

"뭔가 세상의 흐름이 잘못 흘러가고 있어. 이곳에 벤자민이 와 있다는 것부터가 문제야."

리체에게는 벨라 역시 꿈에서 미래를 약간 볼 수 있는 능력이 있다고 둘러댄 채 자세한 설명을 하지 않았기 때문에 이제라도 사실대로 말할까 하는 생각이 들었다.

하지만, 리체의 눈빛을 보니 그녀가 과거의 삶에서 겪은 일을 말해 주고 싶지 않았다.

그녀에게 작은 상처도 주고 싶지 않은 마음은 여전해서, 벨라는 다시금 하고픈 말을 삼켰다.

"꿈으로 미래를 보는 그는 너무 많은 것을 알고 있고, 자기 유리한 대로 세상을 마구 바꿀 거야."

리체에게는 행복한 삶만 주고 싶었다. 벨라는 리체의 밝은 초록색 눈동자를 바라보며 말했다.

"그를 막을 수 있는 사람이 달리 없으니 나라도 막아야 하지 않겠어? 내게도 미래를 알 기회가 주어진 건 그 때문이 아닐까?"

이야기하는 벨라에게 루카스가 후식으로 차 한 잔을 내밀며 말했다.

"밖에 티베리 님이 와 계십니다."

길고 검은 머리를 늘어뜨리고 꽤 그럴싸한 정복으로 차려입은 그의 허우대는 꽤 근사해 보였다. 눈가 가득한 눈웃음은 빼고. 벨라는 저런 눈웃음이 싫었다. 속이 시꺼먼 사람들이나 짓는 가식적인 미소였다.

"보고 싶었습니다. 아르티드 영애. 아침이 밝기까지 기다리느라 인내심이 바닥난 것 보이십니까?"

그가 벨라의 손을 끌어당겨 손등에 입술을 맞췄다.

"으에……."

칠색 팔색하고 싶었으나 연인인 척하느라 차마 그에게 붙들린 손을 빼낼 수는 없었다.

남녀가 사사로이 만날 수 있는 사적인 핑계가 연애질뿐인 것이 짜증스러웠다.

"대체 뭐 하러 왔어요? 기자들이 취재하고 갔으니 당분간 연애 행각을 벌이고 다닐 필요 없다고 해 놓고!"

벨라가 간신히 그에게 붙들린 손을 빼내어 박박 문지르며 말했다.

"레이디도 나를 그리워했던 것은 아닙니까? 이런. 섭한데요. 바르지 않습니다. 이런 외사랑은……."

여전히 그는 장난으로 사랑을 속삭이며 느물느물한 표정을 지었다. 벨라는 그런 티베리에게 눈을 흘겼다.

"본론만 간단히! 관객이 있어야 사랑놀이도 하지, 보는 이도 없는 데서까지 연인인 척할 필요는 없잖아요!"

티베리는 가슴을 움켜쥐고 총이라도 맞은 시늉을 했다.

"으윽. 잔인한 레이디."

벨라가 영 재미없다는 듯한 표정으로 쳐다보자 그가 머쓱한 웃음을 지으며 입을 열었다.

"우리 저택으로 레이디를 찾아온 손님이 있었습니다. 제 아버지 마르쿠스의 생신에 쓰일 선물이라며 불꽃놀이용 축포를 페로하트로부터 가져오라 하셨다던데, 맞습니까?"

벨라는 이상한 생각이 들었다.

'혹시 포르위네에서 보낸 자객인가?'

"제가 보낸 사람이면 이 호텔로 가져오지 굳이 마르쿠스 님의 저택으로 직접 보내지는 않았을 텐데요. 수상하네요."

티베리는 하하 웃으며 대답했다.

"그렇군요. 저도 이상하다고는 생각했습니다만, 아르티드 영애의 애완견이라면서 웬 바보 개를 하나 데려왔기에 진짜인가 싶었습니다만."

벨라는 바보 개라는 말에 눈이 번쩍 뜨였다.

"뭐라고요? 바보 개?"

티베리는 그 개의 모습에 대해 말했다.

"노랗고 덩치 큰 개입니다. 흰 양말을 신은 듯 네 발이 하얗습니다. 아는 개입니까?"

순간적으로 푸딩인가 싶은 생각이 들었다. 푸딩을 데려왔다면 그리젤리에서 온 사람임이 분명할 터였다.

"그 개를 데려온 사람의 인적 사항은 어떻게 되나요?"

"데비 포시라고 자신을 소개하더군요. 아르티드 영애의 전속 하녀였다던데."

벨라는 서둘러 마르쿠스의 저택으로 갔다. 벌써 입구에서 개 짖는 소리가 우렁차게 났다.

벨라는 그 소리만으로도 반가움에 가슴이 벅찼다. 그리고 자신의 품에 뛰어드는 노란 털 뭉치를 온몸으로 끌어안았다. 그 큰 덩치가 좋다고 펄쩍거리니 벨라는 넘어지지 않기 위해 안간힘을 써야 했다. 언제 어디서든 녀석의 환영식은 거창하고도 요란했다.

뭐가 그리도 좋은지 벨라 하나만을 열렬히 바라보며 꼬리가 보이지 않도록 흔들어 대며 반갑다 뛰는 녀석을 보며 벨라는 활짝 웃었다.

"아가씨, 무사하셨군요."

조용하고 수줍은 듯한 목소리가 들려왔다. 길고 검은 머리를 포니테일로 묶어 올린 데비 포시가 웃으며 벨라의 곁으로 다가왔다.

"어머! 정말로 데비였네! 데비!"

벨라는 반가움에 데비를 와락 끌어안았다.

"여긴 어쩐 일이야?"

벨라의 말에 데비는 조용히 고개를 저으며 말했다.

"아가씨께서 불꽃놀이용 폭죽을 구해다 달라고 하셨잖아요. 인부들을 동원해서 싣고 오느라고 조금 시간이 걸렸답니다."

"내가 시켰다고?"

"아가씨도 참…… 기억 안 나세요? 브렌다 님이 제게 이번 일을 총괄해서 플란네르로 가라고 보내셨어요."

어쩐지 데비의 눈빛이 할 말이 더 남아 있는 듯했다. 벨라는 눈치를 보고는 어색하게 웃었다.

"아…… 그랬던가? 내가 요즘 부탁한 게 여럿이라 헷갈렸나 봐. 폭죽은 어디에 두었는데?"

"아직 통관되지 않아서요. 티베리 님의 허가장을 받아 오면 통관시켜 준다고 플란네르의 출입국 심사장 관료가 말하더군요. 불꽃놀이용이지만 화약은 화약이니 높은 분의 허락이 필요해요."

데비는 조용한 목소리로 차근히 말했다.

"거기에 우리 인부들도 대기 중인데 신원 확인이 되지 않아 저만 먼저 왔어요. 티베리 님께 말씀드려 주셔서 신원 보증을 해 주셨으면 하고요."

벨라는 티베리 일행의 도움을 받아 출입국 심사장 쪽으로 직접 가 보았다.

"인부들이 저기서 신원이 확인되길 기다리고 있어요. 저는 고향이 플란네르라 쉽게 통과할 수 있었답니다."

"개도 통과되는데 사람이 통과가 안 된다고?"

벨라는 아무리 생각해도 의아했다.

"하필이면 화약인 데다 마르쿠스 님 댁으로 최종 목적지가 설정되어 있어서 그냥은 내보내 주지 않더라고요. 어쩌겠어요."

데비가 안내하는 곳으로 가니 폭죽을 싣는 인부라고 온 자들은 그리젤리 인근의 주민들이었다.

'다들 신분이 확실한데 왜 신원 확인이 안 된다는 말이지?'

이해가 되지 않아 갸웃하던 차에 그중 두세 명은 낯설면서도 낯이 익었다.

'대체 언제 보았지?' 하고 고개를 돌리는데 한 청년이 눈에 띄었다.

번쩍.

모자를 눌러써서 눈에 띄지 않으려고 애쓰고 있었으나 그는 아무리 보아도 칼리아스였다.

헉!

벨라는 주변을 둘러보았다. 그러고 보니 생각이 났다. 이 자들은 칼리아스의 호위병들이었다.

칼리아스가 벨라를 쳐다보았다.

뭔가 할 말 가득한 표정으로 씹어먹기라도 할 듯 벨라를 째려보고 있는데 벨라는 행여라도 그의 금안이 눈에 띌까 봐 저도 모르게 그의 등짝을 퍽 하고 내리쳤다.

"케이! 그새 몰라보게 컸구나! 폭풍 성장해서 네가 아닌 줄 알았어!"

벨라는 그의 등을 정신없이 난타하며 그의 귀에 얼른 속삭였다.

"눈 깔아요! 들키겠어요! 웬 인부 행세를 하고 여기까지 왔어요? 미쳤어요?"

칼리아스는 뭐라고 대답하고 싶었다.

퍽!

그런데 눈에 불꽃이 번쩍 튀게 손이 매웠다. 한 대 맞으니 억 소리가 절로 나왔다. 그런데 연타로 마구 때린다. 태어나서 누군가에게 맞아 본 적이 처음이라 그는 공황 상태에 빠졌다.

'감히 이 몸을 때……?'

퍽!

칼리아스가 대꾸하려 하자 벨라는 더욱더 세게 그의 등을 퍽퍽퍽 때렸다. 눈에 보이는 것 같은 가녀리고 작은 손이 아니었다. 주먹에 돌이라도 쥐고 때리나 착각이 들 정도였다.

"잠자코 절 따라와요. 저희 집안 하인 아닌 거 들통나면 여기서 분쟁 일어날 수도 있는 거 알죠?"

'무엄하다!'라고 소리를 지르려 하는 순간 벨라가 그의 발을 지그시 밟았다.

"여긴 페로하트가 아닙니다."

출입국 심사를 하는 관료가 와서 티베리를 발견하고는 놀라서 경례했다. 벨라는 보란 듯 티베리에게 다가가 다정한 척하며 말했다.

"티베리, 우리 집안의 메이드장인 브렌다가 감각 있게 보내 준 불꽃놀이 폭죽인데 가져가세요. 마르쿠스 님의 생신 때 요긴하게 쓰였으면 좋겠어요."

"호오. 레이디. 이 모두가 다 불꽃놀이 폭죽이라는 겁니까? 우리의 사랑이 뜨겁게 불타오를 밤을 장식할 아름다운 물건이로군요."

티베리는 그리 말하며 한쪽 팔로 벨라의 허리를 휘감았다. 벨라는 손가락으로 그의 팔뚝을 지그시 꼬집었다.

"시도 때도 없이 스킨십 시도하지 않기로 했잖아요? 아하하…… 하여튼, 우리 인부들 신원 보증 좀 해 줘요. 당신에게 요긴하게 쓰일 사람들이니."

"정말로 당신의 집안 가신들이 맞습니까, 레이디?"

티베리는 느물거리며 속삭였다. 벨라는 어색하게 웃으며 대꾸했다.

"맞다니까요. 데려온 개 보면 딱 티 나잖아요."

티베리는 눈을 갸름하게 뜨며 인부들을 쓰윽 훑어보더니 싱긋 웃었다.

"그러도록 하죠. 이봐. 이들 신원 보증 하려면 뭘 해야 하는데? 알아서 처리하면 안 되나? 사랑을 속삭이기에도 부족한 시간인데."

티베리의 저택에 불꽃놀이용 폭죽을 모두 실어다 준 후에 벨라가 묵고 있던 호텔로 모두 돌아올 수 있었다. 루카스가 아예 층 전체를 빌려 안전이 확보된 후에야 벨라는 안도의 한숨을 내쉬었다.

"칼리아스 전하! 대체 이게 어찌 된 일인가요!"

벨라의 물음에 칼리아스는 눌러썼던 찐빵 모자를 벗어 바닥에 던졌다.

"지금 그걸 말이라고 하는가!"

지금까지 꾹꾹 눌러 참아 왔던 그의 이성이 폭발했다.

"모두 다 너 때문이다! 아르티드 영애! 네가 자초한 일이란 말이다!"

칼리아스는 흑염룡의 불꽃이라도 화르륵 입에서 토해 낼 듯 길길이 뛰었다. 그런데 벨라는 눈만 크게 뜰 뿐 대체 칼리아스가 왜 저러고 있나 구경하는 듯한 표정이었다.

"그 표정이 무엇이냐! 심히 불쾌하다!"

칼리아스가 소리치자 벨라는 영문을 모르겠다는 듯 눈만 두어 번 깜빡이더니 말했다.

"먼저 저를 따라 하십시오. 숨을 크게. 자. 어서요."

칼리아스는 버럭 소리를 지르려다 얼결에 벨라의 권유대로 숨을 크게 들이쉬었다.

"이제는 숨을 깊게 내쉬세요. 빨리요. 들이켜기만 하고 숨 넘어갈 거예요?"

벨라가 시키는 대로 칼리아스는 숨을 최후의 한 가닥까지 길게 내쉬었다.

"자. 이제 하나부터 열까지 세어 보세요."

"이게 뭐 하자는 짓이냐!"

벌컥 하는 칼리아스를 벨라는 옆에 있는 의자에 그를 눌러 앉혔다.

"흥분했을 때 진정되는 가장 좋은 방법이에요. 보세요. 하나, 둘, 셋, 넷……."

시킨다고 순순히 따라 하는 자신이 어쩐지 웃긴다는 것을 알면서도 벨라의 표정이 어찌나 진지한지. 칼리아스는 저도 모르게 벨라가 시키는 대로 숫자를 세며 숨을 고르기 시작했다.

"이제 차근차근히 자초지종을 말씀해 주세요. 어쩌자고 목숨 걸고 플란네르까지 오신 거예요? 궁에서 근신 중 아니었나요?"

벨라의 말에 칼리아스는 다시 울컥 화가 치솟으려는 것을 간신히 참고 천천히 말하려고 애썼다.

"신문 기사를 보고 가만있을 수가 있어야 말이지. 아르티드 영애는 나를 살릴 방법을 알아보겠다고 하지 않았는가?"

생각할수록 분통이 터지는 일이었다.

"그래 놓고 사사로이 연애질이나 하고 있으니 내 어찌 분노하지 않을 수 있겠나?"

여전히 벨라는 아무것도 모르겠다는 표정이었다.

"그대가 호언장담했던, 내가 플란네르의 총알에 죽게 되는 그 날이 불과 두 달도 남지 않았다."

칼리아스는 화르륵 불타올랐다.

"나더러 지금 가만 앉아서 죽을 날을 기다리라는 것이냐? 어찌 네가 나를 두고 이럴 수가 있느냔 말이다!"

"……이러다니요? 뭘요?"

벨라는 눈만 동그랗게 뜨고 칼리아스를 빤히 쳐다보았다.

벨라의 질문에 칼리아스는 할 말이 막혔다. 그 와중에도 동그랗게 뜬 벨라의 눈이 버베나 꽃처럼 아름답다고 생각했다. 매일 분노에 가득 차 곱씹고 되새겨 보던 그녀의 얼굴이었는데 지금 이 순간 눈앞에 그녀의 얼굴이 보이자 심장이 격하게 고동쳤다.

"전하, 어서 말씀하십시오. 무슨 뜻인지 제가 이해하기 쉽게 풀어 주세요."

벨라의 목소리에 칼리아스는 제정신을 차렸다.

"그…… 그러니까!"

칼리아스는 짜증이 확 났다. 참 이상한 여자였다.

'바라보고 있으면 왜 이렇게 가슴이 두근거리다가 짜증도 확 일었다가, 아련했다가…….'

상반된 감정이 마구 뒤섞여 뭐라 표현할 수 없는 복잡한 기분이 드는지 알 수 없었다. 그저 이 상황 자체가 혼란스러워서 질색이었다.

"그래, 나와 계약 연애를 하기로 해 놓고 다른 남자와 사랑에 빠지다니! 계약해 놓고 어찌 이럴 수가 있는가!"

칼리아스는 눈에서 불똥이라도 튀길 듯 벨라를 노려보았다.

"어휴, 전하, 그렇게 화나시면 눈동자 색이 더 눈에 띕니다. 그것도 변장이라고 하고 어찌 플란네르에 오셨는지 신통할 지경입니다."

벨라의 말에 머쓱해진 칼리아스는 말꼬리를 흐렸다.

"그게, 그게, 황태자궁엔 호신용으로 마법 스크롤이 몇 개 남아 있다."

"마법 스크롤?"

벨라가 전혀 모른다는 눈치를 보이자 칼리아스는 설명을 덧붙였다.

"외모를 살짝 바꿔 준다거나, 목소리를 살짝 바꿔 주는 정도의 마법 스크롤밖에는 남아 있지 않지만."

괜스레 머쓱해진 칼리아스는 헛기침을 했다.

"고대의 마법사가 제작한 것 중 일부 남은 것이 제법 있어서 그걸 썼는데 그게 아르티드 영애가 오기 바로 직전에 효과가 떨어졌다."

벨라는 걱정스러운 얼굴로 물었다.

"황제 폐하께 허락받고 오신 겁니까?"

칼리아스는 입맛만 쩝 하고 다시더니 침묵에 빠졌다.

"혹시 무단가출 하셨습니까?"

설마 하는 표정으로 벨라가 물어보자 칼리아스는 대답을 못 하고 있다가 뺄쭘한 표정으로 고개만 두어 번 끄덕였다.

"허억! 황태자 전하! 대체 뒷감당을 어찌하시려고 무단가출을 감행하셨습니까?"

벨라가 그 말을 하자 뒤에서 묵묵히 찻잔에 차를 따르던 루카스가 벨라를 빤히 쳐다보았다.

"……."

그 시선이 부담스러워 벨라는 식은땀을 흘리며 칼리아스에게 말했다.

"지금쯤 황궁이 발칵 뒤집혔을 텐데 어떻게 합니까? 당장 국가의 부름으로 징집된 자들이 합동 군사 훈련을 받고 있을 텐데 이 사실이 알려지면……."

칼리아스는 눈빛을 날카롭게 반짝이더니 말했다.

"이 모든 것이 그대 탓이란 말이다. 내게 죽을 날짜나 정해 주지 말든가. 그대가 한가로이 이곳에서 사랑놀이하고 있을 때 정작 후장식 소총 개발 소식은 들려오지 않고 하루하루 시간만 헛되이 보내는 나의 심정을 그대가 아느냔 말이다."

어쩐지 말하다 보니 감정이 북받쳤다. 울컥 무언가가 다시금 치솟았다.

"지금 나더러 죽으라는 것이냐? 그 자리에 계속 있으면 어차피 짐이 죽게 될 거고 시간의 수레바퀴는 정해진 궤도로 갈 것이다."

원망도 아닌, 질책도 아닌, 북받치는 감정에 칼리아스는 말하면서도 스스로 이상한 느낌이 들었으나 애써 무시했다.

"카이런이 나의 죽음 이후에 황태자 자리를 물려받아 이 나라를 짊어지게 된다면 황태자 따위 애초에 카이런이 가져야 하는 것 아닌가? 그래서 나는 지금 그대에게 따지러 온 것이야."

울컥.

참아 온 울화가 치밀어 올랐다.

"그래, 짐을 놔두고 플란네르 재상의 아들과 놀아나니 그렇게 좋던가? 감히 제국의 태양인 나를 두고 어찌 그럴 수가 있단 말인가?"

칼리아스는 당장에라도 벨라를 벨 듯 서슬 퍼렇게 소리쳤다.

그런데 벨라는 눈 하나 깜짝도 하지 않는다?

그 모습에 칼리아스는 더욱더 짜증이 치솟았다.

"그대의 죄를 이실직고하고 용서를 구해도 살려 줄까 말까인데, 무언가? 그 태도는!"

벨라는 어처구니없다는 듯한 표정으로 뚱하니 칼리아스를 바라보다가 천천히 입을 열었다.

"전하와 계약을 맺은 것처럼, 티베리와도 그저 계약을 맺은 것뿐입니다. 연락을 유지할 핑곗거리로 그게 가장 효과적이라고 말씀하셨잖아요?"

벨라는 도리어 칼리아스에게 따졌다.

"그 계약도 황태자 전하를 살리기 위해서 이자와 한 거고, 그 대가로 황태자 전하를 살리는 것 외에 제게 딱히 이로울 것이 없는데 잘했다 하지는 못할망정 화를 내시면 안 되죠. 그럼요."

기가 막혀 하는 벨라의 표정을 보자 칼리아스는 가슴 밑으로부터 뜨거운 무언가가 욱하고 치솟는 기분이었다.

"날 위해 그놈과 계약 연애를 한다라? 그걸 지금 나더러 믿으란 것이냐?"

칼리아스의 분노가 폭발할 지경인데 벨라는 태연자약한 표정으로 고개를 끄덕였다.

"저도 이렇게 손해 보는 짓을 굳이 해야 할까 싶지마는, 전하를 도와드리기로 맹세했으니 그 약속을 지키기 위해 그와 손잡았습니다만?"

"허!"

칼리아스는 실소가 터져 나왔다.

"나를 위해서다?"

시비조로 말하는 그를 보며 벨라는 미간을 찡그렸다.

"전하를 도와드려서 제가 돈이 생깁니까, 먹을 게 생깁니까? 황태자와 추문이 있었던 사이라고 더 이상한 소문이나 나지 않으면 감사할 판인데. 전하께서야말로 제게 백번 고맙다고 하셔야 하는 것 아닌가요?"

"하핫!"

기가 차서 칼리아스는 코웃음을 쳤다.

"아르티드 영애, 그대는 분명 내게 말했었다. 매복한 플란네르의 후장식 소총 부대에 의해 페로하트군이 궤멸하면서 나 또한 전사할 것이라고."

칼리아스는 미간을 찡그렸다.

"그런데 왜 하필이면 플란네르의 재상 아들인가? 듣자 하니 보병 연대 지휘관이라고? 하필이면 군인이더군. 꼭 그자와 계약해야 했는가? 이중으로 나와 그자 사이에서 계약한 것이 도리에 어긋났다고는 생각하지 않는가?"

벨라는 눈을 몇 번 느리게 끔뻑거리더니 대체 무슨 소리를 하는지 모르겠다는 듯한 표정으로 말했다.

"왜요? 어차피 계약상 손잡은 건데 뭐가 문제예요?"

"문제잖아!"

"그러니까 뭐가 문제냐고요."

"내가 문제라면 문제라고!"

"그러니까 설명 좀……."

"됐다! 차라리 벽하고 이야기하고 말지!"

버럭거리는 칼리아스를 보며 벨라는 고개를 갸웃하고는 말했다.

"전하, 출입국 심사하는 곳을 보셨으니 피부로 느끼셨겠어요. 이미 플란네르의 군대는 개혁을 거쳐 현장에서 후장식 소총을 사용한 지 꽤 되었더군요. 단지 페로하트에서 그 위험성을 자각하지 못하고 있을 뿐입니다."

"그렇긴 하더군."

칼리아스는 마지못해 대꾸했다.

"후장식 소총의 금속 탄피를 하나 얻고자 하였으나 플란네르의 병사들은 반드시 총을 쏜 후에 금속 탄피를 회수하더군요."

벨라는 진지한 표정으로 말했다.

"듣자 하니 정해진 개수의 탄피를 보급하고 그 탄피를 잃어버린 자는 엄하게 벌한다고 합니다. 그래서 눈에 불을 켜고 다시 회수한다더군요. 그래서 금속 탄피를 손에 넣지 못했습니다."

벨라의 말에 칼리아스의 미간이 찡그려졌다. 벨라는 그의 눈치를 힐끔 살피고는 다시 말을 이어 갔다.

"그런데 우연히도 티베리란 자를 알게 되었고, 차라리 군에 밀접한 관련이 있는 자의 주변에는 금속 탄피가 있을 거란 생각이 들더라고요. 그의 곁에 남아 기회를 엿보던 중, 뜻밖의 첩보를 듣고 대비하기 위해 플란네르에 남아 있습니다."

벨라는 씁쓸한 입맛을 다시며 말을 이어 갔다.

"말하자면 길지만, 금속 탄피 하나 구해서 역사의 흐름이 바뀔 일은 아니었어요."

하지만 벨라는 결연한 목소리로 다시 말했다.

"그래서 그에게는 제가 알고 있는 앞으로 그에게 일어날 일들을 조언해 주고 그는 페로하트와 플란네르 사이의 전쟁이 무산되도록 입김을 불어 넣는 것으로 협력하는 방향으로 손잡았습니다."

벨라는 칼리아스를 흘겨보았다.

"이래도 제가 한가하게 노닥거리러 플란네르에 온 것으로 보이십니까? 참고 기다리시지 왜 이런 무책임한 일을 벌이셨나요?"

벨라가 목청을 높이자 루카스가 무표정한 얼굴로 벨라를 또다시 빤히 쳐다보고 있었다.

헛기침을 몇 번 한 후에 벨라는 말을 이어 갔다.

"큰일이네요. 곧 전쟁이 벌어질 상황인데 황태자 전하께서 여기 계신 사실이 알려지면 인질로 붙들릴지 몰라요. 여기는 어떻게 찾아오신 건가요. 황실에서는 플란네르행을 허락하지 않으셨을 텐데?"

칼리아스는 팔짱을 끼고 벨라를 노려보며 대답했다.

"두 달 후에 죽으나 지금 죽으나. 어차피 내 수명이 두 달밖에 남지 않은 거라면 황태자 자리쯤이야 무슨 소용이겠나?"

칼리아스는 미간을 찡그렸다.

"그래서 그리젤리 저택에 찾아갔네. 시골구석에 있더군. 거기 있던 안경 쓴 단발머리 여자가 도와주어 밀항이 가능했지."

아마도 단발머리 여자란 브렌다를 가리키는 말인 듯싶었다.

벨라는 고개를 갸웃했다.

다른 사람도 아니고, 브렌다가 황태자의 밀항을 돕다니 이해가 되지 않았다. 여자 루카스라 불릴 만큼 신중한 사람이 아니던가.

그런데 철없는 가출을 말리지는 못할망정 부추겼다!

"그간 순종하고 살아온 삶이 억울해서 미칠 지경이다. 황태자라는 지위 때문에 나는 모든 것을 참고 인내하며 살아야 했다. 그런데 나를 살리겠노라 맹세하였던 그대는 여기서 노닥거리고 있으니 벌이라도 해야 할 것 아닌가?"

칼리아스는 으르렁거리듯 말했다. 하지만 벨라는 브렌다의 의도가 무엇인지 온갖 경우를 상상하느라 귀담아듣지 않았다.

"어차피 내가 죽고 없는 세상, 어찌 되든 무슨 상관이며, 카이런 자식이 황위를 잇든 말든, 나야 상관없지. 하지만,

나를 기만하는 꼴은 결코 두고 보지 못하겠다."

칼리아스는 자신을 앞에 두고 딴생각을 하는 듯한 벨라가 괘씸해서 목소리를 높였다.

"아르티드 영애, 나를 살려 내겠다고 자신만만하게 말했으니 날 어떻게 살릴지 내 눈앞에서 증명해 보여라. 내가 여기서 신분이 발각되어 죽어도 그대 탓이요, 내가 두 달 후에 전쟁터에서 전사해도 그대 탓이다."

"그러니까, 왜 무단가출을 하셨느냐고요. 결론만 말씀해 주세요."

벨라는 답답해하며 칼리아스에게 다시 물었다.

"굳이 여기 오셔야 할 이유가 없잖아요. 아무리 브렌다가 밀항을 도왔기로서니 거절하면 그만 아니었나요?"

그러자 칼리아스가 더욱더 벌컥 화를 내며 말했다.

"지금까지 설명하니까 무슨 헛소리냐! 나를 기만하기에 어떻게 하는지 직접 보려고 왔단 말이다!"

"차라리 페로하트 산골 오지에 숨어 계시지 굳이 플란네르까지 오신 이유가 무엇인지 알려 달라는 겁니다."

벨라는 딴소리만 하는 칼리아스를 보며 고구마를 백만 개 먹은 듯 가슴을 움켜쥐었다.

칼리아스는 그보다 더 붉을 수는 없을 지경으로 얼굴이 새빨개진 채 흥분해서 다시 화를 냈다.

"여태 설명했지 않으냐!"

둘의 동문서답식 대화를 지켜보던 루카스가 숨을 깊게 들이쉰 후 둘 사이에 끼어들었다.

"황태자 전하, 월머 엘 자플란 남작을 아십니까?"
칼리아스는 감히 끼어든 루카스에게 짜증을 버럭 내었다.
"돈놀이하는 천박한 자를 내가 알게 뭔가! 나는 그자에게 돈을 빌려야 할 정도로 미천하지 않네."
"전하께서도 익히 아시듯 그자는 뒷골목의 검은 손이란 별명을 가지고 있는 사채업자입니다."
루카스의 차분한 목소리에 칼리아스는 서서히 흥분을 가라앉혔다.
"그런데, 그 이야기를 왜 내게 하는 건가?"
루카스는 정중히 고개를 숙이고 말을 이어 갔다.
"본디 아가씨께서 대책 없이 플란네르에 오신 것은 사실입니다."
루카스는 벨라를 살짝 째려보았다.
"티베리란 자의 저택에 가면 금속 탄피를 구할 수 있을지도 모른다며 마르쿠스의 연회에 참석할 때까지는 모두 우연이었습니다."
루카스는 칼리아스 쪽으로 고개를 돌렸다.
"하지만 거기서 자플란 남작이 벤자민 엘 프로스트 영식을 대동해 마르쿠스의 차남과 모종의 거래를 하는 정황을 지켜보았습니다. 지나칠 수 없는 일이었기에 아가씨께서는 미래에 대한 이야기를 조금씩 하면서 티베리의 환심을 샀습니다."
칼리아스는 팔짱을 끼고 날카로운 눈빛으로 그의 말을 들었다.

"그로부터 자플란 남작이 전쟁이 일어날 징후를 미리 알고 돈을 투자하러 왔다는 사실을 알았습니다."

"뭐?"

칼리아스의 한쪽 눈썹이 치켜 올라갔다.

"전쟁이 일어날 징후를 미리 알고 돈을 투자하러 와?"

"벤자민 엘 프로스트 영식은 미래에 대해 꿈에서 계시를 받기로 페로하트에서 유명세를 떨쳤죠. 그자까지 함께 대동했다는 것은 미래를 읽고 무언가를 선점하려 한다는 방증이기도 합니다."

"그게 뭐지?"

칼리아스의 미간에 주름이 팍 잡혔다.

"그것이 무엇인지 지금으로선 저희도 잘 모릅니다. 하지만 티베리에게서 그간 마르쿠스와 자플란 사이에 모종의 거래가 있었음을 전해 듣게 되었습니다. 그래서 아가씨께서는 이곳에서 벌어지는 일의 추이를 지켜보기로 하신 겁니다."

칼리아스는 도대체 무슨 말을 하는 건지 종잡을 수가 없어 루카스를 빤히 바라보았다.

루카스는 칼리아스에게 나직하게 말했다.

"이 전쟁이 누군가의 투자 각본인 것 같다는 말입니다."

"하! 말도 안 돼!"

칼리아스는 코웃음을 쳤다.

"전쟁의 승패는 당장 뚜껑을 열어 보기 전까지는 아무도 모른다. 현재도 모두 페로하트군의 우세를 점칠 뿐, 플란네르가 비밀리에 군제 개혁을 마치고 힘을 길러 왔다는 사실은 모르지 않는가?"

칼리아스는 어처구니가 없어서 웃음밖에 나오지 않았다.

"어떻게 당사자도 모르는 일을 누군가가 투자 각본으로 삼는단 말인가?"

"그래서 지켜볼 예정입니다. 과연 자플란 남작의 투자가 어떤 결과를 가져올지."

"좋을 대로."

"그럼 황태자 전하께서는 앞으로의 계획이라도……?"

루카스의 말에 황태자는 떨떠름한 표정을 지었다.

"설마 전하 역시 무대책으로 이곳에 오신 것은 아닙니까?"

루카스의 질문에 황태자는 할 말이 궁색한 듯 주변을 두리번거리다가 느릿하니 입을 열었다.

"나는…… 나는……."

이성이 슬슬 돌아오기 시작한 황태자에게 깊은 후회가 밀려오기 시작했다.

"으으음……."

갑자기 황태자의 귓불이 화끈화끈하니 달아올랐다.

'황태자 자리, 미련 없이 포기하겠습니다.'라고 패기 넘치게 적고 나온 가출 선언문이 부끄러워지기 시작했다.

가볍게, 죽을 자리를 피하고자 감행한 일이 더욱더 위험한 곳에 발 디딘 셈이었다.

그런데 정말 아무 대책이 없다!

항상 아버지 황제 폐하의 명에서 한 치도 어긋남 없는 삶을 살아왔었다.

그것이 당연한 줄로만 알고 살아왔다.

욱해서 황태자 안 한다고 나오긴 했는데, 황태자가 아닌 삶을 꿈꾸어 본 적이 한 번도 없었다.

칼리아스는 뒤늦게서야 진정한 공황 상태에 빠져들고 말았다.

뭐라 형용할 수 없는 묘한 감정에 휩싸였다.

막상 자신이 미처 몰랐던 복잡한 상황 속에 뛰어들었다 생각하니 맨몸으로 나온 것이 후회되었다.

황태자를 그만둔 후의 삶이란 상상해 보지 못했다는 것을 깨달았다. 그저 이제 곧 죽을 운명이라면 될 대로 되어라 라는 심정에 지나지 않았다. 그간 열심히 살아온 것이 허무할 뿐이었다.

'죽음을 앞뒀으니 극단적인 행동 그 무엇도 상관없었던 걸까.'

그냥 벨라를 찾아와 당장 따져 묻고 싶었다. 그 생각에 여기까지 달려오고 나서 생각해 보니 감당해야 할 뒷일이 가슴을 벌렁벌렁하게 하기 시작했다.

게다가 곧 죽을 몸, 재산이 무슨 필요랴 싶어 돈이나 귀중품도 별로 많이 들고 나오지도 않았다!

칼리아스가 고개를 들자 곧바로 루카스의 파랗고 갈색인 두 눈과 마주치고는 흠칫 놀랐다. 마치 그의 생각을 읽기라도 한 듯 그가 말했다.

"급히 오시느라 거처와 금전 문제를 해결하지 못하셨을 텐데 한 가지 제안할까 합니다."

칼리아스는 마른침을 꿀꺽 삼켰다.

"첫째. 전하께서는 현재 플란네르에서 존재가 알려져서는 안 됩니다. 외람된 말씀이오나 머리는 염색하시고 공공장소에서는 렌즈를 사용하여 안광을 감추심이 좋겠습니다."

"레…… 렌즈? 렌즈가 무엇이냐."

칼리아스의 질문에 루카스는 작은 상자를 하나 내밀었다.

"최근에 발명된 물품인데 안경이 불편한 사람들을 위해 만든 눈 안에 넣는 안경알입니다."

고개를 갸웃거리는 칼리아스에게 루카스는 그 상자를 열어 보였다.

"이것이 렌즈입니다."

칼리아스는 그것을 받아 든 순간 놀라움을 감추지 못했다.

"렌즈……."

"신기한 발명품이어서 마침 하나 사 두었습니다."

렌즈라는 얇고 동그란 반원형 유리 돔을 이리저리 살펴보며 칼리아스는 루카스의 말을 들었다.

"플란네르에 와서 느낀 점이 최근 몇 년 사이에 급속도로 발전했다는 것입니다. 여러 가지 개혁 정책이 성공했고, 우리가 알던 이전의 모습과는 사뭇 다른 점이 많아서 주목할 필요가 있어 보입니다."

루카스의 말에 여전히 렌즈를 바라보며 칼리아스는 고개를 끄덕였다.

"그런 것 같더군. 나도 상당히 놀랐지."

루카스의 말은 계속 이어졌다.

"의복도 간소화하여 활동하기 편리하게 개혁하였고, 군대와 교육 부분도 크게 바뀌었습니다."

"그러잖아도 이곳에 오는 도중에 자동차를 보고 놀라던 참이었다. 페로하트에서는 격이 떨어진다며 마다하던 물건을 이곳 사람들은 잘도 쓰더군. 심지어 귀족이란 자들도 손수 운전하는 모습이 인상 깊었네."

칼리아스는 루카스를 향해 시선을 옮겼다.

"벨라 아가씨께서 보고 오셨다는 미래의 풍경이란 것이 이런 것들이 아니었나 생각합니다. 그러므로 두 번째 제안하겠습니다. 호위 기사들과 함께 아르티드가의 고용인으로 위장하십시오."

루카스의 말에 칼리아스는 반발했다.

"감히 내가 누군 줄 알고 하인으로 위장하라 하나?"

그러나 루카스는 눈썹 하나 까딱하지 않고 침착하게 대답했다.

"그래야 저희가 보호해 드릴 수 있습니다."

"내 몸은 내가 지킬 수 있다. 그쪽이 걱정할 필요는 없어."

칼리아스는 반발했지만 이어지는 말에 수긍할 수밖에 없었다.

"아시다시피 페로하트와 플란네르 간의 관계가 불안정한 상황이라 황태자 전하께서 이곳에 계신 것 자체가 복잡한 문제를 일으킵니다. 이 자체로 다른 전쟁이 벌어질 수도 있고 전하께서 인질로 잡힐 수도 있습니다."

"가출한 이상 나는 더 이상 황태자 신분이 아니다."

칼리아스는 단호하게 말했다.

"하지만 더욱 중요한 것은 전하께서 벨라 아가씨께서 가시는 곳 어디나 곁에서 함께 이동할 명분이 생깁니다."

루카스의 말에 그 순간 칼리아스의 얼굴이 새빨갛게 달아올랐다.

"전하를 불편하게 만드는 제안이었다면 죄송합니다."

루카스는 자신의 말에 칼리아스가 불쾌해서 얼굴색이 변한 줄 알고 정중히 사과드렸다. 그러나 칼리아스는 헛기침하며 손을 저었다.

"아니, 아니다. 그런 게 아니다."

대체 어느 타이밍이 부끄러운지 모르겠지만, 벨라가 어디를 가든 함께 다닌다는 말을 듣자마자 그의 뺨이 달아오르고 가슴이 쿵쿵거리며 뛰었다.

그간 수많은 연회장에 불려 다녔고, 황제나 황후의 부탁에 데뷔탕트 하는 숙녀를 에스코트해 보기도 했지만 얼굴을 붉혀 본 적은 단 한 번도 없었다. 그런데 이게 뭐라고 이렇게 화끈하게 느껴지는지 알 수가 없었다.

'뭐지?'

칼리아스는 난생처음 느껴 보는 혼란스러움에 얼굴이 더더욱 발갛게 달아올랐다.

손잡는 것도 아니고 왈츠를 함께 추는 것도 아니고 함께 산책하는 것도 아닌데…….

"곤란하시다면 다른 제안 하도록 하겠습니다."

루카스의 말에 칼리아스는 정신을 차렸다.

"아니다. 경의 제안이 합리적이니 그리 따르도록 하겠다. 내가 죽기로 한 날이 오기 전에 최선을 다해 저들의 후장식 소총의 비법을 알아내는 데 힘쓰라."

칼리아스는 더운 콧김을 훅하고 뿜었다.

심장이 마구 뛴다. 대체 왜? 무슨 좋은 말을 들었다고 이렇게 설레는가?

내가 살아날 길을 곧 발견해 낼 거라는 예감에 이렇게 흥분되는 것인가?

그 누구도 대답해 줄 수 없는 질문에 칼리아스는 그저 가슴이 벅찰 뿐이었다.

"전하는 이제부터 집사 교육생인 케이 군입니다."

칼리아스는 루카스가 자신의 위조 신분증에 적힌 이름을 교묘하게 '케이 버틀러'로 바꾼 것을 보고 저도 모르게 감탄하고 말았다.

"아르티드가의 집사는 별걸 다 잘하는군."

"다른 이들의 의심을 피하고자 전하는 이제부터 제 셋째 동생인 것으로 해 주십시오."

루카스의 말에 칼리아스는 고개를 끄덕거렸다.

"고개부터 치켜들지 마십시오. 제가 하는 행동들을 보고 비슷하게 하시면 됩니다."

칼리아스는 루카스가 찻주전자를 손에 쥐여 주자 버럭버럭했다.
"감히 내게 차를 따르라는 말인가!"
"집사 교육 중입니다. 케이 군."
루카스의 지적에 칼리아스는 헛기침했다.
"그렇군."
"말투부터 위장하셔야 합니다. 모두에게 높임말을 써 주십시오."
"알겠네."
루카스는 말없이 칼리아스를 쳐다보았다.
"으으음. 오케이. 앞으로 주의하겠네…… 니요, 하겠습니다."
입에 밴 말투 때문에 칼리아스는 별것 하지도 않았는데 헐떡거렸다.
"안 해! 오글거려서 못해 먹겠다! 다른 설정으로 바꿔라! 차라리 호위 기사를 자처하겠다!"
칼리아스가 얼굴을 붉히며 버럭댔다.
"내가 한낱 후작가의 영애 따위의 차나 따르며 집사로 지냈다는 흑역사를 남기고 싶지 않다! 나는 제국의 태양이며……!"
루카스가 그에게 잠자코 한마디 했다.
"전하의 호위 기사들이 전하를 경호하면 모양새가 이상해집니다. 집사를 호위 기사들이 에워싸는 것은 이상하지 않으나 호위 기사를 호위하는 호위 기사를 생각해 보십시오. 그래도 괜찮겠습니까? 적국 한복판에서?"
칼리아스는 그만 대꾸할 말이 궁색해지고 말았다. 생각해 보니 호위 기사를 에워싼 호위 기사라니 누가 봐도 나는 튀는 존재요 대놓고 티 내는 것 같았다.

"그래도 황태자로서의 권위가……!"

"이미 그 권위 내던지고 무단가출 하셨습니다."

칼리아스는 다시 또 할 말을 잃었다.

"설정일 뿐입니다. 일단 맡으신 역에는 최선을 다하시는 모습이 오히려 더 권위 있어 보일 듯합니다."

루카스의 말에 칼리아스는 아무런 반박을 하지 못하고 미간만 찡그릴 뿐이었다.

"검은 머리에 초록 눈? 그렇게 하니 플란네르 사람이라고 해도 믿겠어요."

벨라는 변장한 칼리아스의 모습을 보고 쿡쿡 웃고 말았다.

"그 입 다물라. 감히……."

흥분하는 칼리아스의 어깨에 루카스가 손을 턱 하고 얹었다.

"감히 어깨에 손을 얹다니!!"

버럭거리는 칼리아스에게 루카스가 나직이 말했다.

"지금은 황태자 전하가 아니고 집사 수습생 케이 버틀러입니다. 여기는 플란네르입니다. 사소한 순간에도 이야기가 새어 나갈 것을 항상 염두에 두시고 행동하시길 바랍니다."

"남들이 보지 않는 곳에서까지 그럴 필요는 없지 않으냐!"

지지 않고 버럭거리는 칼리아스에게 루카스가 대답했다.

"황태자 지위를 버리고 평민들 사이에 숨어든다는 것은 이런 의미입니다. 전하께서 택하신 길입니다. 지금이라도 늦지 않았으니 페로하트로 돌아가시겠습니까?"

칼리아스는 저도 모르게 마른침을 꼴깍 삼켰다.

"찝."

"케이 군으로서 명심하시길 바랍니다."

루카스는 칼리아스의 어깨를 두어 번 툭툭 치고는 벨라에게 신문과 잡지를 가져다주었다. 벨라는 어쩐지 루카스가 살짝 웃는 것 같다는 생각을 했다.

벨라는 어느 틈엔가 나타나 무릎에 고개를 얹는 푸딩의 머리를 쓰다듬으며 루카스가 건넨 플란네르 오늘 아침 자 신문을 들여다보았다.

"내게 먼저 줘야 하는 것 아닌가! 감히!"

또 벌컥 하려는 칼리아스에게 루카스가 조용히 고개를 가로저었다.

"진정하십시오. 케이 군. 아가씨께서 먼저."

칼리아스는 머쓱해하며 다가와 탁자에 놓인 페로하트 어제 자 신문을 펼쳐 들었다.

"아니, 어제 자 신문 맞는가?"

칼리아스의 짜증 섞인 목소리에 벨라는 그가 들여다보던 신문을 힐끔 쳐다보았다.

"무슨 일인데요?"

칼리아스는 팔락거리며 신문을 급히 넘겨 보았다.

"없어! 나에 대한 소식이 하나도 없어!"

"그런데요?"

"어떻게 나에 대한 기사가 하나도 없을 수가 있지?"

벨라는 그가 하는 말이 이해되지 않아서 그를 빤히 쳐다보았다.

"신문 1면이란 항상 내가 나오는 자리인데 제국의 황태자가 가출했는데도 어떻게 뒷면에조차 내 기사가 없을 수가 있지?"

그의 말에 벨라는 피식 웃었다.

"제가 황제 폐하라도 이런 건 기사로 나오지 못하게 막을 것 같네요. 황실의 체통이 말이 아닐 듯한데, 굳이 기사화해 황태자 전하의 부재 사실을 알리고 누군가에게 납치되거나 신변의 위협을 받지 않도록 극비 사항으로 처리할 것 같은데요?"

그 말에 칼리아스는 머쓱해져서 얼굴을 붉히며 신문만 쫙 펼쳤다.

벨라의 환하게 웃는 눈이 더할 나위 없이 아름다웠다. 그와 동시에 칼리아스의 가슴이 미친 듯이 뛰기 시작했다.

대체 왜? 신문 읽는데 왜 토할 것같이 메슥거리고 정신이 아득해지지?

칼리아스는 자신이 감기에라도 걸렸나 하는 생각이 들었다.

"어의 프란시스 경을 불러……."

습관적으로 말하다가 칼리아스는 말꼬리를 흐렸다. 당연히 여기는 어의가 있을 리 없었다.

"으음."

"전하, 어디 편찮으십니까?"

벨라의 자수정빛 고운 눈이 자신을 향하자 칼리아스는 다시 정신이 아득해졌다.

"아가씨, 전하라 부르는 것은 전하를 위험하게 하는 것입니다. 명칭에 주의하십시오. 당분간은 항상 케이 군으로 상호 존칭하기로 하지 않았습니까?"

루카스의 말에 벨라는 아차! 하며 웃었다.

생각해 보니 벨라를 곁에서 이토록 오랜 시간 바라본 적도 처음인 것 같았다. 그녀가 대마법사 혈통이라더니 자신의 기를 빨아먹는 능력이라도 지닌 모양이었다. 칼리아스는 정신 차리려고 고개를 한 번 푸르르 턴 후 신문 기사를 샅샅이 훑었다.

정말로 자신에 대한 내용은 단 한 줄도 없었다. 제국은 그저 평온했다. 묘한 기분이었다. 그사이 벨라는 루카스에게 물었다.

"오늘의 일정은 어떻게 되죠?"

"오전 중에는 스타더스트 플란네르 지점에 들러 판매 전략 회의에 참가하셔야 합니다. 점심은 플란네르 경제부 차관의 부인 및 그 일행과 함께입니다. 그리고 곧바로 플란네르 국립 은행 퍼시 지점장과 면담입니다."

둘을 힐끔 본 칼리아스는 신경 쓰지 않는 척 신문 뒷장을 넘겼다.

"이봐. 나를 살리려고 방법을 찾다 못해 플란네르로 왔다더니 제 할 일만 하고 있군."

못마땅한 듯 탁자 위에 신문을 던진 칼리아스는 호텔 창밖의 도시 풍경을 바라보았다.

"페로하트에는 소베르라는 자 외에도 암약하고 있는 플란네르의 첩자가 있다고 추정됩니다."

루카스의 말에 칼리아스는 그란첼가에서 피아노 선생을 했다는 트리스탄이라는 첩자에 대해 설명 들은 내용을 다시 되새겼다.

"우리는 앞으로 페로하트가 역사 속에서 쇠락해 가는 모습을 보게 될 겁니다. 지금까지 그 쇠락의 이유를 찾지 못했지만, 그 징후를 미리 알아내 막아야 합니다. 그 일을 하실 수 있는 것은 벨라 아가씨와 당신뿐이십니다."

루카스는 대책 없는 두 사람에게 차분하게 말을 이어 갔다.

"달리 할 수 있는 일이 없어서 사업을 핑계로 플란네르 정 · 재계와 접촉하며 내부 정보를 얻으려고 합니다. 그래서 벌이는 일들이니 케이 군도 양해해 주십시오."

칼리아스는 눈빛을 날카롭게 반짝였다. 렌즈를 끼고 있어도 타고난 안광이 다 가려지지는 것은 아니었다.

"나를 살려서 제국의 운명을 바꾸겠다……. 하하. 재밌군. 나의 보좌관들도 그대들처럼 이토록 나의 안위를 걱정해 주지 않는데 일개 후작가의 집사가 페로하트의 첩자들도 하지 못하는 위험한 일을 하려 하다니 그 충성심이 대단해."

칭찬하는 듯하던 칼리아스가 표정을 바꿨다.

"사실은 그래서 난 당신을 더욱 경계하게 된다. 이렇게까지 충성을 바쳐야 할 이유라도 있는 건가? 순수한 마음으로 받아들이기엔 오지랖이 지나치게 넓다는 생각은 들지 않나?"

칼리아스는 굳은 표정으로 루카스를 바라보았다.

"이전에 공장 시찰을 나갔을 때에도 느꼈던 것이지만, 당신처럼 유능한 사람이 왜 집사에 머물고 있지?"

칼리아스의 눈이 금빛으로 번쩍였다.

"경력도 경력이고, 그저 집사로 썩기엔 지나치게 똑똑하고 지나치게 유능해. 누가 봐도 수상하지 않은가?"

칼리아스는 루카스의 진의를 파악하겠다는 듯 차가운 목소리로 말을 이어 갔다.

"부모를 잃은 나이 어린 주인, 대신 관리하게 된 어마어마한 양의 재산, 호사가들의 입방아에 오르내리는 것은 당연한 일인데 그 흔한 추문 하나 일지 않았어."

칼리아스는 루카스를 노려보았다.

"그래서 난 당신이 더 수상해. 병아리의 목을 비트는 것보다도 더 쉬웠을 텐데, 왜 당신은 이렇게 충성심이 깊지? 보이기 위함은 아닌가? 당신의 속에 더 큰 음모가 있는 것은 아닌가? 이 중에서 당신을 가장 믿을 수가 없어."

칼리아스는 단호하게 말했다.

"보좌관에게 그쪽을 조사하라 했더니 어린 나이에 자신을 학대하던 양부를 죽게 해 한때 사회를 떠들썩하게 했던 이력이 있더군. 그밖에도 흥미로운 사실이 몇 가지 있던데."

벨라는 칼리아스의 말에 미간을 팍 찡그렸다. 하지만 입을 열기도 전에 루카스가 먼저 나섰다.

"한 번쯤은…… 이야기가 나올 것이 뻔하니 말씀드려야겠군요."

루카스는 칼리아스를 바라보며 말했다.

"제 어머니는 액시즈 레크룩스 공국으로 여행 갔다가 제 부친을 만났다고 들었습니다. 그리고 결혼은 하지 않은 채 저를 낳았고 이후 도망치듯 페로하트로 돌아왔다고 했습니다. 제 부친의 이름은 제피르, 자신이 보좌하던 바실리 브뤼스티어 공작을 죽게 하여 주인을 물어 죽인 개라 불리는 자입니다."

벨라는 그가 누군지 모르므로 그저 멍하니 루카스만 바라볼 뿐이었고, 칼리아스는 의미심장한 눈빛으로 노려보았다.

"주인을 죽인 개의 아들이자, 양부를 죽게 한 그자가 버틀러 경, 바로 당신이라고?"

칼리아스의 말에 벨라는 깜짝 놀랐다. 이전에 루카스의 과거에 대해 전혀 듣지 못했기 때문이었다.

"그렇습니다."

루카스는 표정 변화 없는 얼굴로 순순히 끄덕였다.

"하, 충직한 집사라고만 생각했는데 모두가 기피할 만한 이력을 가진 자라?"

칼리아스가 되묻자 루카스는 변명하지 않고 대답했다.

"그렇습니다. 이 모든 사실을 알고도 저를 거두어 주신 분이 돌아가신 다비드 엘 아르티드 후작님이셨기에 저는 주인을 문 개가 되지 않게 노력할 뿐입니다."

"단지 그것뿐? 그 이유로 이 위험한 모든 것을 감수하고 집사가 되었다고?"

믿기지 않는다는 듯한 칼리아스의 말에 루카스는 조용히 입을 열었다.

"그 외에 달리 이유가 필요합니까?"

칼리아스는 루카스를 잡아먹기라도 할 듯 노려보고 있다가 대답했다.

"다비드 후작이 당신에게 독살당했다는 소문도 있던데?"

벨라는 칼리아스의 말에 눈을 크게 떴다.

"그건 누명입니다. 제가 독에 손을 댄 것은 다비드 후작님이 돌아가신 이후의 일입니다. 저의 후견인 지위를 박탈하기 위한 모종의 음모론이었습니다. 제가 구입한 독은 그 이후 벨라 아가씨께서도 같은 독에 중독되는 일을 막고자 제가 매일 극소량씩 먹어 몸에 그 독에 대한 내성을 키우느라 구한 것일 뿐, 시기적으로 맞지 않습니다."

처음 듣는 이야기에 벨라는 입가가 바르르 떨렸다.

"원래 당신은 특이 체질인가? 남들은 조금만 섭취해도 죽는 독을 오랫동안 복용했는데도 죽지 않은 것인가?"

칼리아스가 날카롭게 물었다.

"독에도 용량이 있습니다. 필요한 양에 못 미치게 먹는다면 중독은 일으키더라도 죽지는 않습니다."

루카스는 차분히 말을 이어 갔다.

"미량에서부터 시작해 치사량에 이르기 전까지 꾸준히 용량을 증가시켜 가며 복용한 결과로 여러 가지 독의 특이한 맛과 특성을 몸에 익혔습니다. 주인을 지키기 위한 하나의 방법이었습니다."

아…….

벨라는 항상 루카스가 먹을 것을 미리 맛본 후에 벨라에게 주는 이유를 그제야 깨달았다.

"그러니까 그 점이 이상하단 말이지."

초록 렌즈를 낀 칼리아스의 눈에서 숨길 수 없는 안광이 순간적으로 번쩍였다.

"아무리 주인이 하늘과 같은 은혜를 베풀었다 해도 그렇게 매 순간 자신의 목숨을 내걸어 가며 주인이 남긴 혈육을 보호한다?"

칼리아스는 믿을 수 없다는 듯 코웃음을 쳤다.

"황제조차 누리지 못한 호사를 어찌 아르티드 영애가 누릴 수 있단 말인가? 혹시 다른 속셈이 있는 것은 아닌지 다른 생각이 든단 말이지."

루카스는 고개를 숙이고 나직하게 말했다.

"제가 주인을 문 개가 되지 않도록 노력했을 뿐, 그 이상의 의미는 없습니다."

칼리아스는 반박하듯 대답했다.

"독 감별 같은 건 다른 사람 시켜도 될 일이고 굳이 그대가 매번 할 일도 아니었단 말이지."

그의 말은 추궁하듯 계속 이어졌다.

"보니까 모나스 판테온 대학에서 최연소 교수 자리를 약속할 만큼 그대를 높게 평가했고, 수학의 본산이라 할 수 있는 로터스 아카데미로 유학까지 다녀왔을 정도로 유능한데

고작 집사로 썩는다는 게 말이 되냔 말이다."

루카스는 묵묵히 칼리아스의 말을 듣고 있었다.

"그대는 그저 아비의 불명예만 떨쳐 낼 수 있다면 지난 커리어 따위는 다 버려 버릴 정도로 그대가 가진 능력에 아무런 미련이 없는가?"

루카스의 눈이 칼리아스와 정면으로 얽혔다. 칼리아스는 매우 미심쩍다는 듯한 표정으로 루카스를 쏘아보았다.

벨라는 루카스가 뭐라 대답할지 두려웠다. 칼리아스의 말을 들으니 정말 이상한 것 같았다.

한 번도 루카스의 존재가 이상하다고 생각해 본 적이 없었다.

그가 똑똑한 것도 알았고, 고지식한 사람인 것도 알았다. 하지만 남들이 감당하기 버거운 과거를 가지고 있는 줄도 몰랐고 벨라의 후견인이 아닌 그 자신만의 꿈이나 삶이 있을 거라고는 상상해 보지 못했다.

그냥 정신이 들어 보니 언제부턴가 루카스가 곁에 있는 것이 당연하다고 여겨 왔을 뿐이었다.

잠시 침묵이 흘렀다.

루카스가 희미하게 미소를 지었다.

"네, 없습니다. 아가씨를 모시는 것만이 제 삶의 의의입니다. 진작에 끝났어도 이상할 것 없는 삶, 아가씨가 계셨기에 저 또한 버텨 냈습니다."

"뭐?"

벨라는 저도 모르게 입을 열었다.

내가 있었기에 루카스도 버텨 냈다고?

그 수수께끼 같은 말에 다시 묻기도 전에 루카스는 벨라에게 다가와 재촉했다.

"오늘 일정이 늦어졌습니다. 그들은 시간 약속을 지키지 않는 것에 대해 매우 민감합니다. 치장은 데비가 도와줄 겁니다."

데비는 조용히 다가와 벨라의 옷을 가져다 놓았다.

칼리아스가 입을 뗐다.

"마지막으로 한 가지만 더 묻지. 본래 다비드 후작이 그대에게 제안한 것은 후견인 자리가 아니라 양자 자리였네. 그 제안을 거절하고 자발적으로 집사가 된 이유라도 있나?"

"이유 따윈 없습니다. 그것은 감히 제가 탐낼 자리가 아니었기 때문입니다."

루카스의 답변은 간단 명료했다. 그러나 칼리아스는 여전히 믿기지 않는다는 듯 그를 노려볼 뿐이었다.

"아버지, 드릴 말씀이 있습니다."

티베리가 마르쿠스의 집무실에 들어섰다.

"사적인 공간이 아닌 이상, 각하라고 불러라. 티베리 대령."

마르쿠스는 서류를 들여다보다 말고 고개를 들어 엄한 표정으로 아들을 노려보았다.

"저는 대령으로 온 것이 아니라 아버지의 아들로 온 것입니다."

티베리는 싱긋 웃었다.

"무슨 일인가, 사적인 대화는 퇴근 이후에 하기로 하지."

마르쿠스가 들여다보던 서류를 향해 마저 시선을 돌렸다.

"사적인 대화이자 공적인 업무를 포함하고 있기도 합니다."

"특전을 요구하는 것이라면 거부한다. 설령 친자식이라 할지라도 사사로이 유리한 혜택을 줄 수는 없다. 그것이 내 원칙임을 잘 알 터."

티베리는 싱글싱글 웃으면서 다가왔다.

"특전 없이도 저와 아버지, 그리고 플란네르 전체에도 이익이 되는 일입니다. 단지 아버지의 허락만 구하면 됩니다."

"그게 무슨 일이냐."

마르쿠스는 그제야 아들의 얼굴을 똑바로 바라보았다.

"만국 박람회 기념 연회 날 제 손님으로 왔던 한 아가씨를 기억하십니까? 이사벨라 엘 아르티드 영애 말입니다."

"너를 거쳐 간 여인이 어디 한둘이더냐. 그 많은 여성 중 하나를 내가 무슨 수로 기억하겠느냐."

"아버지도 기억하실 텐데요? 스타더스트 화장품 회사의 플란네르 지점을 내기 위해 방문한 돈 많은 페로하트의 귀족 아가씨를 말입니다."

"네놈이 열심히도 따라다니기는 하더구나. 그렇게 멀쩡해 보이는 여자를 따라다니는 모습은 생전 처음 보아서 기억은 하고 있었다."

마르쿠스의 말에 티베리의 입가에 미소가 번졌다.

"결혼하고 싶습니다."

"우리가 페로하트 측에 전면전을 계획하고 있다는 사실을 알면서도 말이냐?"

마르쿠스는 보고 있던 서류를 탁 덮은 후 본격적으로 아들의 말에 관심을 보였다.

"그러니까 미리 붙잡아 두고 싶습니다."

마르쿠스는 아들의 얼굴을 빤히 쳐다보았다.

"돈이면 돈, 영지면 영지, 출신이며 경영 능력에 미모와 젊음까지 겸비하고 있습니다. 그런 상대를 만나기란 그리 쉽지 않은 일. 진심으로 그녀와 결혼해서 정착하고 싶습니다."

아들을 말없이 바라보던 마르쿠스가 천천히 입을 열었다.

"네 야심이 크다는 것은 알고 있었지만, 그동안 잘도 숨기며 살아오더니, 이번에 대놓고 발톱을 드러내고자 함은 무슨 이유냐?"

마르쿠스의 눈이 티베리를 꿰뚫듯 반짝였다.

"나는 네가 조금 더 오랫동안 정체를 숨기고 헛짓거리로 시간을 낭비하는 척 지낼 줄 알았다. 그 여자와 결혼한다면 그야말로 하늘이 내린 기회라고는 할 수 있지만, 그렇게 되면 바로 너는 귀족들의 견제 대상이 된다. 알고 있느냐?"

마르쿠스의 말에 티베리는 눈웃음을 지었다.

"아버지께서 이렇게 자식은 주렁주렁 많이도 얻으셨으면서 그 어느 여인과도 혼인하지 않으신 이유와 같겠죠."

"서운하게 여기지 말아라. 나의 뜻은 오로지 플란네르의 부국강병."
마르쿠스의 목소리는 흔들림이 없었다.
"지리멸렬하게 페로하트의 눈치만 보며 내정이 흔들리는 것을 더는 두고 볼 수 없었다. 그래서 나의 정치적 생명을 걸고 개혁을 단행한 것이고, 반발을 잠재우려거든 전쟁에서 승리해 값비싼 전리품을 내보여야 한다."
마르쿠스를 보며 티베리는 고개를 끄덕였다.
"액시즈 레크룩스 공국을 성공적으로 병합한 것만으로도 이미 아버지의 치적은 역사에 길이 남을 겁니다."
"내 꿈은 단지 그것뿐이 아니다. 잃어버린 옛 영토를 반드시 회복할 것이다."
마르쿠스는 결연한 표정을 지었다.
"그래서 여러 귀족의 힘이 필요하여 그들의 여식을 취해 동맹을 맺었으나 그 누구도 나를 권세로 삼아 특권을 누리지 못하게 하려고 혼인은 하지 않았다."
마르쿠스의 말은 계속 이어졌다.
"그것이 너희 자식 대에서 피바람이 불 일이더라도 나는 그렇게 할 것이다."
"이미 잘 알고 있습니다."
티베리는 다시 고개를 끄덕였다.
"그런데 미천한 가문이라 딱히 외가의 도움을 받을 수 없었기에 화근을 피해 왔던 네가, 페로하트의 포리나 영지를 상속받을 아르티드 영애와 혼인한다 하면 일껏 숨죽여 피해 온 권력의 칼날이 곧바로 너를 겨눌 수도 있다. 알고 있느냐?"

"그 또한 각오하고 있습니다."

한동안 아들을 바라보던 마르쿠스는 조심스레 대답했다.

"너라면 속이 검고 음흉하여 좀처럼 속내를 비치지 않을 줄 알았다."

그의 말에 티베리는 씨익 입꼬리를 끌어 올렸다.

"기회란 흔히 오는 것이 아니죠. 이 여자는 그 모든 것을 각오하고라도 붙잡을 만한 가치가 있습니다."

"그래? 그 여자도 순순히 너와 결혼하겠다고 하느냐?"

"아직 성년이 몇 달 남았다는 이유로 당장은 어렵다고는 하지만 자신 있습니다. 성년이 되는 날 결혼하고 싶습니다. 반드시 제 것으로 만들 겁니다."

"외척도 없고, 재산도 많지 않은 네가 무슨 수로? 아무리 봐도 그 여자가 네게 푹 빠진 것 같아 보이진 않던데?"

"제겐 아버지라는 든든한 뒷배경이 있지 않습니까? 아버지의 명성에 누가 되지 않는 한에서 저는 그 아가씨를 꼭 붙들고 말 겁니다."

티베리의 눈빛이 위험하게 빛났다.

스타더스트 플란네르 지점을 성공적으로 시작하기 위해 판매 전략 회의가 열리고 있었다. 졸다가 고개가 꺾어져 깬 벨라는 주변을 둘러보았다.

아무도 자신을 바라보고 있지 않은데도 왠지 민망해서 바로 앉아 입가에 묻은 침을 몰래 닦았다. 눈을 부릅뜨려고 애썼지만 무거워진 눈꺼풀을 이기지 못했다. 다시 고개가 뒤로 넘어가고 말았다.

어차피 대부분의 질의응답은 루카스가 잘 해결하고 있었기에 벨라는 그저 눈만 끔뻑거리고 있다가 고개나 끄덕여 주고 박수나 쳐 주면 되었다.

"벨라, 이렇게 회의 시간에 졸고 있으면서도 회사가 잘 굴러가다니 실망인데?"

옆에서 칼리아스가 속삭였다.

"나는 황태자로서 늘 모범을 보여야 했기 때문에 어디 가서 눈 한 번 감고 있지도 못했어. 이거 완전히 놀고먹는 인생이군. 이렇게 억울할 수가."

벨라는 수줍은 듯 데헤헷 하고 웃었다.

"책을 읽느라 밤을 새워서 그래요. 걱정 마세요. 이제 성년이 되면 제가 도맡아서 할 거예요."

"널 보고 있으면 화가 나! 어찌 이렇게 사람이 허술할 수가 있지? 그런데도 뭔가 잘 굴러가는 게 말이 되냐고!"

칼리아스는 정말로 억울한 듯 두 주먹을 꾸욱 눌러 쥐었다.

"전하께서도 적당히 막간을 이용해 졸지 그러셨어요."

벨라의 말에 칼리아스는 더욱더 버럭댔다.

"졸긴 왜 졸아!"

입을 조심하라는 뜻에서 루카스가 칼리아스를 째려보았다.

"거봐요. 졸 수 있는데도 졸지 않은 거네. 황태자 전하는 스스로 팍팍하게 살아왔던 거예요. 여유 좀 가져 봐요."

벨라는 칼리아스를 보며 고개를 절레절레 저었다.

"나는 제국의 황태자로서 부끄러움이 없도록……!"

또 시작되는 레퍼토리가 부담스러워진 벨라는 그의 입에 파이 한 조각을 폭 쑤셔 넣었다.

"전하는 단것 좀 드셔야 해요."

"우우웁, 단것은 치아를 상하게 하고……."

그러면서도 칼리아스는 우물우물 파이를 씹었다. 썩 나쁘지 않은 맛인 듯 그의 표정이 살짝 풀어졌다.

"전하는 지금 집사 수습생 케이 군입니다. 지금은 풀어져 있어도 아무도 뭐라 하지 않아요. 어깨에 힘 빼시고, 여유 부리고 게을러지셔도 됩니다. 항상 열심히 살았으니까 이 순간까지 치열해질 필요는 없어요."

벨라는 그리 말하며 생긋 웃었다. 그녀의 자수정빛 눈동자가 아름답게 빛났다. 칼리아스는 저도 모르게 얼굴을 붉혔다.

"궤…… 궤변은 그만해, 뭔가 먹으면서 말하는 것은 실례이니 내가 양보하도록 하지."

"맛있죠? 데비가 사 온 건데 플란네르에서 유명한 디저트 가게래요. 수수하게 생기긴 했는데 바삭하고도 달콤해서 먹을 만해요. 플란네르 전통 파이라 딴 데는 없으니 있을 때 실컷 드세요."

은근히 손이 자꾸 가는 맛이었다. 간식은 그다지 좋아하지 않는 칼리아스였으나 그녀와 나란히 앉아서 자신이 집중해 듣지 않아도 될 회의를 흘려들으면서 먹으니 왠지 꿀맛인 것 같았다.

"전하께서도 좋아하실 줄 알았어요. 후후."

벨라가 또 웃었다. 칼리아스는 정신이 몽롱해지는 기분이었다. 파이에 약이라도 탄 걸까. 괜히 얼굴이 화끈거렸다. 감기라도 온 것인지 모르겠다는 생각이 들었다.

우렁찬 박수 소리 이후 회의를 마치고 사람들이 뿔뿔이 흩어져 나가기 시작했다. 플란네르 지점장이 사람들 식사 대접을 한다면서 온 사람들을 데리고 먼저 나갔고 루카스는 벨라 쪽으로 다가와 정중히 인사를 했다.

"아가씨, 이제 플란네르 경제부 차관의 부인 및 그 일행과 함께 점심 식사 하실 시간입니다."

"안녕하세요? 스타더스트 회사의 실질적인 소유자인 이사벨라 엘 아르티드 입니다. 반갑습니다."

플란네르의 경제부 차관 부인과 그녀의 사교 모임에 속한 귀부인들이 한자리에 모였다.

말이 점심 식사지 그들이 기대하는 것은 예쁘게 화장한 얼굴과 입소문용으로 선물하는 화장품이었으므로 데비와 데비가 데려온 메이크업 강사들이 귀부인의 얼굴에 메이크업 시범을 보이고 있었다.

"아가씨, 잊지 마십시오."

루카스가 속삭였다. 벨라는 고개를 끄덕였다.

"우리는 어디까지나 플란네르 사교계에서 떠도는 소문을

채집하러 이런 대외 활동을 벌이는 겁니다. 사소한 소문 하나도 지나치지 마십시오.”

예뻐지고자 하는 욕구는 국경을 초월하는 법이었다. 화장품을 홍보하기 위해 사교 모임에 드나드는 것은 좋은 핑곗거리였다.

게다가 티베리와 염문설을 뿌린다는 아가씨를 호기심에라도 보고 싶어 하는 것은 금상첨화였다. 그의 소개로 낮은 계급들의 사교 모임이 아니라 고위급 사교 모임에 참석할 수 있었다.

“어머! 정말 화장한 티가 안 나면서도 고급스럽게 아름다워졌는걸?”

결과물을 본 귀부인들이 감탄사를 연신 내뱉었다.

“스타더스트의 정책은 두 가지 노선입니다. 화장한 티가 나지 않는 자연스러움, 화장만으로 완전히 다른 여성이 된 듯한 커버력. 그 두 가지를 주력으로 삼아 그에 알맞는 제품군을 개발해 시장에 내놓고 있습니다.”

메이크업 강사가 화장을 마치자 가자미 같았던 귀부인의 눈이 사슴처럼 커지고 깊은 쌍커풀이 생겼다.

“이게 나라고?”

그 귀부인의 광대뼈가 하늘 높은 줄 모르고 승천하여 도무지 내려올 줄을 몰랐다.

“본바탕을 살짝 도와주는 것 뿐, 본래 마담께서 가지고 계신 아름다움입니다. 이 제품으로 그 가능성을 살짝 끌어 올린 것이지요.”

시대를 앞서 나간 우수한 품질로 중무장한 화장품에 홀리지 않을 여성은 없었다. 특히나 벨라 자신이 화장을 수없이 해 보고 느꼈던 점을 적극 반영해 만든 것이니 실패할 리가 없었다.

다른 어려운 일들은 잘 모르지만 화장에 관한 것 하나만큼은 벨라의 관심 분야라 어디든 전략이 잘 먹혀 들어갔다.

별다른 재산도 없는 평민 아가씨들이 벨라의 메이크업 학원에 등록해 교육받았다. 그들이 전문 기술로 졸업장 및 자격증을 따 인정받고 취업할 수 있게 권장해 왔다. 그 덕에 화장 과정을 시연하는 능력도 나날이 상승되었고 아르티드가의 장원인 포리나 영지 내의 경제 인구도 늘어나게 되었다.

벨라는 그녀의 기대에 부응해 아름답게 귀부인들을 화장시키는 메이크업 강사들을 보며 뿌듯한 마음도 느꼈다.

"자. 점심 식사가 늦어졌네요. 정찬 후 저희 제품 선물 박스를 드리겠습니다."

그런데 그중 차관의 보좌관직을 수행하는 인물의 아내인 에디타가 조용히 손을 들더니 말했다.

"여기도 페로하트, 플란네르 합작 사업인 것 같은데 화장품을 다른 사람에게 소개시켜 주면 소개비 주나요?"

처음부터 돈 이야기를 단도직입적으로 하는 것에 벨라는 조금 놀랐지만 돈 이야기를 체면상 돌려 말하는 페로하트와는 다른 나라이니 그럴 수도 있겠다 싶어서 어색한 미소를 지었다.

"그러게. 소개시켜 주면 소개비를 받아야지."

"우리가 좀 귀하신 몸인가. 이 화장품이 마음에 들긴 하지만 제 모든 것이 남들에게는 모범이 되고 살아 있는 광고판이 되는 건데 당연히 소개비를 받아야겠죠."

그러더니 소개비를 자기들끼리 흥정하는 거였다. 벨라는 그들끼리 토론하는 것을 보며 당황스러웠다.

"가만, 우리가 이 화장품 라인의 최초 판매자가 되는 거면 우리가 수입의 8퍼센트는 가져가야 하는 거 아니에요? 우리 하위로는 3프로씩 받게 하고. 딱 좋네!"

벨라는 그들의 토론 내용이 지나치다는 생각에 쓴웃음을 지으며 말했다.

"저……, 소개비 문제는 여러분이 정하실 것이 아니라……."

그러자 한 귀부인이 말했다.

"당신네 페로하트에서는 이런 일이 흔하다면서요? 이참에 우리도 통신 사업처럼 그렇게 해 봅시다."

"네? 통신 사업요?"

벨라는 눈을 크게 떴다. 대체 무슨 소리인가 싶었다.

"왜, 요즘 알음알음 회원 모으는 거 말이에요. 페로하트의 그…… 누구더라, 아. 프로스트 가문의 후계자라는 사람이 제안해서 회원 모집 중인 사업처럼 말이에요."

벤자민을 암시하는 듯한 그 발언에 벨라의 귀가 쫑긋해졌다.

사실 벨라 입장에서는 굳이 이런 홍보를 직접 하지 않아도 될 일이었다.

이런 사적인 마케팅을 벌이지 않아도 스타더스트 플란네르 지점장이 알아서 판촉 행사를 하고 여러 유통망에 화장품을 공급할 것이지만 루카스의 권유에 따라 이 자리에 나섰던 것이었다.

'아가씨, 사기꾼들은 그들의 정해진 패턴이 있습니다. 잘 먹혀 들어갔던 방법을 포기할 리 없습니다. 프로스트 영식도 마찬가지로 같은 수법을 쓸 겁니다. 사교계를 면밀히 관찰하다 보면 그의 꼬리를 밟을 수 있을 겁니다.'

그의 말이 딱 맞아 들어갔다.

여기서 생각지도 않은 단서를 발견하게 된 셈이었다.

'오호라, 벤자민 이 인간, 여기서는 통신 사업으로 사람들의 등골을 빼먹을 작정이군.'

벨라는 내색하지 않고 웃으며 말했다.

"어머, 통신 사업이 뭐예요? 수익성이 좋나요?"

그러자 귀부인들이 스스로 털어놓기 시작했다.

"그게, 먼저 자리를 선점할수록 수익 비율이 높대요. 나중에 가입할수록 그 밑에서 거둬들이는 수익이 낮으니 너도나도 지금 그 사업에 가입해 아래 라인을 만드느라 분주하다 하더군요."

"맞아. 보건부 장관 부인이 그 사업에 뛰어들었대요. 뭐라던가, 원래는 보건부 장관이 직접 뛰어들려다가 관직에 있고 하다 보니 두 가지 업종으로 등록이 안 되어서 부인 명의로 회원 모집 중이라더라고요."

"그뿐인가, 문화부 쪽 아가르타 부인은 아예 땅과 건물까지 팔고 본격적으로 시작했다고 하죠? 얼마나 전망이 밝으면 그런 큰 모험까지!"

벨라는 뒤에 서 있는 루카스 쪽을 쳐다보았다. 루카스와 시선이 마주친 벨라는 의미심장한 눈빛으로 고개를 끄덕거렸다.

"흥미롭네요. 자세히 듣고 싶어요."

이것은 리체의 아버지 셀레스몬 백작이 당했던 수법과 동일했다.

'이 인간은 하필이면 미래의 지식을 가져다 써도 사기치는 법을 끌어다 쓰냐?'

벨라는 혀를 끌끌 찼다.

[영화 산업이 이제 융성할 것이다. 영사기의 수요가 늘어날 테니 영사기 사업에 뛰어들면 큰 돈을 벌 수 있다. 협회를 만들어서 회원 가입을 받고있다. 상위 사업자는 하위 사업자가 벌어들이는 돈의 3퍼센트를 적립받아 쓸 수 있으니 하위 사업가가 늘어날수록 이득이다. 지금은 직접 뛰어서 영사기 사업을 홍보하고 다녀야 하지만 이 사업이 정착되면 상위 사업자는 그냥 앉아서 회원 관리만 하고 쌓이는 적립금으로 평생 놀고먹고 살 수 있다.]

리체, 벨라, 칼리아스 세 사람 앞에서 루카스는 커다란 칠판을 하나 놓고 수학적 계산식을 적어 내려갔다.

이미 숫자가 난무하는 모습에서 벨라의 눈이 희멀건하게 풀렸으나 칼리아스와 리체는 눈빛을 반짝이며 숨죽여 그 결과를 보고 있었다.

"누군가를 끌어들여 라인을 만들어 판매하는 것에는 이렇듯 한계가 존재합니다."

벨라의 맛 간 눈빛을 힐끔 본 루카스는 분필을 내려놓으면서 짧게 결론을 요약했다.

"영사기 사업 총 가입자가 보시다시피 국가에 등록된 숫자만 이 정도인데, 그들이 1년에 한 명씩만 끌어들인다 해도 이미 7년이면 전국민이 다 사업자 등록을 해야 할 판입니다. 갓난아기와, 노인까지 합쳐서 말입니다. 이런 다단계식 판매 수법을 쓰면 밑에 둘 회원이 무한대라는 착각부터가 잘못입니다."

루카스는 피라미드식으로 위의 회원 아래에 수많은 하위 회원을 두는 도표를 분필로 톡톡 짚으며 말했다.

"후에 국외로 사업을 확장한다 하여도 마찬가지입니다. 전세계 인구가 다 회원 가입 할 날이 온다 하여도 늘어나는 판매자의 숫자에 대입하여 공식을 풀어 나가도 수익은 겨우 11년. 전세계 인구가 다 가입한 후에는 어디서 수익이 날 겁니까?"

루카스의 말에 당연한 것을 왜 속나 하는 생각을 하며 벨라는 마저 졸았다.

"사업이 밑돌을 빼서 윗돌을 고이는 식이라 결국엔 판매자만 남고 자기들끼리 구매자가 되어 자멸하는 시점은 이 수식으로 계산해 보면 딱 2년에서 손익 분기점이 정해집니다."

리체가 조는 벨라의 옆구리를 팔꿈치로 툭툭 건드렸다.

"아랫사람이 들어와서 생길 수입을 윗사람에게 주는 식이니 상위 1~4퍼센트, 그야말로 이 사업을 처음 시작한 이 외엔 모두 손해 보게 되어 있습니다."

루카스는 벨라의 잠을 깨우려고 일부러 피라미드 도표의 상위 부분만 분필로 칠판에 끼익끼익 소리를 내 가며 동그라미 쳤다.

"더 이상 수익 분배할 돈이 없다, 그 사실을 알고 아랫사람들이 항의하기 전에 사업 접고 내빼는 겁니다."

루카스는 그 부분을 특히 강조하여 말했다.

벨라의 눈빛은 여전히 흐리멍텅했다. 루카스는 헛기침을 몇 번 한 후 다시 말을 이어 갔다.

"벤자민 그자가 지금까지 벌인 사업들을 면밀히 조사해 보았습니다. 일단 그는 화제가 될 수익 모델을 기가 막히게 잘 압니다. 미리 그 정보를 가지고 태어난 것처럼 말입니다."

벤자민이란 단어에 벨라는 잠이 싹 달아났다.

"그러나 그 화제성이란 것은 한때, 사람들이 그 일을 잘 모르는 것을 기회로 삼아 말도 안 되는 고수익 사업으로 포장합니다. 그리고 회원을 끌어모으죠. 그 사업을 함께하자 하는데 먼저 상위 사업자 자리를 선점하자고 꼬드깁니다."

루카스는 벨라가 졸지 않게 하려고 미간을 찡그리며 목소리를 좀 더 키웠다. 그냥 넘기기엔 이 사업의 문제점을 벨라 본인이 확실하게 알고 있어야 했다.

"단순한 회원제하고는 다릅니다. 내가 수익을 얻기 위해서는 끊임없이 그 아래 단계 사람을 끌어모아서 그들이 또 아랫사람을 만들어 위로 상납하게 만들어야 합니다."

일확천금의 또 다른 이름, 루카스는 도박, 술만큼이나 사람들에게 해로운 이 사업 방식을 벨라에게 열심히 설명했다.

"그동안 수익금을 나누어 주며 고수익인 척하지만 실은 그것은 회원 가입을 통해 아랫사람들이 낸 가입비의 수익입니다."

그것이 말하고자 하는 핵심이었다.

"그 수익이 한계에 이르러 불만 사항이 나타나기 전에 자신은 다 털어 내고 사라집니다. 본인은 꼬리를 잘라 냈으니 혐의가 남아 있지 않습니다. 그러나 일확천금에 눈이 먼 사람들은 정신 차려 보면 탈탈 털려 있는겁니다."

벨라가 대충 무슨 뜻인지 이해는 한 듯한 눈빛을 보이자 루카스는 안도의 숨을 내었다.

"범죄자는 각자 수법이 있습니다. 자신이 성공했던 방법을 되풀이하고 싶어 하죠. 그자는 페로하트에서 벌 만큼 벌었으니 이젠 플란네르로 눈을 돌린 듯합니다. 그는 반드시 플란네르의 사교계에 나타날 겁니다. 그리고 또 회원 모집을 할 겁니다. 그것을 간파해 내야 합니다. 그래서 샬리드 님께 접근한 것인지도 모릅니다."

그러자 칼리아스가 조용히 손들었다. 렌즈로 가렸는데도 또 그의 눈이 금빛으로 번들거리는 것을 보니 머리끝까지 화가 치민 듯했다.

"그대의 말대로라면 상황이 심각하다. 저렇게까지 남을 등쳐 먹는데 왜 나는 몰랐던 것이냐? 관련한 소식을 전혀 들은 바가 없다. 영사기 사업? 그 자체도 처음 듣는 일이다."

칼리아스의 표정은 그 어느 때보다 심각했다.

"내가 알았다면 황태자 직권이라도 남용해서 저런 고얀 짓을 하지 못하도록 막았을 것이다. 왜 신문 기사 한 줄 나지 않은 것이냐?"

루카스는 칼리아스를 빤히 바라보다가 천천히 입을 열었다.

"그전에도 그는 똑같은 수법으로 남의 등을 쳐 왔습니다만 그게 적발되지 않은 이유는 뇌물 먹은 관리들의 탓이 가장 큽니다."

그 말에 칼리아스의 눈썹이 찌푸려졌다.

"그는 항상 관련자와 함께 작당을 합니다. 그리고 바지 사장을 항상 내세웁니다. 그것이 꼬리를 자르고 도망칠 수 있었던 이유입니다."

칼리아스는 믿을 수 없다는 표정으로 루카스의 말을 귀담아들었다.

"그리고 처음에는 작은 일로부터 시작했습니다. 그 수법이 통하자 점점 큰 사기를 치기 시작한 것이고 처벌당하지 않자 점점 대담해진 겁니다."

루카스는 분필을 내려놓으며 차분히 말했다.

"영사기 사업으로 인해 많은 돈은 벌었으나 같은 수법으로 더 이상 페로하트에서는 돈을 벌 수 없자 해외로 눈을 돌린 듯합니다."

"아무래도 이상하다. 정말로 그는 처벌받은 적이 없는가?"
칼리아스가 재차 물었다.
"그렇습니다. 처벌받지 않았습니다. 그를 고발해야 할 치안감이 오히려 그와 절친한 사이입니다."
루카스가 대답했다.
"페로하트의 관리가 그 정도로 썩었단 말인가? 그 발언은 매우 위험하다."
칼리아스가 불쾌감을 감추지 못했다.
"당연히 그런 일이 벌어졌다면 국가가 나서서 관련자를 엄벌해야 한다. 페로하트로 돌아가면 당장 그자들을 극형에 처하겠다."
"황태자 안 하신다면서요."
벨라의 말에 칼리아스는 순간 뻘쭘해졌다.
"어험, 어험."
"그는 늘 바지 사장을 내세웠기에, 피해자들이 달려오면 자신도 피해자라고 우겼습니다. 본인은 사업 주체가 아니고 자문 위원이었다는 식입니다. 그래서 교묘히 법망을 피해 간 겁니다."
루카스의 대답에 칼리아스는 버럭 했다.
"아무리 그래도 그의 재산 내역이 남아 있지 않느냐? 조사하면 다 나올 것을!"
루카스는 조용히 입을 열었다.
"털어 봐야 아무것도 안 나옵니다. 애초에 법망을 피해 재산을 은닉했기 때문입니다."

"그게 어떻게 가능한가!"

칼리아스는 못 믿겠다는 듯 말했다.

"칼데이라 공국, 그리고 또 하나는 자플란 남작이 운용하는 사채 시장, 둘 중 하나일 겁니다. 그러지 않고서는 그의 사치스런 생활은 불가능합니다."

루카스의 대답을 듣자 칼리아스의 표정이 심각해졌다.

"사채 시장은 원래 장부가 비밀이라 그런다 치고, 칼데이라 공국은 왜?"

벨라가 모르겠다는 듯 말하자 리체가 옆에서 일러 주었다.

"칼데이라 공국은 중립국이고 깨끗한 돈, 검은 돈 가리지 않고 위탁받아 공공사업에 투자하고 있잖아. 아마 그 이야기일 거야."

"그렇구나……."

벨라는 승전 연회때 본 릴리스 엘 칼데이라 대공녀의 모습을 언뜻 떠올렸다.

"검은 돈을 받아들이는데도 왜 주변국들이 아무런 대처를 안 하지?"

벨라의 말에 칼리아스가 대답해 주었다.

"그건, 공국 자체가 작고 농산물 생산에 한계가 있어서다. 일찌감치 그곳은 금융 거래나 기계 산업에 눈을 돌린 곳이어서 작지만 군사력이 강하고 중립국이라 아무의 편도 들지 않아서다."

벨라는 고개를 갸웃했다.

"칼데이라 공국의 앤서니 대공은 왜 하필 황제 자리를 마다하고 동생에게 양보하고서 그 작은 나라를 차지한 걸까? 페로하트 전체보다 칼데이라 공국이 그렇게 좋았나?"

리체는 선뜻 대답하지 못하고 칼리아스의 눈치를 힐끔 보았다. 칼리아스는 잠자코 있다가 입을 열었다.

"그건, 선황의 친생자가 아니라는 의혹을 받아서 그런 것이다. 본인은 황태자 자리를 포기하고 싶지 않았지만 황실 회의의 결과로 겉보기에 자발적으로 양보하는 것으로 마무리 지었다."

"그렇군요……."

벨라는 고개를 끄덕끄덕하다가 생각났다는 듯 또 질문했다.

"그래서 알짜배기 지역을 대가로 준 거예요? 선황의 친생자가 아니라는 의혹으로 물러나면서도요?"

그러자 이번엔 리체가 끼어들었다.

"아냐. 처음에 그곳은 거의 불모지였대. 뭐 하나 변변찮은 것 없는 변방 지대였는데 그곳을 알짜배기로 만든 건 릴리스 대공녀라고 해."

"우와, 정말?"

첫인상에 범상치 않아 보이던 릴리스 대공녀였다.

리체는 칼리아스의 눈치를 여전히 보다가 천천히 입을 열었다.

"칼데이라 공국을 물려받은 앤서니 대공은 거의 폐인처럼 살았대. 세상 모든 것을 다 포기한 것처럼. 그래도 사치스러운 버릇은 고치지 못해서 페로하트에 막대한 부채를 져가면서도 계속 호화스럽게 살았다더라고. 딱히 결혼도 하지 않았는데도 사생아는 여기저기서 만들고."
"여기 마르쿠스 재상처럼?"
벨라의 말에 리체는 고개를 저었다.
"이쪽은 정치 세력을 견제하려고 그런 거 같은데 앤서니 대공은 그런 생각을 가지고 독신으로 산 건 아니었나 봐. 그런데 릴리스 대공녀의 어머니가 사채업자 딸이었대. 앤서니 대공이 짊어진 막대한 부채를 갚아 주고서 정식으로 부인이 된 거지. 그리고 사실상 정치에서 손 뗀 앤서니 대공 대신 섭정을 했던가 봐."
리체는 벨라에게 쉽게 설명해 주었다.
"그 부인은 일찍 죽었지만 그 뒤를 이어 릴리스 대공녀가 실질적으로 지금의 칼데이라 공국을 부국으로 만들었다고 해."
그말에 벨라는 입을 딱 벌렸다.
"우와…… 정말 여장부네?"
"그래. 벨라 너처럼."
리체의 말에 벨라는 황급히 고개를 저었다.
"내가 뭘, 나는 한 것도 없는데."
벨라의 말에 리체는 미소를 지었다.
"뭐가 아무것도 한 게 없어? 너나 릴리스 대공녀나 나의 롤모델인걸. 같은 여자로서 봐도 참 멋져."
리체의 말에 벨라는 릴리스 대공녀의 모습이 문득 떠올랐다. 리체는 그녀를 동경할지언정 릴리스가 리체를 바라보던 눈빛은 마치 버러지를 보는 것과 같았다.
왠지 씁쓸한 생각이 들어 벨라는 쩝 하고 입맛을 다셨다.

"그럼, 본론으로 돌아가서, 벨라 아가씨께서 플란네르의 사교계에 진출하셔서 그자가 또 사기 사업을 벌이는 정황을 알아내셔야 합니다."

루카스의 말에 벨라는 그에게 질문했다.

"그런데 벤자민의 사기 사업이랑, 디노르센 전투랑 무슨 상관이야?"

그러자 잘 질문했다는 듯 루카스의 눈빛이 반짝였다.

"플란네르가 반드시 오르젠 평원을 확보해야만 했던 이유와 관련이 있습니다."

모두들 루카스에게 집중했다.

"그가 페로하트에서 마지막으로 투자했던 항목이 무언지 조사해 보았습니다."

루카스의 눈동자에 어두운 그림자가 드리웠다.

"오르젠 평원에서 인광석 광산을 찾더군요. 그는 한창 인광석 광산에 투자하다가 사라졌습니다. 즉, 곧 전쟁이 나서 오르젠 평원이 플란네르 측에 넘어갈 것을 알고 잠시 공사를 중단한 것이라고 봐도 좋을 겁니다."

"인광석?"

벨라가 뭔 소린지 모르겠다는 듯 눈을 꿈뻑거렸다.

"아주 오랜 옛날에 새똥이 쌓이고 쌓여서 돌이 된 게 인광석이야. 비료의 재료가 되지."

리체의 대답에 덧붙이듯 루카스가 한마디 했다.

"또한 화약의 재료가 되기도 합니다."

"그 말은, 내가 죽게 되는 이유가 그 인광석을 차지하기 위해서란 말인가?"

칼리아스의 말에 루카스는 고개를 끄덕였다.

"아마도."

벨라가 이해하지 못하겠다는 듯 다시 물었다.

"아무리 인광석이 비료와 화약의 재료가 된다 해도 그렇지, 굳이 동맹 관계였고 사이가 그렇게 나쁘지 않았던 플란네르가 페로하트를 등져 가면서까지 인광석을 차지해야 했을까?"

그러자 루카스가 말을 이었다.

"벤자민은 오르젠 평원에서 인광석을 찾는 데 상당한 재산을 탕진했습니다. 즉, 시간이 어느 정도 더 흐르면 자신이 긁어모은 돈보다도 인광석이 더 가치 있어질 거란 것을 알았다고 보는 것이 좋을 것 같습니다. 그가 그렇게까지 인광석에 집착하는 이유는 분명 무언가 미래를 내다본 것에 착안해서였을 겁니다."

칼리아스는 그의 말을 심각한 표정으로 집중해서 들었다.

"좋은 비료는 농작물의 생산을 증가시키고, 순도가 높은 인광석일수록 화약 생산에 유리합니다."

루카스는 차분하게 말했다.

"지금은 단지 후장식 소총을 개량한 것만으로도 이 정도의 숨은 파워를 지니고 있지만, 만약 순도 높은 인광석을 이용해 효율이 훨씬 좋은 화약 개발에 성공한다면 그 무기의 살상력은 몇 배가 될 겁니다."

칼리아스는 루카스의 말을 들으며 착잡한 심경에 휩싸였다.

"무언지 정확히는 모르지만 그는 그 흐름을 알고 있습니다. 그러니 이곳 플란네르에 왔을 겁니다."

"제 버릇 남 못 줍니다. 그간 인광석 광산 개발에 낭비한 돈을 만회하기 위해서라도 플란네르에서 유사한 다단계 사기를 벌일 겁니다. 우리는 그 점을 이용해야 합니다."

팔짱 끼고 쳐다보고 있던 칼리아스가 잠시 침묵하고 있다가 루카스를 똑바로 쳐다보았다.

"그가 인광석 광산을 개발한다는 것은 어떻게 알았지? 인광석처럼 유용한 자원이 있는데 그것을 개발 안 한 채 오르젠 평원을 지금까지 놔둔 것도 이상하고, 그 사실을 쉬쉬한 것도 이상하고 도저히 납득이 안 가는 부분이 한둘이 아닌데."

루카스는 문밖을 향해 신호를 보냈다. 그러자 밖에서 대기하고 있던 하녀 데비 포시가 들어왔다.

"데비는 실은 하녀이기 전에 제가 심어 놓은 이중 첩자입니다."

루카스의 말에 데비가 웃으며 정중히 인사를 했다.

"포르위네 성에서 세작을 심어 그리젤리를 감시할 역할을 찾기에 데비에게 그리젤리에 대한 보고를 포르위네에 하는 척하고 그쪽의 동태를 역으로 파악하게 해 둔 사람입니다. 그래서 찰스 님과 카스웰 단장님이 벌이는 사업을 꽤 압니다."

루카스의 말에 이어서 데비가 대신 대답했다.

"찰스 님이 벤자민 엘 프로스트 측에 투자한 바가 있어서 그쪽을 캐다 보니 광산 개발에 쓰이더라는 사실을 알았습니다. 저의 정체가 탄로 났으므로 이제는 더 이상 그쪽을 염탐

할 수 없습니다."

벨라는 데비의 존재에 깜짝 놀랐다. 늘 어둡고 말이 없던 그녀가 이중 첩자였다니 뜬금없다는 생각도 들었지만, 그러니 과거의 삶에서 그리 죽었는지도 모른다.

만약 트리스탄 선생을 받아들여서 그리젤리 내부 사정이 파악되고 있었다면 제일 먼저 말이 새어 나갈 데비부터 없애는 것이 당연한 결과였는지도 모른다.

과거에도 현재에도 데비에 대해서는 미처 신경을 쓰지 못했다는 생각이 들었다.

'이런 위험한 일을 자처한 그녀에게는 어떤 사연이 있었던 걸까.'

벨라는 새삼스레 자신이 그저 고아 신세임을 한탄하며 남탓하다 보낸 과거에 그녀가 미처 알지 못했던 수많은 일들이 거미줄처럼 얽혀 있었다는 생각이 들었다.

눈에 보이는 것은 빙산의 일부처럼 아주 작은 부분이었던 것이었다.

루카스가 이어서 말했다.

"현재 오르젠 평원은 소유 관계가 복잡한 데다 군사적 요충지라 하여 개발 제한 구역입니다."

벨라는 자꾸만 데비를 바라보았다. 그러다가 루카스가 말이 없자 서둘러 고개를 돌렸다. 그제야 루카스는 말을 계속해 갔다.

"그러니 개발에 한계가 있어 벤자민 영식도 사업을 벌이다 금전적 손해만 입고 눈길을 플란네르로 돌렸을 가능성이 큽니다."

전쟁이 일어나기 전에 인광석 광산을 개발하려 했으나 성공하지 못하자 이번엔 반대로 플란네르 쪽으로 넘어와 사업을 벌인다는 말이었다.

"아가씨께서 말씀하시는 미래에, 플란네르 측에서 오르젠 평원을 개발하여 인광석으로부터 다량의 질산염을 확보하게 된다면 큰일입니다. 그리고 이 일을 벌이는 그자의 속셈이 무엇인지 파악해야 합니다."

플란네르 국립 은행 퍼시 지점장과의 면담도 순조롭게 끝났다. 뒤에 서 있던 티베리가 지점장에게 만족스럽다는 눈빛을 보냈다.

"감사합니다. 저의 피앙세에게 여러모로 여러 가지 사업 자금을 융통해 주셔서 말입니다."

퍼시 지점장은 정중히 고개 숙여 인사하며 대답했다.

"저는 원칙대로 했을 뿐입니다. 대출 서류상 아무런 하자가 없으며, 충분한 담보 가치를 가졌기에 승인한 것 뿐입니다."

그러자 티베리는 씨익 웃으며 말했다.

"이런, 나는 또 나의 신용도를 보고 대출해 주신 줄 알고 감격할 뻔했습니다."

그러자 퍼시 지점장이 웃으며 대답했다.

"다른 이도 아니고 마르쿠스 님의 아드님이신데, 오히려 사사로이 대출해 드리면 제가 죽습니다. 재상님 성격 잘 아시지 않습니까?"

"그건 그렇죠. 하하핫!"

그의 대답에 티베리는 유쾌하게 웃었다. 루카스가 서명을 대신한 서류를 들여다보고 있던 벨라는 무슨 이야기인지 잘 몰라서 루카스를 쳐다보았다.

"재상 마르쿠스의 집권 모토가 '차별 반대'라는 원칙입니다. 그래서 재상 아들이라 해서 특별 대우로 없는 원칙을 만들어서라도 도와주면 오히려 그의 미움을 산다는 뜻입니다."

루카스의 말에 벨라는 고개를 갸웃했다.

"차별 반대라……. 평등이란 말이 있는데 왜 그 말 놔두고 굳이 차별 반대라는 말을 써요?"

그 질문에 루카스가 주저하더니 대답했다.

"평등이란 모토는 액시즈 레크룩스 공국의 제피르가 주장하다가 큰 화를 입었기에 거의 금기어와 마찬가지입니다. 그래서 제피르와의 차별성을 두어 '차별 반대'라는 단어를 사용하는 겁니다."

그 말에 티베리가 다가와 말했다.

"오오……. 당신도 제피르에 대해 잘 알고 있군요."

그의 얼굴에 의미심장한 미소가 스쳐 갔다. 그러나 루카스는 그의 시선을 피하며 만년필을 품에 다시 집어넣고 책상에서 일어섰다.

"아르티드 영애, 제가 많은 도움을 주었다고 생각하는데,

이젠 저에게도 상을 주셔야 하지 않겠습니까?"
벨라는 티베리가 가까이 다가와 손을 잡자 순간 움찔했다.
"저의 피앙세 역할을 맡아 플란네르 사교계에서 쉽게 활동하고 계시니 저도 무언가를 기대해도 좋지 않을까 해서요."
티베리는 가볍게 손을 잡아당겨 벨라의 손등에 입술을 맞추었다.
"이런. 오늘은 흰 장갑이 아니군요. 저를 만날 때는 항상 흰 장갑을 착용해 주십시오."
벨라는 손등에 벌레라도 스쳐 지나간 양 서둘러 손을 잡아 뺐다.
"저 혼자 와도 되었는데 굳이 따라오신 건 그쪽이에요. 이렇게 갑작스레 나타나 동행하실지 몰랐어요."
벨라의 말에 그는 하하 웃었다.
"돌려 말하자면 늘 흰 장갑만 껴 달라는 부탁이겠지요, 레이디. 제가 평생 쓰고도 남아돌 만큼 흰 장갑을 잔뜩 사서 보내겠습니다."
벨라는 작은 소리로 그에게 속삭였다.
"당분간만 연인인 척하는 거잖아요. 흰 장갑을 고집하지는 말아 주세요. 저에게도 선택권이 있습니다."
"레이디, 그것은 너무 잔인한 발언이군요. 아무리 무늬만 연애하는 척하더라도 저는 흰 장갑이 아닌 여자와 동행하고 싶지 않습니다. 그러니 부디."
그 말을 하며 그가 눈을 찡긋했다.
"크아아악! 그 더러운 손을 떼라! 어디서 감히!"

라고 외치고 싶었다. 칼리아스는 집사 수련생으로 변장한 탓에 성질껏 분노를 폭발시키지 못하고 마치 제 밥그릇을 빼앗긴 강아지마냥 문밖에서 서성였다. 그 모습을 본 루카스가 문가로 다가와 눈빛으로 그러지 말라는 신호를 보냈다.

그러나 화가 안 날 수가 있나.

분명 자신을 살리겠다며 플란네르까지 왔다는 그녀가 여기서 딴 남정네에게 손을 잡혀서 희희낙락하는 것을 보니 눈에서 불꽃이 튈 지경이었다.

이건 크나큰 배신이었다.

칼리아스는 끓는 속을 다스리느라 어금니를 우드득 소리 나게 꽉 깨물었다.

벨라가 정말 맘에 들지 않았다. 늘 같은 장소에 있는 것만으로도 온통 자신의 정신을 산만하게 흩트려 놓는 존재였다. 자꾸만 신경이 쓰였다.

"기왕, 우리 동맹을 맺은 김에, 풍경 좋은 곳에서 만찬을 즐기며 영화도 봅시다. 레이디, 당신을 위해 많은 것을 준비해 놓았습니다. 저와 함께 가시죠."

그의 말에 벨라는 미간을 살짝 찡그렸다.

"지금 할 일이 밀려 있어서…… 오늘은……."

"이것도 업무 중에 하나입니다. 레이디. 우리 식사를 하며 좀 더 중요한 이야기도 나눌 겁니다. 그러니 어서."

거의 끌려가다시피 이끌려 벨라는 예정에도 없이 티베리를 따라 데이트를 하게 되었다.

"보병 연대는 할 일도 없어요? 지금 근무 시간 아닌가요?

아무리 재상 아들이래도 이러고 다녀도 되는 건가요?"

벨라는 그에게 붙들린 손을 잡아 빼려고 낑낑거렸다.

"이런, 제가 늘 한가한 것만은 아닙니다. 레이디. 당연히 오늘 할 일은 다 마치고 나왔습니다. 사랑스러운 레이디 당신과 오붓한 시간을 보내기 위해 이른 아침부터 얼마나 바빴는지 보여 드리기라도 하고 싶군요."

그가 느물느물하게 웃으며 벨라를 마차에 태웠다.

눈빛만으로 모든 것을 불태울 듯한 칼리아스가 씩씩거리며 뒤따라 달려가려는 것을 루카스가 어깨를 붙들어 말렸다.

"케이 군, 정신 차리십시오. 지금 자신이 어떤 신분인지 잊지 마십시오."

칼리아스가 억울하다는 듯 루카스의 손을 뿌리치려 하였다.

"감히 플란네르의 버터 기름 덩어리가 벨라를 끌고 가잖아! 어떻게 내가 지금 흥분하지 않을 수가……."

"벨라 아가씨를 연모하십니까?"

루카스의 차분한 목소리에 순간 칼리아스는 돌 들어 있는 눈 뭉치라도 뒤통수에 맞은 듯 앞으로 휘청거리며 넘어질 뻔했다.

그리고 바로 뒤돌아서 버럭 했다.

"그럴 리가 없지 않은가!"

루카스는 조용히 하라는 손짓을 해 보였다.

"케이 군, 여기서 자꾸만 신분이 탄로 날 행동을 하셔야겠습니까? 언어 사용부터 조심하시라 몇 번이고 일러 드렸습니다만."

그제야 제정신을 차린 칼리아스는 조용히 자신의 발밑을 바라보았다. 그리고 거칠어진 호흡을 가다듬으려고 애썼다.

"추한 모습을 보였다…… 요. 보…… 보였습니다. 조심하겠습니다."

"두 분 참 공통점이 많으십니다. 뒷일 생각지 않고 발끈하시는 점이라든가, 대책 없는 무단가출이라든가."

"내가 어딜 닮아!!"

칼리아스는 루카스의 말에 다시 버럭했다가 스스로 당황했다. 그리고 할 말이 없어 입 다물었다.

조용히 칼리아스를 바라보던 루카스는 칼리아스를 타이르듯 말했다.

"두 분 다 생각없이 저지른 일에 하늘이 크게 도우셔서 발각됨 없이 사건의 관계자와 연이 닿아 쉽게 잠입하셨습니다만, 한 가지 명심하십시오. 여기는 페로하트가 아닙니다. 적진 한복판입니다. 항상 좋은 운만 따르리라는 법은 없습니다."

칼리아스는 얼굴을 붉히고 있다가 한마디 했다.

"알았다…… 요. 어흠, 알겠습니다. 주의하겠습니다. 당신은 잔소리를 조금만 줄여 주십시오. 그 누구도 내게 잔소리를 늘어놓지 못했는데 평생 들을 잔소리를 여기서 다 듣는 기분이군…… 요."

플란네르 최초의 극장에는 관람객도 많고 구경꾼도 많았다. 넘치는 인파 속에서 티베리는 벨라와 반강제로 팔짱을 끼고 영화관 안으로 들어갔다. 그가 경호원이 따라오기를 원치 않았으므로 루카스는 우려 속에 벨라를 바라보았으나 티베리가 자신이 경호원이 되어 줄 테니 걱정하지 말라는 말에 더는 참견할 수 없었다.

칼리아스는 영화관 출입문 앞에서 다른 경호원들과 함께 서 있으면서도 계속 안절부절못하고 영화관 안으로 뛰쳐 들어가려다 말기를 몇 번이고 반복하며 크나큰 고뇌 속에 빠져 있었다.

지금까지 열심히 한 충고가 전혀 소용없음을 깨달은 루카스는 조용히 한숨을 쉰 후 칼리아스의 곁으로 다가갔다.

"케이 군, 벨라 아가씨를 연모하는 것이 확실하군요."

"아니래도!"

칼리아스는 저도 모르게 버럭 했다. 근처에 있던 사람들의 시선이 자신에게 쏠리자 칼리아스는 쩔쩔매며 고쳐 말했다.

"아닙니다. 절대로 그럴 일 없습니다."

루카스는 조용히 그에게 말했다.

"먼저 자신의 마음을 거울에 비춰 보십시오. 그러신 후에 대답해 주십시오."

칼리아스는 짜증스런 얼굴로 고개를 돌렸다.

칼리아스는 루카스의 말을 들은 후 패닉 상태에 빠졌다.

한참을 씩씩거리며 분해서 어쩔 줄을 모르다가 벨라가 영화관에서 나오고, 티베리가 예약해 둔 레스토랑으로 향하면서 조금씩 평정심을 되찾기 시작했다.

가는 길에 수행원이 어디선가 구해 온 흰 장갑을 들고 손수 끼워 준다는 티베리와 냅두라는 벨라의 투닥거림이 이어졌다.

그런데 그 자체가 뭐 그리 재미난지 티베리는 자꾸 웃으며 벨라를 도발시켰다.

“레이디, 저와 더 오랫동안 손잡고 싶으신가 봅니다.”

“절대로 그런 거 아니거든요?”

“차라리 순순히 흰 장갑을 착용하시는 편이 저와 손을 덜 잡을 텐데요. 은근히 바라시는 거였습니까? 그러면 저는 더욱 즐겁습니다만.”

“거참, 취향 한번 고약하시네요.”

“저처럼 건전한 취향이 어딨겠습니까? 정말 고약한 취향이 뭔지 보고 싶으십니까, 레이디?”

“됐거든요!”

투닥거리는 그 모습 자체로 부글거리던 칼리아스는 루카스를 힐끔 보고는 침착해지려고 애썼다. 왠지 흥분하면 그의 말을 인정하는 걸로 오해받을 것 같았다.

일부러 벨라에게 관심 두지 않는 척, 칼리아스는 어금니를 악물고 표정을 지웠다. 그리고 벨라가 식사를 마칠 때까지 루카스와 함께 뒤에 서 있었다.

이대로는 티베리와 식사도 시작하기 전에 하루가 다 갈 것 같은 위기감에 벨라는 그가 거는 도발에 말려들지 않으려고 애썼다.

레스토랑 한쪽이 시끌시끌했다. 단체 손님들이 2층에 예약된 룸으로 올라가는 듯했다. 그중 벨라는 낯익은 모습에 눈이 휘둥그레졌다.

그 사이에 도망간 과이야와 라보쉬 남작이 서로 이야기를 나누는 모습이 눈에 띄었다.

벨라는 눈을 비비며 다시 쳐다보았다. 그리고 과이야와 라보쉬 남작 뒤로 벤자민이 누군가와 이야기하며 함께 계단을 오르고 있었다.

벤자민이 이야기하다 말고 고개를 힐끔 돌려 보았다.

벨라는 시선이 마주치지 않으려고 순간적으로 티베리의 어깨에 고개를 기대는 척했다.

"하아. 뜨겁군요. 당신이란 존재."

티베리가 느끼해서 토 나올 것 같은 목소리로 벨라의 귓가에 속삭이는 바람에 벨라는 비명을 지르며 벌떡 일어나려는 것을 이성의 힘으로 간신히 참았다. 벤자민이 시야에서 사라지자 벨라는 얼른 티베리의 어깨에서 고개를 뗐다.

"좀 더 기대십시오, 레이디. 저는 언제나 레이디를 위해 어깨를 내어 드릴 준비가 되어 있습니다."

벨라는 먹던 전채 요리를 티베리의 얼굴에 확 엎어 주는 상상을 하며 꾸욱 눌러 참았다.

"그들이 모임을 갖는 것을 보여 주시려고 일부러 여기를 예약해 주신 거로군요."

벨라의 말에 티베리는 그저 느물거리며 웃을 뿐이었다.

"그저 레이디와 식사를 함께하고 싶어서일 뿐. 전 레이디 외엔 아무런 관심이 없습니다."

벨라는 루카스에게 눈짓을 해 보였다. 루카스는 알았다는 듯 고개를 끄덕이며 자리를 옮겼다. 따라나서려는 칼리아스에게 루카스는 그 자리를 지켜 달라는 듯 고개를 저어 보였다.

"운이라고 하기엔 지나치군."

벤자민은 미간을 찡그렸다. 그리고 과이야와 라보쉬 남작에게 다가가 속삭였다.

"당신들은 뒷문으로 나가. 나머지는 내가 알아서 할 테니."

그리고 그는 고개를 돌려 샬리드의 보좌관인 에드만에게 따지듯 말했다.

"기밀 보안에 신경 쓴 것 맞습니까? 어떻게 가는 곳마다 저들이 따라오는 겁니까?"

그 말에 에드만은 어이없어하며 말했다.

"저와 당신은 만난 적도 없고 연락이 오간 적도 없고 오로지 대리인인 자플란 남작의 인원과 밀레나 부인과의 개인적 모임인 겁니다. 그런데 어떻게 당신이 아는 자들이 자꾸 따라붙는 겁니까?"

그의 말에 벤자민은 인상을 더 구겼다. 에드만은 말을 덧붙였다.

"그쪽이야말로 새는 곳이 없는지 확인하십시오. 이래서는 일을 같이 진행할 수 없습니다."

에드만은 미간을 잔뜩 찡그리며 불만의 뜻을 강하게 나타냈다.

벤자민은 에드만을 노려보다가 주먹을 움켜쥐었다.

'이럴 줄 알았으면 원래의 주인공인 티베리에게 접근하자고 할 것을 그랬나? 괜히 샬리드와 손을 잡은 것은 아니겠지.'

후회해 봐야 늦었다.

'정 안되면 티베리에게도 접근해 포섭하는 방법도 있다. 그는 원래대로라면 자플란 남작의 돈을 통째로 꿀꺽할 인간이니까 이런 구미가 당기는 일을 외면하지는 못할 거다.'

"일단, 외부인이 엿듣지 못하게 출입구의 경계를 강화해 주십시오."

벤자민은 표정을 바꾸고는 만찬이 차려진 테이블 앞에서 축배부터 들자며 사람들에게 와인을 권했다.

"이 자리에 모여 주신 신사 숙녀 여러분 귀한 시간 내 주셔서 감사합니다."

벤자민은 신사적인 매너를 보이며 인사했다.

"저에 대한 소문은 익히 들어서 아실 겁니다. 페로하트에 미래를 꿈으로 계시받는다는 사람, 그게 바로 접니다."

벤자민은 자신의 외모가 충분히 호감을 살 만하다는 것을 잘 알았다.

“저는 어려서부터 제 주변에 일어날 일을 꿈으로 보았습니다.”

그의 말에 사람들은 농담도 참 하는 듯한 표정으로 웃었다.

“그 덕분에 트리에뷔어 자작령의 영지전이 벌어졌을때 유리한 정보를 제 아버지이신 프로스트 백작께 귀띔해 드려서 성공적으로 영지 계승을 하시도록 도왔습니다.”

벤자민은 자신의 가문에서 후계자에게만 허락한 문양이 들어 있는 옷 장식 곳곳을 과시하듯 내보였다.

“그뿐만 아니라 제가 손대는 사업마다 터지지 않은 것이 없고, 제가 지목한 것치고 미래에 각광받지 않는 것이 없습니다. 그 증거는 제 하인이 나누어 드리는 문서에 잘 요약되어 있으니 저의 높은 투자 적중률에 대해 참고하시길 바라겠습니다.”

벤자민의 하늘색 눈에 미소가 가득 담겼다. 벤자민은 흘러내리는 백금발 머리를 쓸어 올리며 와인을 한 모금 마셨다.

“일단 여러분이 궁금해하시는 질문을 몇 가지 추려서 답변을 준비해 왔는데 말입니다.”

벤자민은 여유로운 태도로 말을 이어 갔다.

“곧 플란네르는 번영을 맞이할 겁니다. 제가 페로하트에서 하던 사업들을 대거 정리하고 이곳으로 온 것부터가 행운의 여신은 이제부터 플란네르와 함께라는 방증입니다.”

벤자민은 지그시 눈을 감으며 진실되어 보이는 표정으로 입을 열었다.

"이렇게 일확천금을 벌 수 있는 꿈의 사업을 여러분에게 제시하는 이유는, 보시다시피 돈은 차고 넘치게 벌어 봤고, 지금도 제 총 자산이 얼마인지 정확히 알지도 못합니다. 시시각각 불어나고 있으니 지금 정확한 액수를 말해도 이 강좌 후에 조회해 보면 다른 금액일 겁니다."

벤자민은 플란네르의 은행에 있는 자신의 계좌 잔고를 확인시켜 줄 듯 사람들에게 과시해 보였다.

"혼자 벌어서 쓸 만큼 써 봤고, 투자도 할 만큼 해 보았지만 이제는 질린달까요. 저 혼자 잘 먹고 잘살 거면 이런 사업 벌이지도 않습니다. 저의 목표는, 여러분과 함께 잘되는 것입니다."

벤자민은 특유의 상냥한 미소를 지어 보였다.

"신께서 제게 주신 미래에 대한 계시는, 저 하나만을 위한 것이 아니고 이 모든 사람들과 함께 나누기 위해 내려 주신 것이라는 소명감으로 이 자리에 나선 겁니다."

벤자민은 환하게 웃으며 테이블에 앉은 한 귀부인에게 눈을 찡긋해 보였다.

"헬레나 부인, 왜 페로하트에서 하던 사업이 잘나가고 있는데 정리하고 플란네르로 왔느냐고 물으셨죠?"

벤자민은 진지한 표정으로 말했다.

"여러분만 알고 계십시오. 이제 곧 플란네르와 페로하트 사이에 전쟁이 일어날 겁니다. 날짜까지 확정 지을 수는 없지만 달이 한두 번 더 차고 기울 때까지만 기다려 보십시오. 제 말이 맞나 안 맞나. 신께서는 제게 전쟁의 모습을 미리 보여 주셨고, 저는 그 계시를 받자마자 페로하트에서의 사업을 정리하고 이곳으로 온 겁니다."

사람들이 술렁거렸다.

"불안해하실 필요 없습니다. 거대한 사자와도 같던 페로하트는 이번 전쟁에서 플란네르에게 대패합니다. 그간 이도 빠지고 발톱도 못 쓰게 된 사실을 감추고 있다가 그것을 백일하에 드러나게 하는 것이 바로 당신들, 플란네르의 용맹한 군인들입니다."

"그걸 어떻게 믿죠?"

벤자민의 호언장담에 누군가가 손을 들고 말했다.

"페로하트는 그 군사력만 해도 플란네르의 10배에는 족히 달합니다. 이 작은 땅덩어리의 군대로 어떻게 페로하트를 대패시킨다는 거죠?"

그러자 벤자민은 큰 소리로 웃었다.

"그러니까 달이 한두 번 더 차고 기울 때까지만 기다려 보시라니까요."

벤자민은 자신 있게 말했다.

"하지만 그때 저의 예언을 믿지 않으신 분이 이 사업에 참여해도 괜찮겠다 싶어서 문을 두들기면 이미 인맥에서 한참 아래 단계에서 시작하게 될 겁니다. 그건 본인이 알아서 판단하실 문제고요. 일단 저를 믿고 사업에 투자하십시오."

사람들이 자기들끼리 수군거리다가 그중 한 남자가 손을 들고 질문했다.

"도대체 어떤 일로 전쟁이 난다는 겁니까?"

벤자민은 다 이해한다는 표정으로 고개를 끄덕이며 말했다.

"제 이야기가 처음부터 바로 믿기에는 미심쩍어 보일 수도 있다는 것 이해합니다. 하지만 여러분도 다들 전운이 감돌고 있다는 사실은 알지 않습니까? 바로 오르티우스 요새 건으로 말입니다."

벤자민은 입가에 손가락을 가져다 대며 조용히하라는 제스처를 보였다.

"이 일은 정말 극비 사항입니다. 이 사실이 외부로 알려지면 페로하트에서는 플란네르의 본심을 깨닫고 다른 방비를 세울지 모르니 함구하시길 바랍니다."

벤자민은 모두가 숨죽이고 자신만을 바라볼 때까지 조용히 침묵하고 있다가 속삭이듯 말했다.

"오르티우스 요새를 두고 페로하트와 플란네르가 대치 중인 진짜 이유는 오르젠 평원에 있습니다."

그의 말에 다시 사람들이 자기들끼리 이야기하느라 소란스러워졌다.

"오르젠 평원은 페로하트 측에서는 군사 요충지로 묶여 개발하지 않고 놔둔 땅입니다. 하지만 플란네르에서는 그 지역의 중요한 의미를 비밀리에 이미 알아냈죠. 그 아래에는 참으로 진귀한 천연 광물이 묻혀 있습니다."

벤자민은 사람들의 소란스러움을 즐겼다.

"그것까지 말씀드리면 그야말로 높으신 분이 쉬쉬하게 해둔 내용까지 민간에 새어 나가게 되므로 거기까지는 알려드리지 않겠습니다."

듣던 사람 중 누군가가 신을 부르며 신의 자비와 축복을 구하는 기도를 중얼거렸다.

"하지만, 꿈에서 그곳에 무엇이 묻혀 있는지 본 저로서는, 저의 사재를 털어 그곳 땅 여기저기를 탐사하여 해당 천연 광물의 존재를 소량이나마 찾아냈습니다."

벤자민은 광산을 찾느라 페로하트에서 떼었던 수많은 행정 서류들을 펄럭이며 말했다.

"계시로 그 광물의 존재는 알았으나 어느 쪽에 대량으로 묻혀 있는지 정확한 자리까지 본 것은 아니어서 지금 제가 뭐라 말씀드릴 수는 없지만, 곧 있을 페로하트—플란네르 전쟁의 결과로 플란네르는 그곳을 차지하여 폭발적인 발전을 할 수 있을거란 말입니다."

사람들의 눈이 왕방울만하게 커져서 그저 벤자민의 입만 바라볼 뿐이었다.

"그래서 저는 제안합니다. 그 폭발적인 발전에 힘입어 플란네르는 세계 일류국이 될 겁니다. 그야말로 언 땅밖에 없는 불모지였던 이 플란네르를 맨손으로 일구어 낸 당신 조상들의 그 눈부신 인내와 끈기가 지금부터 빛을 발휘할 시간이 다가온단 말입니다."

벤자민은 확신에 가득 차 사람들에게 말했다.

"그래서 플란네르는 이 세계에서 산업화를 이끌고 최강의 부를 축적해 나갈 겁니다. 이 작고 황폐했던 이곳이! 그 어느 누구도 얕잡아 볼 수 없는 강력한 국가가 된단 말씀입니다."

벤자민은 와인으로 다시 목을 축인 후 말을 이어 갔다.

"지금 전화라는 것이 특허 출원 중입니다. 전보는 상용화되어 있습니다만 누군가가 해석한 뒤 전달해 줘야 한다는 문제점이 있죠. 하지만 여기 계신 분들은 만국 박람회장에서 전화의 존재를 눈으로 직접 보신 분들입니다."

사람들의 눈빛이 초롱초롱했다.

"제가 마침 그 발명자인 레브 선생의 공동 연구자 과이야 씨를 모셔 왔습니다. 잠시 후에 과이야 씨로부터 전화에 대한 이해를 높이기 위해 이론에 대한 강의를 듣겠습니다만, 제가 이 자리를 마련한 본론부터 먼저 말씀드리고 시작하겠습니다."

뒤에 서 있던 과이야가 뻔뻔한 얼굴로 일어서서 청중을 향해 허리를 90도로 굽혀 사방에 인사했다.

그 모습을 보며 벤자민은 다시금 말을 시작했다.

"전화는 박람회장에서 보셨듯 전화기 두 대의 사이를 전선으로 잇고 멀리 떨어진 상대가 전화기를 들어 반대쪽 상대와 이야기를 나눌 수 있게 해 주는 기계입니다."

과이야는 자신이 그럴싸하게 만든 전화 모조품을 사람들에게 내보이며 우쭐거렸다.

"페로하트에서는 특허가 이미 나왔지만, 플란네르에서의 특허는 지금 출원 중이라 시간이 조금 걸립니다. 하지만 곧 승인이 날 겁니다. 전화는 반드시 미래엔 필수품이 됩니다. 그 밝은 전망에 벌써부터 전화기를 사겠다는 주문이 폭증하고 있죠."

사람들의 눈빛이 반짝거렸다.

"다들 전화기에 주목하여 거기에 투자한 관계로 이제 와서 투자해 봐야 실질적인 이익은 적습니다. 이미 알려진 건 너도나도 투자합니다. 이럴 때일수록 우리는 다른 곳에 주목해야 합니다. 전화와 전화 사이를 이어 주는 선 말입니다."

벤자민은 테이블을 손바닥으로 쿵 하고 쳤다.

"그 선을 이어 주는 개발 회사. 우리의 목표는 플란네르 전국에 우리 회사의 전화망을 설치하는 겁니다."

벤자민은 쉬지 않고 말했다.

"제가 저 혼자 잘 먹고 잘살려거든 플란네르에 오자마자 전화선을 모조리 독점해 버렸을 겁니다. 하지만 그 기회를 플란네르 신사 숙녀분들과 함께 나누어 갖고자 합니다. 전화선을 설치하는 사업에서 회원 가입은 필수입니다."

벤자민은 열렬한 어조로 사람들에게 설명해 나갔다.

"저는 획기적인 발상을 덧붙였습니다. 바로 처음에 위험 부담을 함께할수록 더 큰 이익을 얻을 수 있도록 말입니다."

벤자민의 말은 사람들을 홀리기 시작했다.

"이 중 나중에 가입하는 사람에게 가입비를 받으면 그것을 함께 나누는 나눔의 수익 구조를 이어 나가는 겁니다."

벤자민은 주먹 쥔 한 손을 들어 올렸다.

"그 가입한 사람이 소개로 여러 명을 또 소개하고 그 소개한 사람이 또 소개하면서 가입비를 내다 보면 맨 처음 가입을 권한 사람은 맨 나중에에 가입한 사람으로부터 가입비 일부를 받고도 그 위의 가입자로부터도 가입비 일부를 받아 수익을 얻는 겁니다. 이해하시겠습니까? 제일 먼저 사업에 뛰어들면 유리하다는 이유를?"

듣고 있던 사람들은 저마다 침을 꼴깍 삼켰다.

"이 일이 널리 퍼지면 퍼질수록 맨처음 사업에 뛰어든 우리 창업자들은 더 이상 회원 모집을 하지 않아도 그 하위 사람들로부터 가입비 이익을 적립해서 받게 된단 말입니다. 어차피 전화는 이제 미래의 필수품이 될 것이며, 전화선은 어디든 연결될 것입니다."

벤자민은 확신에 가득 차 눈빛을 반짝였다.

"우리는 가뭄에도 마르지 않는 샘처럼, 이 일로 다 함께 수익을 얻는, 그야말로 서로서로 상생하는 관계로서 수익을 이어 갈 수 있단 말입니다."

사람들이 벤자민의 말에 격렬한 박수로 화답했다.

벨라는 루카스가 동태를 살피러 간 것을 힐끔 보고는 티베리의 의향을 살폈다.

"레이디, 이곳은 해산물이 유명합니다. 드셔 보십시오. 플란네르 최고의 해산물 요리점이라고 자랑스레 말할 수 있습니다."

벨라의 입에서 저절로 흐에에 소리가 나오고 말았다.

생선과 조개 따위가 싱싱한 날것 그대로 펼쳐져 있었다. 곁들일 다른 따뜻한 요리도 없이 바다 향을 구릿하게 풍기고 있는 그것들은 뭔가 요리하다 말고 그대로 내놓은 듯, 좋은 말로 하면 자연 그대로, 나쁜 말로 하자면 원시인의 만찬인 듯 아무 가공이 되어 있지 않았다.

"이걸 어떻게 먹어요?"

벨라는 놓여 있던 포크로 접시 위에 큼직하게 놓인 가재 한 마리를 툭 건드려 보았다.

건들자마자 가재는 팔다리를 마구 휘저어 대었다.

"꺅!"

깜짝 놀란 나머지 벨라는 포크를 떨어뜨리고 말았다.

"정말 싱싱하지 않습니까, 레이디? 신선도만큼은 플란네르에서 으뜸입니다."

종업원들이 후다닥 나타나서 벨라의 포크를 줍고 새로 교체해 주었다.

"가재를 먹기 좋게 해 주시오."

티베리가 말하자 벨라는 가재의 신선도만 확인하라고 보여 주고 다시 종업원들이 들고 들어가서 불에라도 구워 줄 줄 알았다. 전광석화와 같은 솜씨로 그들은 가재의 등껍질을 따고 싱싱한 회로 먹을 수 있게 손질해 놓고는 뒤로 물러났다.

"자. 드십시오, 레이디."

티베리가 만족스러운 표정으로 벨라에게 가재를 권했다.

"으갹!"

벨라는 손수건으로 입을 가렸다.

"이걸 어떻게 먹어요! 심지어 가재 다리가 꿈틀거리고 있어요!"

먹이 보는 척 시늉이라도 할 상황이 아니었다.

"가재 처음 보셨습니까?"

티베리는 의아한 눈으로 벨라를 쳐다보았다.

벨라는 질색을 하며 말했다.

"구워는 먹어 봤지 살아 있는 것을 어떻게 먹어요? 꺅! 또 다리가 움직였어! 살아 있는 채로 어떻게 잔인하게 먹어요?"

벨라의 얼굴이 새파랗게 질리자 티베리는 재밌다는 듯 쿡쿡거리고 웃었다.

"이런, 구운 가재도 원래는 살아 있었던 겁니다. 죽은 후에 먹든, 먹다가 죽든 그게 무슨 상관입니까?"

벨라는 그의 말에 발끈했다.

"살아 있는 채로 고통스러워하는 모습을 보면서 어떻게 먹어욧! 있던 입맛도 똑 떨어지겠어요!"

티베리는 특유의 버터 듬뿍 미소를 잃지 않으며 느끼하고 나직한 목소리로 속삭이듯 말했다.

"이런, 진정한 미식은 해 보지 않으셨나 봅니다. 재료의 본래 지닌 신선한 맛도 모르면서 어떻게 그 음식을 즐길 수가 있습니까?"

"그건 이것과는 다른 문제예요! 제가 먹는 동안 내내 다른 이가 고통스러워하는 모습은 보고 싶지 않아요. 설령 그것이 미물일지라도요!"

벨라는 질색을 하며 대답했다. 그 모습이 뭐가 그리 재밌는지 연신 웃고 있던 티베리는 엄지손가락으로 딱 소리를 내어 종업원들을 불렀다.

"소스부터 준비하도록."

그러더니 티베리는 옆에 있던 김에 돌돌 말린 알록달록한 밥을 권했다. 먹기 좋게 롤 케이크처럼 말려 있고 그 위에 온갖 색상의 고명들이 각기 다르게 얹혀져 있었다.

"그럼, 이것부터 드시지요. 레이디. 이것은 최소한 살아서 펄떡거리지는 않으니 말입니다."

티베리가 윙크를 날렸다.

뭔가 자신을 골탕 먹이려고 준비한 메뉴가 아닌가 미심쩍어하느라 선뜻 먹지 못하는 벨라를 보며 티베리가 미소 지었다.

"아, 황태자 전하께서 계신데 먼저 먹기가 뭐 해서 망설이십니까? 그렇다면 황태자 전하도 함께 앉으시도록 할까요?"

벨라는 티베리의 말에 가슴이 철렁 내려앉았다.

"뭐라고요?"

자신이 잘못 들은 것은 아닌지 벨라는 주변을 살펴보았다. 티베리는 그런 벨라를 웃으며 쳐다보더니 뒤에 서 있는 칼리아스를 향해 의자를 권하며 말했다.

"자, 집사 수습생 케이 군. 그쪽도 여기 같이 앉으시지요. 여기 숙녀분께서 그쪽만 놔두고 식사하기가 마음에 걸리시는 모양입니다. 언제나 가장 높은 자리에서 제일 먼저 식사하셨을 텐데 이렇게 세워 두는 것은 예의가 아니지 않습니까?"

벨라의 안색이 창백하게 질렸다.

칼리아스는 뒤에 서 있다가 자신의 양옆으로 서 있던 호위 기사들이 정체가 탄로 나자마자 허리춤의 검에 손이 가려는 것을 손을 들어 저지했다. 그러고는 굳은 표정으로 티베리가 권하는 의자 쪽으로 다가가 앉았다.

"어떻게 알아보았지? 나름 조심한다고 했거늘."

칼리아스의 목소리는 잔뜩 경직되어 있었다. 그러나 티베리는 그저 재밌다는 듯한 표정으로 웃으며 말했다.

"그야, 당신은 신분이 신분인 만큼, 얼굴이 널리 알려진 존재라 그 정도의 변장 정도로는 위장이라고 할 수도 없습니다. 모른 척하는 것이 더 힘들었습니다."

종업원들이 요술 램프 같은 소스 그릇을 내왔다. 그리고 살아서 꿈틀거리는 가재 위에 능숙하게 그것을 부었다.

지글지글 끓는 소리가 잠시 들리더니 뜨거운 소스에 곧바로 데쳐진 가재에서 먹음직한 냄새가 풍겨 왔다.

"이 바닷가재 요리는 싱싱한 가재 살을 즐기다가 어느 정도 먹고 난 후 소스를 부어 익힌 가재 살 맛을 느껴 보는 두 가지 매력의 요리입니다만, 레이디께서 생살 맛은 싫다 하시니 어쩔 수 없이 소스부터 부었습니다. 이제는 드실 수 있겠습니까?"

벨라는 티베리가 이미 칼리아스의 존재를 간파하고 있었다는 사실에 깜짝 놀라 그저 티베리만 바라볼 뿐이었다.

티베리는 소스에 데친 가재 살을 떠서 벨라의 앞에 두었다.

"저는 남자를 챙기는 취미는 없어서, 죄송하지만 직접 떠 드십시오."

칼리아스는 그저 티베리를 노려보고 있을 뿐이었다.

티베리는 웃으며 말했다.

"이런 이런, 역시 예정에 없던 손님은 부담스럽군요. 레이디와 저 단둘이 오붓해야 할 식사 자리에 다른 이가 끼어드니 불편해지는 분위기란."

"원하는 게 무언가."

티베리는 입꼬리를 끌어당기며 벨라에게 찡긋해 보였다.

"제국의 황태자께서 선전 포고를 한 나라에 신분을 숨기고 잠입이라. 참 재밌는 사실이로군요."

티베리는 이 모든 것을 알고도 출입국 심사 시에 칼리아스의 신원 보증을 서 준 것이었다.

"가만히 지켜봤는데 페로하트에는 신문 기사 한 줄 나지 않던데 그 고귀하신 분께서 어찌하여 발각되면 바로 포로 신세가 될 곳에 오셨는지 이해 불가능한 일이라 직접 여쭤보고 싶었습니다."

티베리는 싱긋 웃으며 말을 이어 갔다.

"저는 이대로 당신을 사로잡아 제 아버지께 바치면 큰 공을 세운 셈이 될 겁니다. 낮잠 자다가 토끼가 느닷없이 달려와 나무에 머리 박고 죽는 행운이 속담에나 나오는 줄 알았더니 현실에도 있습니다?"

벨라는 당황하여 끼어들었다.

"아니에요! 제가 황태자 전하를 알현할 수 있는 기회를 드린다고 했지 않나요? 그래서 오신 겁니다! 저와의 약속 때문에!"

자꾸만 티베리 앞에서 아무 말 대잔치를 하게 되는 상황이 닥쳐서 곤혹스러웠다.

"당신괴의 면담 자리를 마련하고자 어렵사리 모셔 온 분을 이런 식으로 맞이해도 되는 겁니까? 실망이네요. 티베리 님."

벨라는 티베리에게 결연한 표정으로 말했다.

"제가 이곳에 온 이유가 황태자 전하와 결혼하고 싶어서라고 말씀드렸잖습니까?"

벨라는 오히려 당당하게 말했다.

"카이런 황자와 알리사 엘 그란첼 영애의 결혼은 제 눈에 흙이 들어와도 꼴 보기 싫습니다!"

벨라는 알리사를 떠올리며 필요 이상의 극혐의 감정을 끌어 올렸다.

"분명 티베리 님 당신과도 첫 만남에서 분명히 밝혔습니다. 저는 그란첼 백작의 뜻을 저지하고 싶고, 당신은 안정적인 후계자 자리, 흠 없는 권력 인수인계를 받고 싶어 하고. 그래서 우리 둘이 손잡은 것 아니었나요?"

어설프게 멈칫거리다가 황태자를 위험에 처하게 할 수는 없었다. 특히나 그의 정체를 알고도 모른 척한 티베리의 꿍꿍이속을 파악하지 못한 지금은 더욱더!

"그란첼 백작이 플란네르에서 벌이려는 일을 저는 막을 것이고, 제 일을 도와주면 저와 황태자 전하는 당신을 전폭적으로 지지해 당신의 날개가 되어 드릴 겁니다."

벨라는 굳은 표정으로 말했다.

"이래도 황태자 전하를 포로로 삼으실 건가요? 고작 눈앞의 이익을 목적으로 황금 알 낳는 거위를 포기하실 건가요?"

티베리는 잠자코 말없이 벨라와 황태자를 바라보았다.

“저는 당신에게 저의 제안이 결코 빈말이 아님을 증명하기 위해 이 귀하신 분을 모셔 온 겁니다. 얼마나 어렵게 모셔 온 줄이나 아세요?”

벨라는 필사적으로 말했다.

“이 일이 발각되면 전하께서는 황태자 자리를 내놓아야 할지도 모른단 말입니다. 황태자인 칼리아스 전하가 필요하신 거지, 그냥 황족 칼리아스 님이 필요하신 건 아니겠지요.”

벨라는 속으로 벌벌 떨렸다. 나날이 느는 것은 뻥 치는 능력 같았다. 상대는 노련한 버터 덩어리 티베리였다. 한 번의 눈칫밥이 먹혀들었다 해서 지금 이 헛소리도 먹혀들리라는 법은 없었다.

진중한 성격인 줄 알았는데 플란네르 가서 노닥거리는지 눈으로 지켜보겠다며 무턱대고 가출한 칼리아스가 원망스러웠다.

그런데 정작 칼리아스는 얼굴이 새빨갛다?

어찌나 새빨간지 익어서 곧 터질 것 같은 홍시 빛깔이었다. 게다가 호흡도 가쁘다?

언제나 얼음같이 이지적이고 기품이 있던 황태자 전하가 지금 적진의 재상 아들 앞에서 얼굴이 새빨간 채 가쁜 호흡을 내쉬고 있다니 이만저만한 충격도 아니었다.

벨라는 이 상황이 당혹스러워서 어쩔 줄 몰랐다.

‘칼리아스 전하께서 설마하니 겁먹은 것은 아니겠지?’

알고 보니 새가슴이었던 걸까. 아니면 너무 곱게 자라신 걸까.

벨라는 이 순간 칼리아스에게 의지할 수 없다는 사실을 깨닫고 입술이 파르르 떨렸다. 이미 칼리아스는 정신줄을 놓은 것 같고, 벨라 자신마저 정신줄을 놓았다가는 큰일 날 상황이었다.

'정신 차리자, 벨라. 호랑이 굴에 들어가도 정신만 차리면 산다고 했어.'

지금 이 순간 칼리아스의 귀에는 한마디 말만이 자동으로 무한 반복되고 있었다.

'제가 이곳에 온 이유가 황태자 전하와 결혼하고 싶어서라고 말씀드렸잖습니까?'

'제가 이곳에 온 이유가 황태자 전하와 결혼하고 싶어서…….'

'황태자 전하와 결혼하고 싶어서…….'

'전하와 결혼…….'

결혼!

자신을 위해 플란네르에 왔다는 그녀의 말이 거짓이 아니었음을 고백받은 것과 마찬가지인 발언이었다.

자신은 연락을 긴밀히 취하고자 연애하는 척하자 하였는데 벨라는 결혼을 염두에 두고 있었다니!

머릿속에 종이 뎅뎅뎅 하고 울리는 듯한 멍한 기분이었다.

'대체 언제부터 나와 결혼하고 싶어 한 것일까?'

칼리아스는 정신이 아득해지는 기분이었다.

'나는 이미 정혼자가 있는데……. 괜히 연애하는 척하자고 계약한 것인가? 나로 인해 순진한 아르티드 영애가 상처받게 되는 것인가?'

칼리아스의 손에 식은땀이 흘렀다.

그리고 고개를 돌려 벨라를 한번 힐끔 보았다.

"지금 그란첼 백작은 분명 플란네르에서 무언가 일을 꾸미고 있습니다. 그 대리인이 자플란 남작이고, 벤자민 엘 프로스트 영식은 거기에 편승해서 샬리드 님의 편을 들어 그가 세력을 불리도록 돕고 있죠. 티베리, 이대로 나와 황태자 전하 둘을 아깝게 놓칠 건가요?"

벨라는 계속해서 말을 이어 갔다.

"시간도 얼마 남지 않았군요. 페로하트가 오르티우스 요새를 돌려받겠다는 명목으로 대군을 이끌고 쳐들어올 날이. 하지만 당신들은 처음부터 어느 정도 대비책이 있으니까 오르티우스 요새를 가로챈 거겠죠? 그것은 종이 탄피의 약점을 개선한 금속 탄피로 인한 것이겠고요."

티베리의 눈빛이 흥미롭게 반짝거렸다.

"호오…… 레이디, 밀리터리 덕후십니까? 전부터 느낀 것이지만, 레이디는 총에 대한 지식이 상당히 해박하시더군요. 종이 탄피와 금속 탄피의 차이점을 어찌 아십니까? 아직 세상엔 종이 탄피밖에 유통되지 않은 것을."

벨라는 고개를 저었다.

"밀리터리 덕후도 아니고, 세상에 종이 탄피만 있는 것도 아니에요."

벨라는 진지하게 말을 이어 갔다.

"이미 오래전에 핀파이어 형식의 금속 탄피는 나왔었죠. 하지만 작은 충격에도 폭발해 버리는 민감한 특성 때문에 상용화되어 쓰이지 못했을 뿐이에요."

그리고 티베리에게 보란 듯 따졌다.

"플란네르는 안정적이고 견고하면서도 실전에서 사용이 간편한 금속 탄피의 제작에 성공했으니 이렇게 자신만만한 거겠죠. 게다가 쓰고 난 탄피는 그것이 단 한 개여도 다시 회수하는 치밀함까지 보이고 말이에요."

티베리는 눈웃음을 지었다.

"호오…… 보면 볼수록 탐나는 레이디입니다. 총에 대해 이런 해박한 지식을 가진 여성이라니. 대체 어디서 그런 극비 정보를 입수하신 겁니까?"

벨라는 눈에 힘을 주며 그에게 기죽지 않으려 애썼다.

"그건 저의 정보 자산이므로 출처에 대해서는 비밀입니다. 여하튼, 황태자 전하와 저의 손을 잡을 겁니까, 말 겁니까?"

벨라는 재빨리 티베리의 표정을 살폈다.

"설마하니 황태자 전하께서 포로로 잡히면 속수무책으로 끌려가시려고 아무런 안전에 대한 방비 없이 이곳에 오셨다고 생각하시는 건 아니겠죠?"

티베리는 씨익 웃으며 입을 열었다.

"그럼 들어나 보기로 하죠. 레이디와 전하께선 제게 무슨 날개를 달아 주실 겁니까?"

벨라는 아직까지도 얼굴이 빨개진 채 정신을 못 차리는 칼리아스를 보고는 혀를 끌끌 찼다.

'전하도 유리 멘탈이었구나. 쯧쯧쯧……. 과거에서의 나와

비슷한 인물이었나 봐. 적 앞에서 아예 날 잡아 잡수세요 하고 있다니.'

임기응변으로 상황을 이끌어 가는 것도 한계가 있었다. 벨라는 일단 음식이나 먹으며 루카스가 동태 파악을 하고 돌아오기를 기다리기로 했다.

"일단, 꽃보다 경단이라고 했으니 눈앞에 있는 것은 먹고 이야기해요. 신선도가 생명인 음식들이라면서요."

벨라는 배가 고픈 척 눈앞의 온갖 날생선 요리를 우아하게 먹기 시작했다.

'으헉. 물컹해.'

생선 살을 날로 씹어 보기는 처음이었다. 소스에 찍어 먹으라고 주는데 머리가 찡하도록 톡 쏘는 액체라 입 안이 얼얼했다.

생선 살을 피해 보고자 고개를 돌리니 눈에 띈 분홍색의 정체불명의 껍데기는 거대 지렁이 토막을 연상시켰다.

'욱……!'

간신히 삼킨 생선 살이 도로 넘어 올라올 것 같았으나 벨라는 억지로 꾸욱 눌러 삼켰다.

도저히 먹을 만한 것이 없었다.

이쪽에서는 토막 난 낙지 다리가 꿈틀거리고 있었고, 저쪽에서는 조개에서 피를 연상시키는 액체가 배어 나오고 있었다. 아까 먹었던 생선 살이라도 먹을까 하고 보니 헉. 몸은 회 쳐져 있고 머리에 아가미가 살짝살짝 움직이고 있었다.

"정말 싱싱하지 않습니까?"

"아…… 네……."

티베리의 말에 벨라는 억지로 고개를 끄덕였다.

"그런데, 저는 차가운 음식을 먹으면 배가 좀 아프답니다. 따뜻하게 데워 먹을 것은 없을까요?"

"아, 국물을 곁들인 요리가 없군요. 원래는 다 먹은 후에 따뜻한 국물 요리를 내어 옵니다만 이런 음식이 처음이신 듯하니 먼저 내오라고 하지요, 레이디."

티베리가 종업원을 부르자 주방장이 트롤리에 펄펄 끓인 전골 요리를 가져다 놓았다.

"이것은 이동식 화로입니다, 플란네르에서는 테이블 위에 작은 화로를 놓고 뜨겁게 끓는 국물 요리를 곁들이곤 하죠."

제법 군침이 도는 냄새가 났다. 벨라는 왠지 이것은 먹을 수 있을 것 같다는 희망에 부풀어 올랐다.

"자, 이제 그만 재료를 넣어 주십시오. 숙녀분을 위해 한꺼번에."

주방장이 그 끓는 전골냄비에 트롤리 아래 칸에 있던 재료를 쏟아부었다.

"으갹!"

벨라는 그 모습에도 그만 비명을 지르고 말았다.

살아 있는 커다란 새우가 발을 버둥거리며 뜨거운 전골냄비에 들어갔다가 밖으로 퐁 튀어나왔다. 게 한 마리가 안 들어가려고 손잡이를 붙들고 있는 것을 주방장이 집게로 끓는 국물 안에 퐁 던져 넣었다. 그리고 문어 한 마리가 통째로 뜨거운 국물에서 마지막 작별 인사를 위해 발 여덟 개를 홀랑 뒤집어 들었다.

“아니 이렇게 잔인한 요리를 어떻게 먹어요!”

벨라는 흥분을 감추지 못했다.

그 모습에 티베리가 재밌다는 듯 웃으며 말했다.

“어차피 먹을 땐 죽는데 무엇이 그리 잔인하다는 겁니까?”

“아직 살아서 펄떡거리는데 어떻게 먹어요!”

벨라의 말에 티베리는 고개를 저었다.

“그렇게 치자면 페로하트의 새 요리도 잔인하지 않습니까? 인간이 잡아먹기 위해 눈을 멀게 하고 강제로 과식시켜서 기름지게 만들지 않습니까?”

티베리는 느끼한 눈웃음을 벨라에게 보냈다.

“단지 죽을 때 우리 눈앞에 보이면 잔인하다 하고, 눈앞에 보이지 않으면 죽음이 잔인하지 않은 것은 아니지요, 레이디.”

벨라는 그의 말에 뭐라 반박하고 싶었지만 일단 자신은 루카스가 돌아올 때까지 시간을 끌어야 했으므로 잠자코 먹기로 했다.

“저의 의견과는 다르지만, 그 말이 일리가 있기는 하네요. 하지만 티베리 님, 저는 이 음식 자체가 처음이라 아직 문화적 충격에서 벗어나지 못했어요.”

벨라는 티베리를 째려보았다.

“그렇게 웃고 있지만 말고, 이 요리를 제대로 즐길 수 있는 방법을 알려 주세요. 플란네르 사람들은 이 음식이 익숙하겠지만, 저는 처음인지라 어떻게 먹어야 맛있는지 요령을 알려 주세요.”

"레이디의 부탁이라면야 그렇게 하지요."

티베리는 레몬즙을 뿌리고 소스 몇 가지를 섞어 보이며 벨라에게 이런저런 요령을 알려 주었다.

"찬 생선이 처음이라 아직 익숙지 않다면, 여기 이 뜨거운 국물에 살짝 적셔 보십시오. 그러면 표면은 굳고 안은 날것 그대로의 두 가지의 맛을 즐길 수 있습니다. 그런 후에 졸아든 국물에 또 다른 재료를 섞어 넣어서 색다른 맛을 즐기면 됩니다."

벨라는 루카스의 귀환이 늦어지자 적극적으로 맛을 탐구해 보는 척하며 티베리의 시선을 자꾸 끌었다. 칼리아스는 그다지 음식에 손대지 않은 채 묵묵히 있었고, 벨라 혼자 열심히 먹다 보니 그릇이 어느 정도 바닥나 있었다.

속으로는 욱, 하고 먹은 것이 도로 삐져나올 것 같았지만 벨라는 미소를 지어 보이는 것을 잊지 않았다.

이상했다. 빈 그릇을 내어 가고 디저트가 나오는데도 루카스는 도통 돌아오지 않았다.

동태를 파악하러 간 그가 혹시 무슨 일이라도 당한 것은 아닌지 걱정되기 시작했다.

벨라는 식은땀이 흐르기 시작했다.

문득 플란네르에 루카스 없이 혼자 남겨지면 어떻게 하나 하는 두려움이 엄습해 오기 시작했다.

루카스를 따돌려 가며 온 플란네르였지만, 그거야 플란네르행을 반대하니 그랬던 것뿐이고, 설령 플란네르에 가 있다 해도 루카스가 곧 따라올 것임을 믿어 의심치 않았다.

벨라는 시간이 지날수록 루카스를 혼자 보낸 것이 후회되기 시작했다.

'혼자 보내는 게 아니었어.'

그런 생각이 들자마자 갑자기 무릎이 떨려 오기 시작했다.

"식사도 끝났으니 우리 사업 이야기를 슬슬 꺼내 볼까요? 자, 당신 두 사람이 결혼하고 싶다고 벌인 일에 제가 낀 것입니까? 어쩐지 둘만 이로운 것 같아 저에게 돌아오는 이득은 무언가 곰곰이 생각해 보았습니다."

티베리가 낮은 목소리로 진지하게 말했다. 하지만 눈은 여전히 웃음이 가득한 것이 반은 장난인 것처럼 보였다.

"나의 레이디께서 황태자 전하께 깊이 빠져든 것은 아닌가 싶었는데, 표정을 보아하니 깊이 빠져든 것은 오히려 황태자 전하시로군요. 진심은 알았습니다만, 어긋나 버린 저의 사랑의 화살표는 어찌해야 좋을지. 흐음."

티베리의 말에 칼리아스가 벌떡 일어났다.

"무엄하다! 감히 내가 빠져들었다 운운하다니!"

칼리아스는 발끈해서 말했다. 그러나 티베리는 귀여운 막냇동생을 바라보는 듯한 시선으로 칼리아스를 바라보다가 싱긋 웃었다.

"뭐, 경기는 끝나는 그 순간까지 긴장을 놓을 수 없는 것이 묘미겠지요. 사랑은 쟁취하는 자의 것 아니겠습니까, 레이디?"

티베리가 벨라에게 윙크를 하자 칼리아스가 버럭 화를 내었다.

"어디서 추파를 던지는가!"

티베리가 재밌다는 듯 큭큭거리고 웃었다.

"사랑의 화살표가 최종적으로 어딜 향하든 간에, 이 경기의 진정한 승리는 레이디겠군요."

티베리가 자꾸 눈을 찡긋거리는 것이 안약이라도 쓰라며 주고 싶은 심정이었다.

"페로하트의 황태자와, 플란네르의 재상 아들. 어쩐지 제가 불리하게 시작하는 게임입니다만, 저는 여태껏 게임에서 져 본 적이 없습니다."

티베리는 자신 있다는 듯 말했다.

"어차피 황태자 전하께는 정혼자가 따로 있는 것으로 아는데, 전하, 제가 앞으로 일을 재밌게 만들어 드릴 테니 기대하시고……."

칼리아스는 티베리를 노려보았다.

"그건 그거고, 여하튼, 제게 무엇을 주실 겁니까? 그저 제 아버지의 확실한 후계자 자리를 보장해 주겠다고 하셨는데, 구체적으로 무슨 계획이 있는지 말씀해 주십시오."

벨라는 입술이 바짝바짝 말랐다.

지금 티베리에게 무엇으로 임기응변을 하나 하는 생각보다, 루카스가 영영 돌아오지 않으면 어떻게 하나 하는 두려움에 생각이 마비되는 것만 같았다.

"늦어서 죄송합니다."

낯익은 차분하고 믿음직한 목소리에 벨라의 귀가 번쩍 뜨였다.

루카스가 돌아와 있었다.

벨라의 눈에 저도 모르게 눈물이 왈칵 고였다. 이제야 비로소 안도의 한숨이 밀려 나왔다. 짧은 순간이었지만, 그가 곁에 없을 수도 있다는 생각이 온갖 불안한 생각을 몰고 왔었다.

그의 존재 자체만으로 고마웠다.

"무슨 말씀을 나누시던 중이었습니까?"

루카스의 말에 벨라는 반가워하며 입을 열었다.

"우리를 도와주면 티베리 님께서 얻을 이익에 대해 구체적으로 이야기하려던 참이었어."

마음이 턱 하니 놓였다.

"그란첼 백작을 골탕 먹여야 카이런 황자와 알리사 영애가 결혼하지 못할 테고, 그 일을 돕는 대가로 티베리 님이 얻으실 이익 말야. 우리만 도움받을 수는 없잖아? 가는 게 있으면 오는 게 있어야지."

벨라의 말에 티베리는 씨익 웃으며 고개를 끄덕였다.

루카스는 주변의 사람들을 모두 물러가게 한 후 칼리아스, 벨라, 티베리 셋만 있는 공간에서 입을 열었다.

"지난번에는 티베리 님의 후계자 계승 작업에 도움을 드리겠다는 약속만 드리고 구체적인 방법을 제시하지 못했습니다."

루카스는 수긍한다는 듯한 태도로 말을 이어 갔다.

"이곳에 예약을 잡아 주신 이유가 뜻깊은 배려에서였음을 감사드립니다. 덕분에 그들이 나누는 이야기는 듣지 못하였으나 그들이 머물다 간 자리에서 몇 가지 정황을 발견할 수 있었습니다. 티베리 님 덕분입니다."

루카스는 먼저 티베리에게 정중히 묵례를 했다.

티베리는 웃으며 말했다.

"감사 인사는 그만, 도움이 되었다니 기쁘군요. 자, 이제 황태자 전하까지 함께 계시니 구체적으로 들어 봅시다."

루카스는 티베리와 칼리아스를 번갈아 쳐다보고는 천천히 입을 열었다.

"마르쿠스 재상님의 제1남이신 아크란 님은 부유한 상인 출신의 외가가 있어 상시 동원할 수 있는 재산이 많습니다. 그러나 명망은 없습니다. 마르쿠스 님을 곤란하게 할 정도로 이해타산이 빠릅니다."

티베리는 당연하다는 듯 미소 지으며 팔짱을 끼고 의자 등받이에 몸을 느슨하게 기댔다. 그의 길고 검은 머리카락이 의자 뒤로 흘러내렸다.

"제2남인 샬리드 님은 정치 명가 출신의 외가가 있어서 인맥이 넓습니다. 하지만 정치적으로 왕당파에 해당하는 일가 친척이 꽤 많아서 시끄럽습니다. 샬리드 님 본인도 원칙에 충실하여 강직하다 못해 주변의 원성을 많이 얻었습니다."

루카스의 말에 티베리가 조용히 대꾸했다.

"꼰대. 딱 꼰대 집안에 꼴통 친척들투성이이지."

"제4남, 제5남인 브루너, 쟈카 님의 외가에는 출판 재벌의 인맥이 있어 마르쿠스 님의 고비 때 여론을 등에 업고 정치 상황을 역전시키는 데에 큰 도움이 되어 왔습니다. 명망도 적당하고 재산도 모자라지는 않습니다."

티베리는 코웃음을 쳤다.

"훗. 그래 봐야 코흘리개들."

루카스는 짧으나마 플란네르에 온 후 수집한 정보와 벨라에게 들었던 앞으로 플란네르에 닥칠 일들을 떠올리며 말을 이어 갔다.

"플란네르는 오르티우스 요새를 빼앗음과 동시에 이미 전쟁 준비를 마친 후였습니다. 맞습니까?"

그 말에 티베리는 대답하지 않고 웃음만 흘리고 있었다.

"페로하트와 장기전은 자신이 없으나 단기전은 자신 있습니다. 맞습니까?"

티베리는 묘한 웃음만 흘리며 루카스를 바라보기만 할 뿐이었다.

"일단 단기전으로 맞서고, 장기전 전환에 대비해 오르젠 평원을 개발할 생각입니다. 그곳엔 인광석 광맥이 있어 개발하면 양질의 폭약을 만들어 낼 수 있습니다. 이미 그것을 염두에 두고 벌인 일이라, 인광석 정제에만 성공하면 군사력이 증강될 것입니다. 맞습니까?"

루카스의 말에 티베리는 너털웃음을 터뜨렸다.

벨라가 왜 웃느냐는 듯 티베리를 쳐다보자 티베리는 웃으며 말했다.

"이야. 대체 우리 쪽에 심어 둔 첩자가 어느 정도길래, 본격적으로 전쟁을 시작하기도 전에 속내를 이렇게 잘 아는 겁니까? 먼저 그 첩자부터 당장 색출해서 목을 쳐야겠습니다. 하하."

티베리는 농담처럼 너스레를 떨었으나 아무래도 돌아가서 정말 색출 작업을 벌일 인간이었다.

"이래서야 전쟁 시작도 못하겠군요. 페로하트에서 이 정도까지 정보를 수집해 두었을지는 꿈에도 몰랐군요."

칼리아스는 굳은 표정으로 루카스와 티베리를 지켜볼 뿐이었다.

"시작하지 마십시오. 이 전쟁."

루카스의 말에 티베리는 그저 웃을 뿐이었다.

"그건 제가 어찌 정할 수 있는 문제가 아니라서 말입니다."

"이 정보는 황태자 전하께서 이미 파악하고 계셨던 내용이라고 말씀드리고 싶습니다."

칼리아스는 자신이 언급되자 놀랐으나 표정은 전혀 바꾸지 않았다.

"권고가 아니고 경고입니다. 이미 페로하트군에서는 당신들의 전쟁 시나리오를 꿰뚫고 있습니다."

루카스는 낮은 목소리로 차분히 말했다.

"정확한 대비 매뉴얼까지 말씀드리자면 페로하트의 극비사항인지라 황태자 전하조차도 발설할 수 없는 문제입니다."

그런 게 있을 리 없었다. 하지만 칼리아스는 그것이 루카스가 자신을 위해 거짓 정보를 티베리에게 흘리려는 것임을 깨닫고 잠자코 있었다.

"페로하트 측에서는 오르티우스 요새를 뺏긴 이후 인광석 광맥의 문제를 파악했습니다. 그리고 당신들 플란네르 측에서 군제 개혁을 벌여 참호전이라는 새로운 전쟁 양상을 준비하고 있다는 것도 이미 알고 있습니다."

벨라는 참호전이니 뭐니 하는 말이 뭔지 몰랐지만 잘 아는 척 고개를 끄덕였다.

"과연 페로하트 측에서는 참호전이라는 새로운 개념에 대해 무방비 상태일까요?"

루카스가 날카롭게 말했다.

그제야 티베리의 미간이 찡그려졌다.

"단기전에서는 분명 플란네르가 이길 것입니다. 하지만 페로하트에서도 그에 상응하는 준비를 하고 있습니다."

루카스의 눈빛은 흔들림이 없었다.

"투기 세력들이 플란네르가 지금 당장 이기는 쪽에 투자했다지만, 그들도 파악하지 못한 비밀 정보를 황태자 전하께서는 알고 계십니다. 그것은 황제 폐하와 황태자 전하 단둘만이 공유하고 있는 극비이기 때문입니다."

루카스의 말에 티베리의 눈빛이 날카롭게 빛났다. 루카스는 단호한 어조로 말했다.

"티베리 님께서 오르티우스 요새 탈환전을 막아 주십시오."

"그걸 왜 내가 해야 합니까?"

티베리의 말에 루카스가 대답했다.

"그 공로로 오르젠 평원의 소유권을 영원히 플란네르 측에 합법적으로 주실 겁니다. 황태자 전하께서요."

칼리아스의 눈이 커졌다. 오르젠 평원을 전쟁 없이 건네줄 조약을 티베리를 통해 맺게 하겠다니, 자신이 황제도 아니고 무슨 위험천만한 발언인가.

그러나 루카스는 낯빛 하나 변하지 않고 말했다.

"본래 전쟁 무기란 창과 방패와도 같아서, 한쪽이 날카로워지면 다른 한쪽은 막기 위해 더욱 단단해지기 마련입니다. 당장에야 플란네르가 이긴다 하더라도 페로하트를 상대로 장기전은 힘들 것이란 사실, 잘 아실 겁니다."

"흐음."

티베리가 작은 소리를 내며 팔짱 꼈던 팔을 풀었다.

"최선의 전쟁은 싸우지 않고 이기는 것이라 하지 않습니까?"

루카스의 말에 티베리가 큰 소리로 웃었다.

"말은 그럴싸한데 오르티우스 요새를 내놓지 않으면 전쟁도 불사하겠다고 한 쪽은 페로하트 측 아니었던가? 순순히 소유권을 넘겨줄 리가 없다. 그것을 일개 집사인 너 따위가 제안해서 될 일인가?"

칼리아스도 그렇다고 생각하면서도 대체 루카스가 무슨 의도로 저런 말을 하는지 알 수가 없어 일단 끝까지 들어 볼 작정이었다. 페로하트에 해를 끼치는 제안을 한다면 그 말이 끝나는 즉시 베어 버릴 생각이었다.

"지금 그 땅은 플란네르의 소유가 되었습니다. 페로하트령이 아닙니다. 플란네르도 그 땅을 돌려줄 생각 없지 않습니까? 당신께서 전쟁을 피할 수 있는 명분을 만들 수 있다면 정치력을 인정받을 수 있을 겁니다."

루카스의 말에 티베리는 턱을 만지작거렸다.

"어차피 그 땅은 있어도 필요 없는 땅입니다. 열어서는 안 될 판도라의 상자를 열어야 하는 거라면 굳이 페로하트 측에서 그 땅을 가지고 있을 이유가 없습니다. 인광석이 매장되어 있는 땅이 탐이 나신다면 가지십시오. 페로하트에는 인광석을 대체할 기술이 있기 때문입니다."

루카스의 말에 티베리의 한쪽 눈썹이 치켜 올라갔다.

"……?"

마찬가지로 루카스의 입만 바라보고 있던 칼리아스 역시 루카스가 무슨 속셈으로 저리 말하는 것인지 알 수가 없어서 섣부르게 끼어들 수가 없었다.

"그러니까, 페로하트에서는 인광석 광산이 필요 없다?"

"그렇습니다."

루카스는 자신만만하게 말했다. 미심쩍은 눈초리로 티베리는 루카스를 위아래로 훑어보았다.

"광산이란 본디 개발하면 할수록 주변에 악영향을 미치는 것, 페로하트에서는 주변이 훼손되지 않고 오로지 전략적인 위치상의 가치만 따져서 그곳을 가지고 있었을 뿐, 칼리아스 전하께서 자원의 효용 가치를 두고 황제 폐하를 설득하신다면 그 땅은 충분히 무혈로 플란네르 측에 양도될 가능성이 높습니다."

"호오? 그렇게 호언장담하는 이유가 무엇일까 궁금해지는군요."

티베리가 눈을 반짝거리자 루카스는 무표정한 얼굴로 대답했다.

"페로하트는 화학 산업 강국입니다. 인광석은 충분히 대체 가능한 자원입니다. 그 관련 기술이 페로하트에 있는 한, 페로하트는 오르젠 평원이 아쉬울 것 없습니다. 오로지 지금 필요한 것은 당장의 전쟁을 막고 카이런 황자와 그란첼가의 영애의 결혼식을 방해하는 일뿐. 벨라 아가씨와 황태자 전하의 미래를 위해서라면, 그쯤은 충분히 희생할 만한 가치가 있습니다."

티베리는 복잡 미묘한 표정으로 입꼬리를 끌어 올렸다.

"호오…… 과연 그 정도로 가치 있는 일이란 말입니까?"

루카스는 자신 있다는 듯 대답했다.

"정 미심쩍다면, 벤자민 엘 프로스트 영식이 데리고 다니는 라보쉬 남작이라는 자에게 물어보십시오."

루카스의 눈빛은 티베리에게 전혀 밀리지 않았다.

"그는 우리 측과 계약 기간이 상당히 남았음에도 불구하고 야반도주하여 프로스트 영식 편에 붙은 배신자입니다만, 그에게 물어보셔도 똑같은 대답을 할 겁니다."

티베리의 눈이 호기심으로 반짝거렸다.

"페로하트에 있는 스타더스트 공장에 벨라 아가씨의 명령 한마디만 전달되어도 공장에서 바로 각종 화학 물질의 대량 생산이 가능할 거라고 말입니다."

그의 말에 칼리아스는 눈을 크게 떴다.

언젠가 벨라가 했던 말이 떠올랐다.

'제 공장은 전천후 만능 공장입니다. 황태자 전하께서 원하시는 것은 언제든 만들어 낼 준비가 되어 있는 곳이기도

하고요.'

'아……!'

칼리아스는 벨라의 공장이 지나치게 비효율적인 생산 구조라고 생각했었다. 이렇게 경영하고도 망하지 않는 것이 용하다 싶었는데 이러한 앞날을 내다보고 지은 공장인 셈이었다.

새삼스레 칼리아스의 가슴에 감동의 물결이 밀려왔다. 그리고 눈앞에 앉아 있는 벨라의 뒤에 후광이 비치는 듯 뽀얗고 휘황찬란해 보였다.

'벨라……!'

뜨거운 무언가가 목구멍으로 왈칵 치솟아 오르는 것만 같았다.

세상 외롭고 사방이 적이라 오로지 혼자 버티며 살아가는 것 같았던 칼리아스의 차가운 가슴에 따뜻한 빗방울이 떨어져 내리는 것처럼 느껴졌다.

자신을 살리겠다고 혈혈단신으로 무턱대고 뛰어들 만큼, 벨라는 그를 깊이 생각하고 있었던 거였다.

더 이상 혼자가 아니었다. 이렇게 뒤에서 디딤돌을 하나하나 쌓아 가고 있는 그의 편이 있었던 것이었다.

'이토록 너는…… 나를 그렇게도!'

벨라는 칼리아스를 힐끔 바라보았다. 칼리아스의 얼굴이 새빨갛게 달아오르다 못해 곧 기절할 사람처럼 보였다. 벨라는 혀를 끌끌 찼다.

'새가슴에, 스트레스를 이리도 견디지 못하는 분이셨구

나. 수시로 기절하려고 그러네. 그러면서 강한 척 센 척은 혼자 다 하고 다니고……. 사람들이 하도 칭송하기에 우러러보았는데, 황태자 전하도 황태자이기 이전에 그냥 한 인간이었네.'

루카스는 단호한 어조로 티베리에게 말했다.

"아가씨께서는 지난번 협상 이후로 지금껏 티베리 님에게 유리한 여러 가지 일을 하셨습니다. 첫째로, 샬리드 님이 벤자민 엘 프로스트 영식에게 유리한 사업자 인허가를 내주는 과정에서 그 사실이 마르쿠스 님 귀에 들어가게 만들었습니다. 알고 계십니까?"

티베리의 얼굴에 화색이 돌았다.

"아, 그거 밀고를 한 게 그쪽이었나? 난 또 누가 그런 착한 짓을 했나 했네. 혹시나 해서 말인데, 벤자민 엘 프로스트 영식이 페로하트에서 사기 치고 다닌 사실을 귀족 사회에 은근슬쩍 흘린 것도 그쪽인가?"

"원래 귀족 사회란 은밀한 소문이 쉽게 돌기 마련입니다."

루카스의 말에 벨라는 미소를 지었다. 화장품 관련 업종인 것이 이런 때에 도움이 되었다. 메이크업 아티스트들이 판촉 행사를 하며 메이크업 받는 귀부인들에게 살짝 귀띔하면 소문은 순식간에 퍼졌다.

루카스는 말을 이어 나갔다.

"페로하트와 오르티우스 요새를 두고 전면전도 불사해야 할 위험한 상황에서 샬리드 님께서 페로하트의 사채 시장 거물과 어울려 다닌다는 기삿거리도 마련해 두었습니다. 아크란 님은 외삼촌이 페로하트의 관리와 결탁하고 금의 시세 차익을 노려 밀수했다는 기삿거리를 돈으로 간신히 막고 계시더군요. 원하신다면 그 기삿거리를 쥐고 있는 기자도 연결해 드릴 수 있습니다."

루카스의 말에 티베리는 입꼬리가 절로 올라가는 것을 감추려고 애썼다.

"호오, 그 사실이 터지면 형님들이 상당히 곤란하시겠군."

"저희는 이렇게 티베리 님에게 유리한 것을 드릴 수 있습니다. 이제 티베리 님께서도 저희에게 유리한 것을 해 주셔야 하지 않겠습니까?"

루카스는 차분하게 협상을 이어 나갔다.

"그러니, 무혈로 오르젠 평원의 소유권을 갖고자 한다면, 벨라 아가씨와 황태자 전하를 확실하게 도와주시길 바랍니다."

티베리는 심경이 복잡한지 연신 다른 한 손으로 얼굴을 쓸어내리고 있었다. 다리 꼬고 앉은 자세로 한참 머리를 굴리던 그는 언제 심각했었느냐 싶게 씨익 미소 지었다.

"오케이. 그 정도면 충분히 저도 협상에 구미가 당기는군요."

티베리는 벨라가 머무는 호텔까지 바래다주었다.

"오늘의 대화는 유익했습니다, 레이디. 저도 아직 샬리드 형님 쪽이 무슨 짓을 하고 다니는지 전체를 파악하지는 못했으니 조금이나마 새로운 사실이 밝혀지면 데이트 신청을 하겠습니다."

티베리는 칼리아스 쪽을 힐끔 쳐다보며 벨라의 손에 입

맞추었다. 칼리아스는 못마땅한 표정으로 티베리를 노려보았다.

“당분간은, 저와의 데이트를 용서해 주시겠지요, 케이 군?”

뭐가 그리 웃긴지 티베리는 칼리아스를 보며 폭소를 터뜨렸다. 신분을 드러낼 수 없는 칼리아스는 그저 이마의 힘줄만 꿈틀거리고 있었다.

“좋은 꿈 꾸십시오, 레이디. 꿈에서도 부디 저와 데이트 중이시길 바라겠습니다. 그럼, 안녕히!”

티베리는 남들 보란 듯 커다란 몸짓으로 인사를 남기며 자신이 타고 온 마차 쪽으로 걸어갔다.

“잠깐, 이것을 떨어뜨리셨습니다.”

칼리아스가 티베리 쪽으로 다가갔다. 그러더니 잠깐만 귀를 빌려 달라는 손동작을 취했다. 의아한 티베리가 칼리아스를 쳐다보자 칼리아스는 그의 귀에 대고 속삭였다.

“작작 해라. 케이 군은 참아도 칼리아스는 용서하지 않는다. 손등이야 어쩔 수 없다 해도 그 이상 장난치면 죽.인.다.”

티베리는 그 말이 뭐가 그리 웃긴지 푸하핫 웃어 댔다. 그러고는 칼리아스에게 속삭였다.

“저는 하지 말라 하면 꼭 해 보는 성미라서 말입니다.”

욱하려는 칼리아스를 루카스가 붙잡았다. 티베리는 재밌어서 죽겠다는 듯 웃어 대며 마차에 올라 벨라를 향해 손바닥에 입술로 키스를 날려 보내는 시늉을 했다.

“저 자식을 그냥!”

격분한 칼리아스가 뛰어들기 전에 루카스는 그를 막았다.

"대체 무슨 이야기가 오간 것입니까?"

루카스의 말에 칼리아스는 대답하지 않고 몸을 돌려 호텔 안으로 들어갔다.

호텔 안으로 들어가자마자 칼리아스는 최대한 마음을 가다듬으며 루카스를 노려보았다.

"감히 페로하트의 영토를 두고 넘겨주느니 마느니를 사사로이 언급하는가. 일개 집사 주제에 오르젠 평원이 당신 것이라도 되는 줄 아는 모양이지?"

"저는 대안 없이 함부로 나서지 않습니다."

서슬 퍼런 칼리아스의 목소리에도 불구하고 루카스는 침착한 태도를 잃지 않았다.

"만약, 황제 폐하께서 거절하신다면 단순히 목숨을 내거는 것만으로 수습되지 않을 일이다. 경솔한 그 한마디로 인해 더욱더 큰 파장이 일어나면 어찌할 것인가?"

칼리아스는 차갑게 말했다. 그러나 루카스는 망설임 없이 대답했다.

"아가씨에게는 스타더스트 공장이 있습니다. 조만간 그 공장에서 인광석을 대체할 만한 것을 전하께 바칠 겁니다. 그 대체 물질이 오르젠 평원보다 더 가치가 있다면 황제 폐하께서도 용납하실 겁니다."

이글이글이글…….

렌즈를 빼서 금색 눈동자가 그대로 보이는 칼리아스는 무언가 무시무시한 오라를 풍기고 있었다.

"오르젠 평원보다 더 가치 있는 대체 물질이라……."

칼리아스의 말에 루카스는 입을 열었다.

"처음, 스타더스트 공장을 세울 때도 불가능한 일처럼 보였습니다. 하지만 황제 폐하께 손쉽게 비누를 만들 수 있는 공정을 선물로 바쳤습니다. 간단한 손 씻기만으로도 전염병 예방에 큰 효과를 보았고, 이에 만족하신 폐하께서는 공장의 여러 인허가 과정을 생략해 주셨습니다."

루카스가 차분히 설명해 나가자 왠지 그 말이 설득력 있게 들리는 것도 같았다.

"마찬가지입니다. 오르젠 평원보다 더 가치 있는 대체 물질을 준비하면 됩니다. 그래서 오르젠 평원의 가치를 떨어뜨리면 됩니다. 저는 충분히 가능한 일이라고 봅니다."

루카스는 칼리아스의 눈을 똑바로 바라보았다.

"그리고 오르젠 평원보다 황태자 전하께서 무사하신 것이 더 중요한 일임은 틀림없습니다."

"그 가치 있다는 대체 물질이 무엇인지 지금 당장 내게 알려 주시오."

칼리아스는 루카스에게 명령했다. 그러나 루카스는 거절의 뜻을 밝혔다.

"페로하트로 돌아갈 때까지는 곤란합니다. 양해해 주십시오. 그러나 저는 허언을 하지 않습니다."
칼리아스는 더는 묻지 못했다. 뒷짐을 지고 왔다 갔다 하며 무언가 한참을 생각하는 눈치였다.
벨라는 루카스를 불러서 물었다.
"루카스, 정말 확실한 거예요? 인광석을 대체할 물질이 있다는 거. 그걸로 오르젠 평원을 양보하자고 설득할 수 있겠어요?"
그 말에 루카스는 표정 없는 얼굴로 대답했다.
"둘러댄 말입니다."
헉!
벨라의 얼굴이 창백해졌다.
"그럼 어떻게 해! 영토 문제는 극도로 민감한데 그걸 호언장담하다니 루카답지 않아요!"
벨라의 말에 루카스는 고개를 저었다. 초조해진 벨라는 루카스의 눈을 바라보았다.
"아가씨, 우리에게는 스타더스트 본사 공장이 있습니다. 그곳에는 라보쉬 남작만 있는 것은 아닙니다. 유능한 우리 연구원들이 지금도 공중에서 질소를 얻어 손쉽게 질소 화합물을 얻는 방법을 연구 중입니다. 인광석의 질소를 대체할 만한 방법은 조만간 얻어질 겁니다."
불안한 듯 눈동자를 깜빡이는 벨라의 두 어깨에 루카스의 크고 따뜻한 두 손이 얹혔다.
"아가씨, 거품 입욕제 공장을 처음 세울 때부터 미래를 널리 내다보고 지었습니다. 이런 날 꼭 쓰이기 위해서였습니다. 이 모든 것이 아가씨께서 미래를 대비해 온 덕분입니다."
루카스의 목소리는 벨라의 마음을 차분히 가라앉혀 주었다.
"지금 우리는 낯선 땅에 와 있지만, 그간 아가씨가 뿌린 노력의 결실은 이제 곧 열매 맺을 겁니다. 그 점 잊지 마십시오."
별말 아닌 것 같아도 벨라는 루카스의 말을 듣고 미래에 대한 불안함이 변화에 대한 확신으로 바뀌었다.
아직도 울보인 모양이었다. 벨라는 저도 모르게 눈가에 뜨거운 것이 맺히는 기분이 들었다.
"루카. 고마워요. 이토록 나를 믿어 줘서."
현재에도 과거에도 그는 한결같이 벨라를 믿었다.
'아무 때나 눈물이 나오려 하는 나를 대체 왜 이렇게 믿어 주는 걸까?'
벨라는 마음 한구석이 뭉클해졌다.
'항상 변치 않는 어른의 모습은 이런 것일까?'
코끝이 빨개지려는 벨라의 등을 루카스가 가볍게 두들겨 주었다.
"아가씨, 이제 겨우 산 하나 넘었습니다. 더 높은 산을 넘어야 하니 마음 단단히 붙드십시오. 목욕물을 준비하겠습니다."
항상 루카스가 곁에 있다는 것이 얼마나 마음에 의지가 되는지 모를 일이었다.
번번이 루카스에 의해 위급한 상황을 넘겨왔다.
'정말이지 루카가 없었다면 어쩔 뻔했어.'
그를 자신의 후견인으로 정해 준 아버지의 혜안이 진심으로 감사한 순간이었다.

루카스가 지나가고 난 자리를 떠난 후 벨라는 주변을 둘러보았다. 외출했던 리체와 리체의 동생 몰리가 호위 기사와 함께 돌아왔다.

"리체 왔어? 나 없는 동안 심심하지는 않았어? 어디 갔다 온 거야?"

리체는 책을 담은 가방을 내보였다.

"근처에 큰 서점이 있더라고. 거기서 책 몇 권 읽고 샀어. 기사 제스로 님이 재밌는 이야기를 많이 해 주셔서 즐거웠어."

즐거웠다는 말과는 달리 리체의 얼굴은 어두워 보였다.

리체는 그 말을 하며 잠시 망설이더니 조심스레 책 한 권을 꺼내 들었다.

"벨라, 이 책이 무언지 알지?"

그것은 리체가 출간했던 시집이었다.

벨라는 눈이 휘둥그레져서 그 시집을 받아서 펼쳐 보았다.

출간 금지되었던 그 시집이었다.

"대체 이게 어떻게 된 일이야?"

시는 리체가 쓴 시가 맞는데, 시집의 저자가 '종달새 부인'이었다.

"내 시, 무단 도용당한 것 같아."

리체의 목소리가 침울했다.

"플란네르에 아는 사람 있었어? 누군가에게 초고를 넘겼던 적이 있어?"

리체는 벨라의 질문에 모두 고개를 저었다.

"그저 출간되자마자 판매 금지가 되어서 묻혔다고만 생각했지, 다른 나라에서 내 시가 다른 사람의 이름으로 도용되어 팔리고 있으리라고는 생각하지 못했어."

리체의 눈가가 붉었다.

"너의 영혼을 갈아 한 자 한 자 써 내려간 이 소중한 시들을 대체 누가 도용한 거지? 종달새 부인이라니! 리체, 이 사람이 누군지 짐작이라도 가?"

벨라의 말에 리체는 또다시 고개를 저었다. 애써 참았던 눈물이 터졌는지 리체의 눈가에서 눈물이 또르르 흘러내렸다.

"서점 주인에게 물어봤는데, 이 책을 공급하는 업자는 일 년에 서너 번밖에 오지 않는대. 따로 연락처도 없어서 출판사로 알아봐야 할 거 같은데 어쩌지?"

리체의 힘없는 목소리에 벨라는 발끈하니 대신 화를 내었다.

"어쩌긴 뭘 어째! 당장 서점으로 다시 가야지!"

벨라는 굳은 표정으로 서점의 문을 열고 들어갔다.

"이 시집 때문에 찾아왔습니다."

서점 주인은 뒤에 서 있는 리체의 얼굴을 보자 왜 왔는지 알겠다는 듯 손사래를 쳤다.

"아까 말씀드렸잖습니까? 그 책을 가져오는 판매 사원은 연락처도 없고, 책만 먼저 놓고 가고, 몇 달 지난 후에나 수

금하고 간다고요. 저도 그 사람에 대해 아는 바가 하나도 없어요."

"어떻게 인적 사항을 하나도 모르는데 거래를 할 수가 있죠?"

벨라가 따지자 서점 주인은 난처한 표정을 지으며 말했다.

"다 팔린 후에나 수금해 가니 서점 입장에서야 놔두고 가면 좋죠. 거저나 마찬가지인데 마다할 사람 누가 있겠습니까?"

그의 말에 벨라는 정색을 하며 말했다.

"그 책은 판매 금지된 책이라고요!"

서점 주인은 미심쩍은 표정을 지으며 말했다.

"따로 공문을 받은 것은 없는뎁쇼?"

벨라는 답답하다는 듯 대답했다.

"불똥이 엉뚱하게 그쪽으로 튈지 모르니 이 책은 판매하지 않으시는 것이 좋을 것 같아서 드리는 말씀이에요. 그 책에 무단 도용된 시가 실려 있는데, 그 시집은 판매 금지당해서 회수된 책입니다."

"딱히 단속 나오는 인원도 없던뎁쇼? 만약 무단 도용이니, 판매 금지니 해서 위에서 사람이 나왔다면 제가 모를 리가 있겠습니까?"

"나중에 문제 될 수 있으니 판매하지 마시라고 조언 드리는 거예요."

벨라가 열심히 서점 주인을 설득하였으나 그는 매대에서 그 책을 치울 생각이 없어 보였다.

"정 문제 되었을 때 그때 알아서 치울 테니 그만 가 보슈."

"그 시를 쓴 사람이 여기 있다고요! 보세요! 여기 종달새 부인이 저자라고 되어 있는데 그 시는 여기 있는 리체가 쓴 시란 말이에요!"

서점 주인은 호기심에 가득 찬 눈으로 벨라와 뒤에 서 있는 리체를 훑어보았다.

"시를 쓴 장본인이 모르게 다른 사람의 이름으로 출간해서 이것을 판다는 게 말이 되어요?"

벨라는 뒤에서 멀거니 서 있는 리체의 등을 떠밀었다.

"리체, 그렇게 뒤에서 소심하게 서 있지 말고, 솔직한 네 마음을 말하라고!"

리체는 뒤에서 파르라니 떨고 있다가 벨라에게 떠밀려 서점 주인 앞으로 나와 섰다. 리체는 불안한 듯 벨라를 한번 바라보았다.

그런 리체의 모습에 벨라는 안심하라는 듯 미간에 힘을 주었다. 리체는 결심한 듯 입술을 꼭 깨물었다.

"제가 그 시를 쓴 시인입니다."

서점 주인은 심드렁한 표정으로 리체를 훑어보았다.

"당신이 종달새 부인이라고?"

"아뇨! 제 이름은 베아트리체 엘 롬바르트입니다. 시집 '시인은 꿈꾼다'를 쓴 장본인입니다. 저는 종달새 부인이라는 필명을 쓴 적도 없고, 이 시를 사용하라고 허락한 적도 없습니다."

막상 용기를 내자 리체는 언제 망설였냐는 듯 또박또박 따졌다.

"그게 나랑 무슨 상관이요? 따지려면 이 출판업자한테 따질 것이지."
"무단 도용을 몰랐을 때는 그렇다고 이해하지만, 이제 아셨으니 이 책은 판매를 중지해 주세요. 부탁입니다."
서점 주인은 뚱한 표정으로 리체가 말하는 것을 들었다. 그리고 느릿하게 입을 열었다.
"당신이 그 저자라는 증거라도 있소?"
리체는 품에서 오래된 수첩을 하나 꺼냈다. 이안이 구해 주었으나 물에 빠져 온통 얼룩이 졌던 그 일기장이었다.
"이 수첩은 페로하트에서 특정 기간 동안만 한정해서 나온 일기장입니다. 여기에 제 초고가 담겨 있어요."
서점 주인은 그 일기장을 받아 들었다. 그리고 꼼꼼히 살펴보았다.
"여기 이 시요. 그리고 몇 가지 더 도용되었습니다."
리체의 목소리가 흥분해서 떨려 왔다.
"일기장이야 나온 시기가 한정이어도 쓴 시기는 제각각일 수도 있고, 이 또한 베껴 쓴 거라는 것을 무슨 수로 증명할 수 있다는 거슈? 내가 보기엔, 이것만으로는 증거가 되지 못할 것 같은데."
이야기가 길어져 벨라가 서점에서 빨리 나오지 않자, 문 밖에 서 있던 루카스가 안으로 들어섰다.
서점 문에 매달린 풍경이 딸랑 소리를 내자 서점 주인은 고개를 들었다. 그리고 잠시 숨을 멈추었다.
"아가씨, 간단하게 이야기만 하신다더니, 또 무슨 일입니까?"
루카스가 다가와 벨라를 거들기 시작했다.

"무단 도용을 지적했더니 그 시의 지은이가 맞느냐고 그러시네요. 무슨 증거를 들고 와서 증명해야 하나요? 리체의 시집 초판본은 그리젤리에 두고 왔는데."

루카스는 서점 주인에게 말을 걸려고 했다. 그런데 서점 주인은 벨라나 리체를 바라보는 것이 아니라 루카스를 뚫어져라 쳐다보고 있었다.

마치 놀라운 것을 다시 본 사람처럼 그의 눈이 커져 있었다.

아마도 그에게 퇴역 군인회 간사 명함을 건넸던 늙은 신사처럼, 자신의 아버지를 아는 누군가이겠거니 하는 생각이 머릿속을 스쳤다.

주인을 물어 죽인 개, 마지막의 순간에 책임지느니 자결을 택한 아버지의 말로가 사람들에게 얼마나 나쁘게 인식되었는지 아는 루카스는 그가 혹시라도 자신을 보고 불쾌감을 느끼는 것은 아닌가 조심스러워졌다.

"혹시……."

서점 주인이 뭐라 말하려는 찰나 루카스는 먼저 입을 열었다.

"누구 닮았다는 소리는 많이 들었습니다. 다른 사람에 대한 선입견으로 저를 판단하지는 마십시오. 저는 그 사람이 아닙니다."

"제피르에게 신의 축복을. 정략의 희생이 된 사람을 모욕할 정도로 어리석은 촌로는 아니니 걱정 마시오, 젊은이."

서점 주인의 말에 루카스는 이 서점 주인 역시 퇴역 군인회 소속인가 하는 생각을 했다.

"저는 페로하트인입니다."
루카스는 딱 잘라 말했다.
"압니다. 페로하트의 악센트가 섞여 있어서."
서점 주인은 고개를 끄덕이며 말했다.
"세상을 모두 제 발아래에 두고 있는 줄 아는 잘나신 페로하트의 국민이신 것은 너무나도 잘 압니다."
비꼬는 듯한 어조에 벨라는 서점 주인을 쳐다보았다.
서점 주인은 먼지를 터는 척 책을 팡팡 털며 바쁜 척했다.
"거기 아가씨도 본인이 그 시의 진짜 지은이라면 이렇게 생각이 없지는 않겠지. 괜히 판매 금지당한 거겠어? 그 까닭도 제대로 모르면서 무슨 진짜 지은이 행세유?"
서점 주인은 고개를 저었다.
"어쨌거나, 나는 그 출판업자 본 것도 기억에서 희미하니 그만 가시구랴. 내가 낸 책도 아니고, 공문서 들고 와서 판매하지 말아라 하는 것도 아니면서 무슨."
리체는 눈썹을 찡그렸다. 그리고 주먹을 꽉 쥐고는 서점 주인에게 가까이 다가갔다.
"제 외가의 성을 물려받아서 제 이름이 베아트리체 엘 롬바르트입니다."
서점 주인은 안경 너머로 리체를 빼꼼 바라보더니 흘러내린 안경을 다시 똑바로 썼다.
"롬바르트 가문은 멸문당한 지가 언제인데 그 타령이오? 주인 없는 성씨는 나라도 갖다 쓰겠소."
그 말에 반박하듯 벨라가 나섰다.

"아니에요. 진짜로 롬바르트의 가주 맞습니다. 여권을 보여 드릴까요?"

리체는 품에서 여권을 꺼냈다.

서점 주인은 여권을 보지도 않고 짜증스럽게 대꾸했다.

"그걸 내가 어찌 믿소? 롬바르트가의 가주 에른스트 백작님의 말로가 어찌 되었는지 곁에서 빤히 봤는데."

리체의 눈이 커다래졌다.

"제 외할아버지를 직접 겪어 보셨다고요?"

"외할아버지?"

서점 주인은 허튼소리를 한다는 듯 코웃음을 쳤다.

"내가 그 집 자제분 결혼할 때 피로연 회계 장부를 작성했는데 무슨 소리요?"

리체는 놀라움에 입을 가렸다.

"제 외할아버지의 말로가 어땠는데요?"

서점 주인은 리체가 내미는 여권을 이리저리 뜯어보더니 미심쩍은 표정으로 리체를 쳐다보았다.

"본인이 그것도 모르면서 무슨 손녀 행세요? 그 집안 사정이야 당사자들이 더 잘 아는 것 아니오?"

리체는 정색을 하며 말했다.

"아니에요! 저희 어머니께선 화가 저희에게 끼칠까 봐 쉬쉬하셨다고요! 알 필요도 없고 들을 필요도 없다고요! 알려 했다가는 제 위의 나리아 언니처럼 화를 입는다고 철저히 비밀에 부치셨어요!"

서점 주인은 리체를 빤히 쳐다보다가 먼지를 마저 털며

말했다.

"그럼 댁네 어머니께 물어보시면 되겠네. 나도 오래전에 가슴속에 묻은 비극을 다시 끄집어내고 싶지 않으니."

"제발요!"

리체가 다시금 간절히 말했지만 서점 주인은 대답이 없었다.

한참 책만 정리하다가 서점 주인은 그들이 갈 생각을 하지 않자 입을 열었다.

"내가 그 출판업자 오거들랑 그 책 더 이상 찍어 내지 말라고 말하겠소이다. 그러니 이만 가 보슈."

마침 서점에 다른 손님들이 들이닥쳤다.

"'요리의 탐방' 책 신간 들어왔나요?"

"네! 어제 드디어 들어왔습죠. 그 책은 여기에 따로 빼놨습니다."

더 이상 서점 주인이 벨라 일행에게 관심조차 주지 않자 하는 수 없이 서점을 나올 수밖에 없었다. 문을 열고 나가려는데 서점 주인이 책 팔다 말고 다가와서는 루카스에게 자신의 명함 한 장을 찔러 주었다.

"내 명함이오. 나중에 생각 있으면 또 들러 주시오."

명함에는 '만물 문고, 마르틴'이라고 적혀 있었는데 주소에 '플란네르'가 아닌 '액시즈 레크룩스'라고 쓰여 있었다.

루카스가 뭐라고 묻기도 전에 서점 주인은 서둘러 계산대의 손님에게 달려가 바쁜 척했다.

루카스는 그 모습을 힐끔 바라보고는 돌아서서 아가씨들을 뒤따랐다.

무언가 눈치가 이상했다.

서점 근처에 자유로이 돌아다니는 시민들 사이로, 신문을 펼쳐 들고서 정작 신문은 읽지 않는 사람이 루카스의 눈에 띄었다. 어설프게 그들에게 따라붙지는 않았으나 눈빛이 예리한 것이 벨라를 노리는 것인가 싶어 루카스는 긴장했다.

그런데 그 사람의 시선은 루카스를 향해 있었다.

벨라는 루카스에게 말했다.

"루카스, 티베리에게 물어볼까요? 이 경우 어찌해야 하는지?"

그러자 루카스는 고개를 저었다.

"일단 지켜봅시다. 그가 개입하는 것이 좋지만은 않습니다."

벨라 일행이 지나간 후, 신문으로 얼굴을 가리고 있던 사람들이 하나둘 서점 가까이로 다가가기 시작했다.

서점 주인은 책을 파느라 정신없던 상황에서도 바깥으로 보이는 풍경에 예민한 반응을 보이고 있었다. 그 역시 예상이라도 했던 듯 둘렀던 앞치마를 벗어 놓고 매대에서 책을 고르는 손님에게 말했다.

"어이쿠, 갑자기 배가 아프네. 죄송하지만 손님, 잠깐 가게를 봐 주시겠습니까? 급한 볼일 좀 해결하고 돌아오겠습니다."

손님은 책을 이것저것 읽어 보느라 정신이 팔려 듣는 둥 마는 둥 고개를 끄덕였고 그사이 서점 주인은 뒷문으로 얼른 달려나갔다.

벤자민은 플란네르에 19번째 투자 사무실을 개설했다. 그의 전화망 관련 투자 사업 설명회는 이제 그가 직접 나서지 않아도 그가 포섭한 사람들이 나서서 다른 하위 회원들을 끌어들이느라 적극적으로 활동하고 있었다.

"6개월이면 투자한 금액의 두 배 이상 벌 수 있습니다. 먼저 사업에 뛰어든 사람일수록 나중엔 일하지 않고도 하위 회원들이 만들어 내는 수익의 일정 부분을 받아 연금처럼 넉넉하게 쓸 수 있습니다! 우리는 자부심을 가져도 됩니다. 우리는 세상을 전화망으로 연결하고 좀 더 나은 세상을 만들면서 돈을 버니 이보다 더 좋을 수가 있겠습니까?"

강사들이 열렬하게 강의하는 모습을 뒤에서 서서 흐뭇한 표정으로 지켜보고 있는 벤자민에게 자플란 남작이 말을 걸었다.

"굳이 이런 모험을 해야 할 필요가 있습니까?"

벤자민은 여유로운 표정으로 말했다.

"그란첼 백작님께서 플란네르가 전쟁에서 승리하는 방향으로 투자하셨다지만, 이대로라면 플란네르가 이겨도 투자금을 회수 못 합니다. 똑같은 말을 몇 번째 합니까? 이제 그만 의심을 풀고 진심으로 저를 믿으십시오."

자플란 남작은 코웃음을 쳤다.

"이러다가 투자금을 날리면 당장 내 모가지가 날아갈 것이오. 당신은 남의 일이라고 이렇게 웃지만, 뒷감당을 해야 할 나는 하루하루가 가시방석이란 말이지."

여전히 벤자민은 태연했다.

"즐기십시오. 어차피 날아갈 돈, 저는 당신에게 돈을 지켜 드리고 공적까지 세워 드린단 말입니다. 플란네르가 이기지 못하면 오히려 여러모로 좋습니다."

자플란 남작은 미간을 찡그리며 속삭이듯 말했다.

"샬리드를 위하는 척, 결국 그의 뒤통수를 칠 계획을 짤 머리면 내 뒤통수를 치지 않는다는 법도 없지 않습니까?"

"좋은 게 좋은 겁니다."

벤자민은 웃으며 대답했지만 자플란 남작은 고개를 저었다.

"그분이 원하신 것은 페로하트를 곤경에 몰아넣는 일이란 말이오. 이렇게 페로하트에게 유리한 일이 벌어지면 카이런 황자와 알리사 영애와의 국혼 자체가 성립 못할 수도 있거늘, 무슨 꿍꿍이인지 내게도 말해 주시오. 그래야 믿고 따를 수 있지 않겠습니까?"

"제 꿈은 더 높은 곳을 향해 있습니다."

벤자민은 뜬구름 잡는 듯한 말을 했다. 그 모습을 인상 쓰고 쳐다보던 자플란이 입을 열었다.

"적당히 이렇게 판을 깔아 놓고 또 당신은 발을 빼겠지. 명예 자문 위원으로만 남겠다면서 일껏 키운 사업, 책임질 호구 하나에게 떠넘기고 권리금만 챙겨서 내뺀다라……. 기가 막힌 머리입니다. 나중에 문제가 터지면 당신은 그 호구 탓에 일이 이리 변질되었다 변명할 테고. 당신을 보면 돈 버는 게 정말 쉽군요. 내가 사채업으로 이 자리까지 얼마나 힘들게 올라왔는데."

자플란 남작의 말에 벤자민은 뒷짐을 지며 대답했다.

"그야, 크게 해 먹으려고 하니까 화를 입는 거고, 욕심 때문에 놔 버려야 할 순간을 판단하지 못해서 그런 거겠죠."

"시일이 너무 촉박하지 않습니까? 선전 포고까지 떨어진 마당에 그 전까지 한몫 챙겨서 돌아갈 수 있기나 한 겁니까? 오랫동안 사업을 키워도 모자랄 판에 단기간 판을 키워서 자금을 서둘러 회수하려는 자체가 무리란 말입니다!"

험악한 자플란의 표정에도 불구하고 벤자민은 그저 웃을 뿐이었다.

"그보다 항상 더 멀리 봐야 합니다."

"그래서, 권리금 조로 사업을 넘겨주며 받는 돈을 샬리드에게 몽땅 다 넘겨주겠다? 지금 자선 사업 합니까?"

자플란이 인상 쓰며 말하자 벤자민은 포도주 잔을 뱅뱅 돌리며 대답했다.

"그가 탐내는 건 아크란에게 뒤지지 않을 재력입니다. 재력을 줄 테니 제가 벌이는 사업의 뒤 좀 봐 달라고 했죠."

"그럴 거면 당신이 번 돈만 넘겨줄 것이지, 왜 제 자금까지 통째로 다 준단 말입니까? 저도 호구로 보이십니까?"

자플란 남작의 턱에 힘줄이 붉어졌다.

"그럴 리가요. 밤의 제왕의 돈을 떼먹고 제명대로 무사하게 살아가기를 바라는 자체가 어리석은 일이죠. 명목상 돌려

받지 못하겠지만, 또 다른 방식으로는 새로운 수입이 생길 테니 걱정 마십시오. 어떻게든 반드시 회수해 드릴 겁니다."

벤자민은 여유롭게 포도주를 한 모금 들이켰다. 그러고는 저쪽에서 여자들에게 둘러싸여 허풍을 떨고 있는 과이야를 불러들였다.

"한잔하시죠. 과이야 베링필드 씨."

과이야는 지금까지 거들먹거리던 태도를 싹 지우고 벤자민에게 굽신거리며 잔을 받아 들었다. 그리고 발코니로 따로 나가 셋이서 건배를 가볍게 했다.

벤자민이 먼저 입을 열었다.

"그래서, 금속 탄피를 구하러 왔다는 겁니까?"

"네네. 그러합죠. 탄피를 개량하려고 연구하다가 부상을 당했던 관계로, 더는 연구하지 못하고 실물이라도 보고 베끼려 했던 겁니다."

과이야의 말에 벤자민은 비웃듯 말했다.

"굳이 뭐 그런 고생을 사서 하나. 어차피 오르티우스 요새전이 끝난 후에 금속 탄피는 제국의 손에 입수될 것이고, 그러면 제국에서는 곧 기관 단총을 개발할 텐데. 쓸데없기는."

"네? 기관…… 기관 뭐요?"

과이야가 눈을 크게 뜨고 벤자민에게 되묻자 벤자민은 혼자 피식 웃었다.

"그쪽이 그런 것까지 알 필요는 없고. 하여간 쓸데없는 짓하길 좋아하는 여자라니까. 그건 그렇고, 그 여자가 앞으로 있을 일에 대해 더 떠들어 댄 것은 없습니까? 가령, 황태자

이야기라든가…….”

“딴건 모르겠지만, 두 사람이 가짜로 연애한다는 사실은 잘 압니다. 후장식 소총을 개량하는데 황제 폐하의 윤허가 떨어지지 않아 황태자 전하께서 비밀리에 아르티드 영애에게 전권을 일임한 겁니다.”

그의 말에 벤자민은 야릇한 미소를 지었다.

“그나저나, 전화기의 겉모습은 그럴싸하게 만들긴 했지만, 저는 그 원리라곤 전혀 모르는뎁쇼. 이러다 들통나면 어쩝니까?”

과이야의 말에 벤자민은 당연한 것을 묻는다는 듯 정색을 했다.

“그야 적당히 하다가 알아서 잠수 타든가. 본래 자기 살길은 자기가 알아서 하는 법. 적당히 연구 자료를 가져와야 한다면서 자릴 뜨면 될 일이지 그걸 내게 묻습니까? 그리고 저는 그저 자문 위원. 당신이 붙잡혀 내 이름을 댄다 하여도 나는 당신을 모릅니다. 그 정도는 각오하셔야 할 것 아닙니까?”

벤자민은 말끔히 포도주 잔을 비웠다.

“기왕 시작한 김에 한 가지 더 부탁합시다. 금속 탄피를 입수했다면서 그들에게 다시 접근하십시오. 그리고 내 명령을 기다리면서 그들의 동태를 파악해 주십시오.”

과이야는 손사래를 쳤다.

“에이, 금속 탄피가 수중에 있지도 않는데, 그들이 저를 받아 줄 리가요.”

벤자민이 웃으며 품에서 금속 탄피 한 개를 꺼냈다.

"자. 이거면 되겠습니까?"

과이야는 희색을 띠며 그 금속 탄피를 받으려고 손을 내밀었다. 그러자 벤자민은 금속 탄피를 줄 듯 말 듯 손을 뒤로 뺐다.

과이야는 눈치를 힐끔 보며 대답했다.

"다시 접근하는 것은 위험 수당이 큰데……."

"애초에 당신을 황태자와 연결시킨 것은 나이고, 어차피 당신은 총기 전문가로서 황태자가 또 부를 테니 미리 지급한 선금을 갚지 않아도 되는 것으로 합시다. 그들은 총기 개발하다 걸리면 반역죄로 몰릴 수 있어서 당신의 존재를 잘 감춰 줄 거요. 아르티드 영애 그 여자가 허튼짓 포기하고 일찌감치 페로하트로 돌아가게 만드십시오. 그 여자가 뭔가 낌새를 채고 일에 훼방이라도 놓으면 곤란합니다. 그리고 전에 부탁한 것, 잊지 마시오. 빅터 브롬웰이란 자가 유적 입구를 발견하는 즉시 내게 알려 주십시오."

벤자민의 말에 과이야는 멋쩍게 웃으며 말했다.

"저 아니면 할 사람도 없을 텐데. 조금만 더 주시죠?"

벤자민은 미간을 찡그리며 입꼬리를 끌어 올렸다.

"선수끼리 왜 그러십니까? 장사 한 번 하고 말 겁니까? 앞으로도 큰 건엔 불러 줄 터이니 이쯤 합시다. 내가 짠 판에 더 이상 끼기 싫으면 말고. 말더듬이 잭이 얼마를 벌었는지 봐 놓고 초짜같이 굴기는."

과이야는 비굴한 미소를 보이며 굽신거렸다.

"예예……. 분부대로 합죠. 그런데 그 아가씨 근처에 항상 티베리 대령이 있단 말입니다. 그리고 제가 아가씨는 어떻게 속여 보겠는데 그 집사 놈은 눈썰미가 어찌나 좋은지 웬만한 거짓말도 안 먹힌단 말입니다. 어찌할깝쇼?"

"적당한 순간에 그들을 도와줄 이벤트를 만들어 드릴 테니 그때 합류하십시오."

벤자민은 그 말을 하며 금속 탄피를 과이야에게 주었다.

"이 물건, 관련자 외에 소지하다 걸리면 가차 없이 총살해버리는 거 잘 알 테죠?"

벤자민은 웃으며 말했다.

"나는 당신에 대해 모든 것을 알고 있습니다. 혹시라도 딴마음 품으면 알아서 하십시오."

과이야가 발코니 밖으로 나가자 잠자코 듣고만 있던 자플란 남작이 입을 열었다.

"유적지 위치를 알고 있다더니, 왜 저자에게 유적지 발굴 상황에 대해 염탐을 시키는 겁니까? 유적 입구를 발견할 때까지 기다리는 건 또 뭡니까? 앞뒤가 맞지 않는 것 같은데."

벤자민은 뜻 모를 웃음을 흘렸다.

"그럴 일이 있습니다. 거기까지 알려 드릴 수는 없고."

"아무리 봐도 이상해."

칼리아스는 심각한 표정을 지으며 의자에 다리를 꼬고 앉아 있었다.

"그렇죠? 이상하죠?"

벨라는 칼리아스를 쳐다보며 말했다.

"아니, 그 서점 말고, 페로하트 말이다."

칼리아스는 무언가 골몰히 생각하다가 호위 기사로 변장한 비리비리한 보좌관 에클레르에게 말을 건넸다.

"에클레르, 페로하트에서는 내가 사라진 것이 아직도 비밀에 부쳐져 있는 모양이다."

"에에? 네……. 그런가 봅니다."

에클레르는 칼리아스가 무슨 말을 할지 바짝 긴장했다.

"지금 한창 군대를 소집해서 실전 대비 총 군사 훈련을 하고 있을 시기인데, 이렇게 아무런 소식이 없어도 되는 건가?"

칼리아스는 초조하게 말했다.

"전투를 개시하기로 한 날짜가 3주 앞으로 다가오지 않았는가! 이제 슬슬 집결지로 군대가 이동할 때이다. 하물며 카이런을 대신 황태자의 자리에 올린다 하더라도 지금쯤 나를 찾으려 비밀리에 사람이라도 보내야 할 시점인데, 여전히 아무 일도 일어나지 않는군."

칼리아스의 말에 에클레르는 잔뜩 눈치를 보며 말했다.

"다행이지 않습니까? 전하의 안전을 위해서는 그편이 나을……."

"그편이 낫긴 뭐가 나아!"

칼리아스는 벌떡 일어나 화를 냈다.

"기르던 개가 가출을 해도 사람을 풀어 찾을 터인데 나는 어찌하여 아무도 찾지 않는 것이냐!"

에클레르는 화들짝 놀랐다. 창가에서 엎드려 따뜻한 볕을 쐬다 잠든 푸딩이 덩달아 벌떡 일어났다.

"월월월월."

고개를 빼 들고 짖는 것을 루카스가 "조용!"이라고 명령하자 푸딩은 눈치를 힐끔 보다가 다시 제자리에 엎드렸다.

"저 그럼, 여기로 마중 오라고 소식을 보낼까요?"

"그걸 지금 말이라고 해? 내가 찾으러 오라고 가출했겠느냐?"

칼리아스가 분통을 터뜨리자 에클레르는 어깨를 움츠렸다.

"그…… 그럼, 어떻게 해야 하는 걸까요, 전하."

"그걸 보좌관인 네가 생각해 내야 하는 것 아니냐! 내가 문제를 느끼고 그 해결안까지 만들 거라면 보좌관을 왜 데리고 다니겠나? 어느 때 보좌하려고 그러느냐!"

루카스는 벨라 앞으로 온 우편물을 하나하나 뜯어 살펴보며 고개를 절레절레 저었다.

페로하트의 국운을 짊어졌다는 황태자는 벨라보다 나이만 두 살 더 많을 뿐, 성인이라 해도 사회 초년생일 뿐이었다. 졸지에 철부지 둘의 보호자가 되어 버린 루카스는 가볍게 한숨을 내쉬었다.

눈치 보며 엎드려 있던 푸딩이 슬리퍼를 보더니 슬금슬금 다가갔다. 푸딩이 채 다가가기도 전에 루카스는 푸딩이 노리던 슬리퍼를 집어 다른 데로 옮겼다.

"응? 그 슬리퍼 왜 가져가요?"

벨라는 루카스에게 물었다. 루카스는 무표정하게 말했다.

"아가씨께서 푸딩에게 신발에다 볼일을 보게 훈련시키신 것 다 압니다."

벨라는 피식 웃었다.

"그건 예전에 루카 골탕 먹이려고 장난쳐 본 거고, 그 이후로는 훈련 안 시켰다고요."

루카스는 대답하지 않고 슬리퍼를 높은 곳에 올려 두었다.

"어지간한 만우절 장난에 속지도 않고 질색하지도 않으니까 그러죠."

벨라는 짓궂게 미소 지었다. 루카스는 말없이 벨라에게 온 우편물을 뒤적여 볼 뿐이었다.

그러다가 한 편지를 뜯어 보고는 바로 벨라에게 가져왔다.

"아가씨, 빅터 브롬웰 교수님의 편지입니다."

벨라는 편지를 펼쳐 보았다.

[……예전에 아가씨께서 그리젤리 저택에 불이 나서 없어질지도 모른다고 말씀하신 창고를 정리하다가 이상한 점이 발견되었습니다.

불이 날 것에 대비해 창고에 있던 물품을 정리하고 깨끗하게 닦았습니다.

그 와중에 나무 재질의 마룻바닥이 파손되어 아예 들어내어 보수 공사를 하던 중, 바닥에 색이 다른 흙을 깔아 도형이 그려진 것을 발견했습니다.

소위 말하는 마법진 같은 형태입니다.

그 가운데에 상자가 하나 묻혀 있습니다만 도무지 열리지 않습니다.

아가씨의 분부대로 외부의 도움은 요청하지 않았습니다만 귀국하시는 대로 서둘러 확인 부탁드립니다.]

"마법진?"

벨라의 눈이 휘둥그레졌다.

"이런 게 저택에 있었는데 여태 몰랐던 건가요?"

"저로서도 금시초문입니다."

루카스의 말에 칼리아스는 귀를 쫑긋했다.

"대체 무슨 이야기 중인가? 내가 알아서는 안 될 일인가?"

벨라는 웃으며 칼리아스에게 대답했다.

"저희 집 저택 창고 보수 공사 하던 이야기입니다. 별건 아닙니다."

벨라의 환한 웃음을 본 칼리아스는 저도 모르게 귀밑까지 빨갛게 물들고 말았다. 얼굴이 화끈거렸다.

또 어느 시점에서 무슨 말에 자신의 얼굴이 반응한 건지 모를 일이었다.

수시로 자신의 의지와는 상관없이 얼굴이 붉어지고 숨이 거칠어졌다. 원인을 알 수 없는 병이었다.

'아르티드 영애의 피부가 이렇게 하얗게 빛났었나? 눈동자 색이 원래 저렇게 보석처럼 반짝이는 보라색이었나? 약간 도드라져 보이는 송곳니가 귀엽게 보이다니 내가 미쳤나?'

칼리아스는 순간 멍했다. 묘한 감정이 교차하고 있었다. 갑자기 헉헉 숨이 가빠졌다.

"전하께서도 공황 장애가 있나 봅니다? 잠시 휴식하세요."

얼결에 칼리아스는 벨라의 부축을 뿌리치고 의자에 가서 털썩 주저앉았다.

무언가 벨라의 주변으로 반짝이는 가루라도 뿌려진 듯 찬란하기 이를 데 없었다. 창가에 깃드는 햇살도 그녀 주변에 몰려서 반짝이는 듯했다.

칼리아스는 눈을 비벼 보았다. 어쩐지 이 느낌이 낯익었다. 처음 느끼지만 이 낯익은 감정은 대체 무엇인가 혼란스러웠다.

칼리아스는 자신이 아는 것에 이 감정을 하나하나 대입해 보았다.

어쩐지 안도감이 드는 것 같았다. 무언가 포근한 공기가 자신을 감싸고 있는 것 같고, 이 공기 안에서는 무엇을 해도 안전할 것만 같았다.

'여기는 적국 플란네르다. 안전할 리도 없는데 왜 이런 기분이 들지? 심장은 왜 함부로 뛰어 대지?'

칼리아스는 그저 멍하니 앉아서 심장을 진정시키려고 애썼다.

그 모습을 본 루카스는 벨라가 평소 즐겨 마시는 '진정용' 허브차를 칼리아스에게 권했다. 벨라는 루카스와 이야기를 마저 나눴다.

"루카스, 선조가 마도사라더니 정말 그런가 봐요? 나도 믿어지지 않는데 다른 사람들은 오죽할까? 그런데 마도사의 혈통이면서 왜 지금은 마법을 쓸 수 없는 걸까요? 신기하네."

벨라는 호기심에 자신의 손을 펼쳐 이리저리 뒤집어 보았다.

"그…… 그래서 아르티드가는 출셋길을…… 포…… 포기한 것이다."

가쁜 숨을 진정시키며 칼리아스가 대답했다.

그 말에 벨라는 눈을 크게 떴다.

숨을 고르며 칼리아스가 말했다.

"너에 대한 조사를 하면서 궁금했다. 아르티드가는 왜 옛날부터 공직에 나서지 않았는지. 그런데 그 해답을 아바마마께서 주셨다."

벨라의 눈을 똑바로 쳐다보면 또 심장이 마구 뛸 것 같아서 칼리아스는 시선을 루카스에게 돌렸다.

"너와의 열애설이 터졌을 때, 아바마마께서는 나를 훈계하시다가 황후마마와 황녀까지 거들어 너의 편을 들자 불쾌해하시며 문서를 하나 보여 주더군."

칼리아스는 루카스가 준 허브차의 향기를 음미하는 척했다. 그리고 한 모금 마셨다.

"으엑!"

칼리아스는 한 모금 들이켜자마자 오만상을 찌푸렸다.

벨라 앞임을 깨닫고 그는 뜨거워서 그런 척, 태연하게 다시 입에 가져다 대는 시늉을 했다.

"정말로 있더군. 초대 가주가 충성을 맹세하며 공직에 나서지 않고 포리나 장원에서만 머물겠다는 서약을 한 고문서가 있었다."

"네?"

벨라의 눈이 반짝였다.

"그런 것이 정말로 존재하나요? 초대 가주의 서약서가 여태 남아 있는 것이 가능한가요?"

칼리아스는 허브차가 담긴 찻잔을 우아하게 내려놓으며 대답했다.

"마법이 걸린 스크롤이어서 가능했다. 황실 서고에 보관된 기밀문서이기도 하고, 내가 황태자이니 보여 준 것이기도 했다. 황실 서고는 카이런과 클라라는 볼 권한이 없지."

"뭐라고 쓰여 있던가요?"

벨라의 말에 칼리아스는 최대한 차분함을 가장하여 말했다.

"본래 그 내용조차 따로 언급하면 아니 되는 일이나, 그대의 조상이 서약한 내용이고 그대가 그 계승자이니 말하겠다."

[나, 리 엘 아르티드는 카나이브 황가 앞에서 서약하노니, 지금 이 순간 모든 마력을 봉인하고 자손의 마력 사용을 금지하는 마법을 스스로에게 걸겠습니다.

포리나 장원을 걸고 맹세하노니, 아르티드의 자손은 포리나를 떠나지 않을 것이며, 영원히 포리나에 머물러 황가의 관직은 탐하지 않겠습니다.

설령 곁에 머물라 붙잡아도 우리는 포리나로 돌아갈 것입니다.]

칼리아스는 자신이 외운 내용을 읊었다. 벨라의 눈이 그 어느 때보다 휘둥그레져 있었다.

"마력을 봉인하는 마법을 스스로 걸었다고요?"

"그렇다."

벨라는 다시금 자신의 손을 들여다보았다.

가보가 마법 지팡이인데 조상 그 누구도 그 마법 지팡이를 사용하지 못한 이유는 초대 가주의 서약서에 있었던 셈이었다.

칼리아스는 헛기침을 몇 번 한 후 입을 마저 열었다.

"그는 제국 역사상 가장 강력한 마법사였다고 전해져 오는데, 초대 황제께서 그를 무척이나 두려워하셨다고 한다. 하긴, 뭐 군대도 들어 올려서 자유자재로 위치를 이동시키고, 쏟아지는 화살 비도 그의 손짓 하나면 적의 머리 위로 되돌아가게 했다고 하니 황제로선 두려울 만도 했을 것이다."

그의 말에 벨라는 그저 눈을 크게 깜빡일 뿐이었다.

"아군일 땐 좋지만 적으로 돌린다면 얼마나 끔찍한 일이 되겠는가. 그런데도 그는 끝까지 황제에게 충성을 다하고서, 페로하트 제국이 세워졌을 때 스스로 지팡이를 내려놓으며 맹세하고 모든 관직에서 물러났다고 했다."

칼리아스는 벨라가 자신을 초롱초롱한 눈으로 바라보자 뺨이 붉어졌으나 어쩐지 기분은 하늘을 날 듯 가벼워졌다.

"아, 이건 다른 문서의 내용이지만, 초대 아르티드 가주가 대단했던 것이, 그 당시에 불이나 물 속성의 마법사는 제법 있었는데, 공간과 시간을 비트는 마도사는 초대 아르티드 가주가 거의 유일무이하다시피 했다고 하더군."

말하는 자신도 어쩐지 직접 읽어 보지 못했다면 믿지 못할 말이라서 칼리아스는 얼굴을 붉혔다.

"고대의 기록이라 어디까지가 허풍이고 어디까지가 진실

인지는 모르겠지만 여하튼.”

벨라는 칼리아스의 말이 놀라웠다.

“다른 내용은 없었나요?”

벨라의 말에 칼리아스는 헛기침을 했다.

“고대의 기록이라 남은 것이 그리 많지는 않아서…… 어험…… 콜록.”

밖에서 문 두들기는 소리가 났다. 루카스가 문을 열자 데비가 들어왔다.

“부탁하신 자료들입니다.”

“무슨 자료예요, 루카스?”

벨라의 물음에 루카스는 서류를 훑어보며 말했다.

“두 가지입니다. 이것은 리체 아가씨께서 보실 내용입니다. 롬바르트가에 대해 조사한 내용입니다. 여기가 플란네르여서 그나마 자료가 남아 있군요.”

“내용이 무언데요?”

“경제를 조종하는 보이지 않는 손에 대한 주장을 굽히지 않다가 사회 혼란을 야기한 죄목으로 롬바르트 백작이 처형되었다는 내용입니다.”

루카스의 말에 벨라는 호기심을 감추지 못했다.

“보이지 않는 손? 그게 뭐죠?”

“글쎄요. 자세한 내용이 더는 없어서 말입니다. 거의 극비에 부쳐 처형하고 관련된 기록을 삭제했다고 되어 있습니다.”

“그렇게 중요한 죄목이었을까요? 왜 죄를 처벌하면서 죄에 대한 기록도 다 없애 버린 걸까?”

벨라는 고개를 갸웃거렸다.

"리체는 정작 어디 갔지? 아까 몰리랑 제스로 씨랑 잠시 나간다더니 어딜 간 거죠?"

루카스는 그다음 차례의 서류를 펼쳤다.

"손님 모시러 기차역으로 갔습니다. 돌아오실 시간이 다 되었습니다. 이것은 벤자민 엘 프로스트 영식에 관한 겁니다."

마침 입구 쪽에서 어수선한 소리가 들려왔다. 리체가 이쪽이라고 말하는 목소리가 얼핏 들렸다.

문을 노크하는 소리가 들리더니 리체가 들어오며 말했다.

"셀레스몬 백작 인사드립니다."

리체가 부축해서 들어오는 사람은 앤드류 엘 셀레스몬 백작, 리체의 아버지였다.

벤자민은 협상을 해 보았으나 딱히 원하는 금액을 제시하는 자가 없었다.

'이 정도면 슬슬 입질이 올 때인데…….'

페로하트에서는 그가 벌이는 사업을 탐내는 사람들이 꽤 있었다. 어느 정도 회원제로 사람을 끌어들이고, 회원 가입비를 걷고 일확천금의 꿈을 부풀리게끔 세뇌 교육을 하다 보면 일정 시기에 이르러 광적으로 사람들을 끌어들여 투기식으로 참여하는 자가 생겼다.

그 일이 과열되어 사회적 물의를 빚기 전에 살짝 발을 빼야 안전했다. 자문 위원이라는 이름으로 남아 자신은 유사시에 꼬리를 자를 준비를 해야 하는데 생각보다 그 사업을 탐내는 이가 없어 대표직에 있는 시간이 길어지고 있었다.

그런데 플란네르에서는 무언가 조심스러웠다.

전화라는 신기술을 들이밀었을 때 놀라워해야 하는데 호기심만 보이고 당장의 우선순위로 생각하지 않았다.

전화가 인기를 끌어야 전화선 회로망이 같이 인기몰이를 할 텐데 전화가 인기가 없으니 미래에 전망이 밝다고 설득을 해도 사람들이 회원 가입을 잘 하지 않았다.

차라리 페로하트에서 사업을 벌여야 했는가 하는 후회가 조금 밀려왔다.

이상했다.

'첨단 기술의 개발에 가장 목매달아 한 것이 플란네르 아니었던가?'

전화기가 나오자마자 제일 먼저 그것을 전선에 도입한 게 플란네르였다. 페로하트는 전보를 쳐서 연락을 주고받을 때, 플란네르는 전화로 긴급한 연락을 주고받아 빠른 전략적 지시를 내리고 그것이 적은 수의 병력으로 페로하트의 대군을 무너뜨린 원동력이 되었다.

황태자가 죽은 후, 페로하트는 부랴부랴 후장식 소총에 대해 관심을 가졌고 전보 체계를 전화 체계로 바꾸느라 막대한 비용을 치러야 했다. 그 바람에 벤자민 그가 벨라로부터 빼앗은 재산을 헌납하고 클라라 황녀와 결혼할 수 있었다.

물론, 필요한 전화망을 설치한 것은 아직 군대뿐, 일반인에게 보급되지는 못한 시점이었다.

군대에 전화망을 설치했으니 민간에서도 알음알음 전화를 설치하고 망을 연결하는 데 관심을 보일 만한데 이상하게도 시장이 차가웠다.

'혹시, 벨라가 그 냉담한 여론 조성에 한몫한 것은 아닐까? 물증은 없지만.'

벤자민은 탁자에 왼팔을 걸치고 턱을 괸 채 다리 꼬고 앉아 멍하니 창밖을 바라보았다.

'천벌 받을 거야!'

꿈속의 벨라는 그렇게 울부짖었다.

'난 진심으로 당신을 사랑했는데!'

피 토할 듯 그녀가 외쳤었다.

'진심이었는데!'

그녀를 떠올리면 상반된 감정이 교차되었다.

생각해 보면 꿈속의 그녀는 지나치게 순종적이었다. 웃어도 진심으로 활짝 웃는 것 같지 않았고 피자마자 조용히 시들어 가는 생기 없는 꽃과도 같았다. 물에 빠진 사람처럼 그의 사랑을 갈구하고 매달려서 거머리 같았다. 얼굴은 제법 예뻤지만 얼굴 외에 좋은 것은 하나도 없었다.

그런데 현실에서 그녀의 모습은 활기 그 자체였다. 주변까지 반짝거리게 만드는 묘한 힘을 가진 채 시종일관 즐겁게 웃었다. 게다가 사업 수완까지 뛰어나서 직접 일하고 사람을 상대하는 모습이 그 나이답지 않고 노련했다.

사업은 대충 고용인들에게 시켜서 운 좋아 벌이가 좋았다고 치더라도, 직접 귀부인들을 상대로 화장시켜 주고 그들을 사로잡을 만한 제품을 끊임없이 출시하는 것이 여간내기가 아니었다.

'어떻게 그리 다를 수가 있는가?'

꿈속에서 그는 클라라 황녀와 결혼했다. 그녀와의 결혼은 고난의 연속이었다. 황녀는 제멋대로였고, 비위 맞추기가 힘들었으며 그의 취향에 단 한 가지도 맞춰 주지 않았다. 돈에 팔려 와 결혼했다며 대놓고 그를 밀쳐냈고 걸핏하면 짐 싸 들고 황궁으로 돌아가 버렸다.

그녀를 얻기 위해 아르티드가의 막대한 재산은 별로 써 보지도 못하고 모조리 헌납했는데, 수중에 남은 돈이 없자 황실에서는 푸대접이었다.

돈 될 만한 일은 닥치는 대로 해야 했다. 벌인 사업이 위태로울 때마다 자플란 남작에게 돈을 빌려 쓰며 겉으로는 떵떵거리고 살고, 속으로는 부채를 누군가 눈치챌까 두려워하며 살았다.

그 반복되는 꿈이 악몽처럼 느껴졌다.

'미래를 보아서 즐거웠느냐고?'

벤자민은 혼자 쓰디쓰게 웃었다.

'돈 없는 삶이 얼마나 구질구질한지를 계속 반복해서 겪는데 그 꿈이 미래를 알려 준다 해서 다시 꾸고 싶겠어?'

그래서 두려웠다. 돈 없는 삶이 두려워서 집착하듯 돈을 벌어들였다. 그 결과로 프로스트가의 후계자 지위도 확고히

했고, 프로스트가의 본래 자산의 두세 배 이상의 금액을 스스로 벌어 손에 쥐게 되었다.

그런데도 여전히 두려웠다. 돈 없이 남겨질 삶이…….

어느 날 꿈을 꾸고 난 후 하루아침에 지쳐 버린 기분이었다. 이 생이 너무 길었다. 이미 꿈에 본 것을 반복해서 살려니 지루했다.

그러나 꿈을 확인하듯 찰스 엘 아르티드를 따라가서 만난 벨라의 모습은 꿈과 확연히 달랐다.

혈색이 좋은 두 뺨. 당당하게 치켜든 고개. 항상 미소를 머금은 눈매.

싱싱하게 활짝 피어 향기를 뿜어내는 꽃.

솔직히 말하자면 당황스러웠다.

'같은 예지몽을 꾼 거라면, 그녀는 왜 이리 싱싱하게 빛나는가? 왜 나 자신은 지루해서 시들어 가는 것만 같은가?'

그 대답을 스스로에게 할 수 없었다.

다만 그녀의 선연한 보라색 눈동자만이 가슴 가득 남아 각인되었다.

피식.

벤자민은 한쪽 입꼬리를 비죽 끌어 올렸다.

'이 호기심은 대체 무엇일까?'

묘하게 그녀에게 호기심이 일었다. 그녀가 자신을 죽이는 순간은 지극히 고통스러웠다. 꿈이지만 그것은 숨이 끊어지는 고통을 실제 느끼는 것과도 같았다.

미래에 대한 꿈을 꿀 때마다 끝은 항상 마지막 호흡을 가쁘게 헐떡이듯 가슴을 쥐어뜯다가 놀라서 깨었다.

그러니 그 꿈과 함께하는 그녀의 모습이 진저리 쳐질 법도 한데 이상하게 그녀를 처음 현실에서 만난 이후로 그녀가 나타나는 것이 반갑기까지 했다.

'나도 꽤나 악취미로군. 혹시 내게 M의 성향이 있는가?'

문득 밤마다 그녀와 S와 M 놀이를 즐겨도 재밌을 것 같다는 유치한 생각이 들어 쿡 하고 웃고 말았다.

'날 죽일 여자와 S와 M이라. 재밌어.'

그는 스스로에게 냉소를 날렸다.

'이 삶이 너무나도 권태로워서 별생각이 다 드는 모양이군.'

벤자민은 꿈속에서 본 내용을 곱씹었다.

꿈속에서 이 여자 저 여자와 실컷 놀아나 보았다. 그를 경멸하듯 멀리하는 클라라 황녀에게 복수라도 하듯 아무 여자나 침실로 끌어들여 문란한 생활을 하는 꿈을 꾸었다. 살색의 향연을 너무 많이 보았는지 현실에서는 여자에게 그다지 흥미가 가지 않았다.

그런데 하필이면 흥미가 생기는 대상이 벨라라니.

"샬리드 님께서 오셨습니다."

비서 클리델의 말에 벤자민은 정신이 들었다. 그리고 얼굴 가득 미소를 띠며 일어서서 그를 맞아들였다.

샬리드는 난처한 표정을 지으며 말했다.

"적당히 하고 사업 인수할 사람을 포섭해서 떠넘긴다 하지 않았습니까? 왜 아직도 진전이 없는 겁니까?"

벤자민은 표정 하나 변하지 않고 여유롭게 말했다.

"샬리드 님, 이 일은 사람들과 고도의 심리전을 벌여야 합니다. 생각처럼 그리 쉬운 작업은 아닙니다."

샬리드는 미간을 찡그리며 대답했다.

"내 명성에 흠집이 가는 일은 없게 해 준다고 하지 않았습니까?"

"그야, 판이 잘 깔렸을 때 이야기지요."

벤자민의 말에 샬리드는 그의 멱살을 와락 잡았다.

"내 아버지께서 특혜니 뭐니 해서 잡음 들리는 것을 매우 싫어하시오. 내가 당신을 위해 통신 사업 인허가를 내준 사실을 아버지께서 아시는 날엔 그날로 눈 밖에 납니다. 몇 번을 말했습니까?"

벤자민은 오히려 당당한 표정으로 멱살 잡힌 손을 확 뿌리치며 말했다.

"그러니까, 이 사업을 적당한 사람에게 팔아넘기고 차익을 드린다 하지 않았습니까?"

"빨리 처분하란 말입니다. 나와 연관된 건 당신이지 당신이 사업을 팔아넘길 사람하고는 무관하니 나도 혐의에서 벗어나게 해 줘야 할 것 아닙니까?"

조급해하는 샬리드에게 벤자민은 불쾌하다는 듯 대꾸했다.

"꼭 이 일이 실패할 것처럼 구시는군요."

"안 그러게 생겼습니까? 우리 외가가 가진 것은 정치적 명성뿐입니다. 그런데 당신에게 내가 특혜를 준 사실이 알려지면 나뿐만 아니라 외가에까지 불똥이 떨어지게 생겼습니다."

그 말을 하는 샬리드를 노려보며 벤자민은 입을 열었다.
"참 사소한 걸로 처벌하십니다. 그 정도는 페로하트에서는 아무 일도 아닙니다."
샬리드는 그의 말에 버럭 화를 내었다.
"여기는 플란네르란 말이오! 플란네르에서는 사업자에게 점심만 얻어먹어도 별별 말이 다 도는 곳이오. 청렴함이 생명인데 당신과 손잡기를 잘못했습니다. 내가 응하지 않으면 티베리와 손잡겠다는 말만 하지 않았어도 당신의 도발에 넘어가지는 않았을 겁니다. 차라리 처음부터 티베리와 손을 잡지 그랬습니까?"
벤자민은 그를 진정시키며 말했다.
"내가 이 사업을 제삼자에게 넘기기만 하면 그 날로 관련은 끝입니다. 현재 플란네르에는 사업자가 얼마 이내에 사업체를 팔아넘기면 안 된다는 법률이 없는 걸로 압니다만?"
샬리드는 그 말에 더욱더 화를 내었다.
"그러니까 하는 말입니다! 아크란 쪽에서 어떻게 냄새를 맡았는지 신규 사업자는 6개월 이내에 사업체를 다른 이에게 팔아넘겨서는 안 된다는 법률안을 통과시키려고 하잖습니까?"
벤자민은 가만히 듣고 있다가 샬리드에게 대답했다.
"흠……. 본래 전화란 빠르고 편리하고 정확한 발명품이라, 누구나 환영할 수밖에 없습니다. 페로하트에서는 전화 때문에 난리인데 왜 플란네르에서는 이렇게 조용합니까? 이미 군대에는 전화가 보급된 것으로 압니다만?"

그의 말에 샬리드는 미간을 찡그렸다.

"군대에 전화가 보급된 것을 어찌 아셨습니까? 기밀 사항입니다. 함부로 발설 시에 큰일 날 발언입니다."

"제가 모르는 정보가 어디 있습니까? 저는 플란네르 곳곳의 일도 손바닥 보듯 하고 있습니다. 그러니 믿고 기다려 주십시오. 적당한 사람이 나타나면 고가에 팔아넘기고 샬리드 님에게는 해가 되지 않게 하겠습니다."

그의 말에 샬리드가 잠시 멈칫거렸다.

"군대에 전화가 보급되게 한 쪽이 아크란 측 아닙니까? 그쪽에 밀릴까 봐 전전긍긍하는 처지에 자본이 달려서 아무것도 못하고 싶으십니까?"

쐐기 박듯 말하는 벤자민의 말에 샬리드의 눈빛이 흔들렸다. 그때를 틈타 벤자민은 다시 입을 열었다.

"이미 우리는 한배를 탔습니다. 이런 때에 저를 믿지 못해 불신하신다면 저는 차라리 페로하트로 돌아가 이곳의 전쟁 준비 상황을 알리고 포상금이나 받는 편이 낫겠습니다. 그렇지 않습니까? 과연 제가 그러길 바라십니까?"

샬리드는 더는 뭐라 하지 못하고 씨근덕거리다가 주먹을 꽉 움켜쥐며 한마디 내뱉고 돌아갔다.

"부디, 빠른 시일 내에 해결해 주십시오. 그러지 않으면 저는 당신을 무슨 구실을 써서든 제거해 버려 위험에 대비할 테니."

벤자민은 차가운 눈빛으로 그의 뒷모습을 바라보다가 비서 클리델을 불렀다.

"클리델, 저자를 과연 누가 흔들어 놨길래 저러는지 이유를 알아봐. 나는 외출하고 돌아오겠다."

벤자민이 만난 것은 아크란이었다.

"오, 프로스트 영식, 여기엔 무슨 일이십니까?"

기골이 장대해서 마치 살찐 것처럼 보이는 아크란의 몸은 실은 다 근육이었다. 그는 평소에도 힘이 장사인 데다 운동광이었다. 게다가 욕심도, 승부욕도 강했다.

"사업은 잘되어 가십니까?"

아크란이 권하는 의자에 앉아 벤자민은 미소를 지었다.

"차질 없이 잘 진행되어 가고 있습니다. 그보다 자플란 남작과 아크란 님 사이의 합작 사업은 어떻습니까?"

순간 아크란은 뜨끔한 듯 눈을 크게 떴다가 이내 자신의 표정을 감추었다.

"자플란 남작이 누구입니까?"

벤자민은 그 모습이 가소로워서 헛 하고 웃음을 내비친 후 말했다.

"금속 탄피 개발할 때 그의 돈을 끌어다 쓴 거 다 압니다. 아무리 당신의 외가가 막대한 재산을 가지고 있다 하더라도 그쪽에 투자하질 않아 자금이 모자랐다는 것도요."

그 말에 아크란은 어색한 미소를 지었다.

"아…… 그렇습니까? 저는 전혀 모르는 일입니다만."
"저는 당신과 협상을 하러 왔습니다."
벤자민은 표정을 가다듬으며 말했다.
"어차피 당신 아버지는 당신을 동전 지갑 정도로밖에 생각하지 않잖습니까?"
그의 말에 아크란은 인상을 팍 썼다.
"동전 지갑이라니! 이런 무례가 어디 있습니까?"
"아닙니까? 그렇지 않고서야 중요한 때마다 당신의 외가에서 재력을 끌어다 쓰면서 맏이에게 장자의 권한을 주지 않는다는 게 말이 됩니까?"
꽤나 아픈 데를 찔렸는지 아크란의 눈에서 불똥이 튀는 것만 같았다.
"그쪽이 지금 하고 싶은 말이 뭔데! 엉?"
그는 흥분해서 책상을 두 손으로 내리치며 일어섰다.
"자플란 남작이 제가 샬리드 님 편이라고 하던가요?"
"자플란인가 뭔가가 누구 편이든 말든 나랑 무슨 상관이고 다짜고짜 나를 모욕하는 이유가 뭔지 당장 말해! 그렇지 않고서는 당장 내 주먹에 박살 날 줄 알아!"
벤자민은 피식 웃으며 아크란을 말렸다.
"워어…… 이러니까 장자 지위를 확실히 하지 못하신 겁니다. 제가 도발시키면 바로 발끈하시는 것처럼. 그런 당신과 마르쿠스 님의 사이를 샬리드 님께서 이간질하고 있지 않습니까? 자신이 후계자가 되기 위해서 말입니다."
"말이면 다인 줄 알아?"

주먹다짐하려 드는 아크란에게 벤자민은 눈웃음을 지어 보였다.

"진정하고 제 말부터 들어 주십시오. 당신께 이익을 드리려고 왔으니 말입니다."

"너는 페로하트의 사기꾼이라며!"

아크란이 버럭 소리쳤다.

"누가 그런 소리를 합니까? 저는 지금까지 페로하트에서 그 어떤 법적 처벌도 받은 사실이 없습니다만?"

벤자민은 전혀 기세에 눌리지 않고 말했다.

"굴러 들어온 복을 그대로 차 버리고 싶으시다면 저는 이만 돌아가겠습니다."

"기왕 왔으니 무언지 이야기만 들어 보겠다. 허튼소리 하면 가만 안 둘 줄 알아!"

아크란이 윽박지르는데도 벤자민은 싱긋 웃으며 말했다.

"제가 벌이고 있는 전화망 사업을 아크란 님께서 인수하시겠습니까?"

"주소는 이 근처인데……."

벨라는 서점 주인이 준 명함을 꺼내 보았다. 좀처럼 집이 있을 것 같지 않은 산등성이였다. 서점 주인을 다시 찾아갔을 때, 서점은 강제로 문이 닫혀 있었다. 불온서적을 불법 거래했다는 공고문이 붙어 있을 뿐이었다.

서점 주인에게 더 많은 것을 물어볼 것을 그랬다는 생각에 이렇게 명함을 들고 주소지를 찾아왔지만 인가가 보이지 않아 당황했다.

"이쪽에 오솔길이 있습니다. 이쪽으로 가면 인가가 나오지 않을까요?"

루카스의 안내로 오솔길을 한참 내려가다가 공터를 하나 발견했다. 벨라는 주변을 둘러보았다. 한때는 건물이 있었던 것 같은데 군데군데 무너지고 불에 그을려 파괴된 흔적이 남아 있는 터였다.

잡초와 자갈이 무성한데 어딘가에 염소 한 마리가 벨라 일행을 보고 놀라서 고개를 쳐들고 도망가기 시작했다.

"염소를 따라가면 농가라도 있을까요?"

벨라의 말에 루카스는 고개를 끄덕였다.

"꼭 그 서점 주인을 만날 필요가 있을까?"

칼리아스는 미간을 찡그렸다. 리체는 칼리아스에게 대신 대답했다.

"제 외할아버지에 대한 것은 제 어머니로부터도 그다지 전해 듣지 못했어요. 어쩌면 제 외할아버지를 잘 알고 계실 분인데 꼭 다시 만나고 싶어요."

칼리아스는 주변을 둘러보았다.

"어릴 때 플란네르에 국빈 방문한 적이 있는데 이 일대가 낯이 익다."

"네? 이곳을 아세요?"

리체는 칼리아스에게 물었다.
"내 기억이 맞다면 여기는 액시즈 레크룩스 공국의 제2의 수도라 불리던 라사비에 성 서쪽 기지인 것 같은데. 한 번 와 본 적이 있지. 그땐 이렇게 완전히 파괴된 것은 아니었는데."
칼리아스의 말에 보좌관 에클레르는 품에서 수첩을 뒤적이며 꺼냈다.
"마…… 맞습니다. 이 근방은 라사비에 성 일대로서, 제피르의 마지막 저항이 있었던 곳이죠. 전하께서 방문 당시엔 성이 남아 있었으나, 제피르의 잔당들이 이곳을 성지로 여기자 일부러 파괴했을 가능성이 큽니다."
"제피르에 대해 잘 아세요?"
벨라는 에클레르의 곁으로 다가섰다.
"아니요, 워낙 20년도 넘은 일이고 금기 같은 이름이라 상식 정도만 알고 있습니다."
에클레르의 말에 벨라는 그에게 물었다.
"정말, 롬바르트 백작님의 일은 잘 모르시는 건가요?"
에클레르는 쩔쩔매며 자신의 수첩을 이리저리 펼쳐 보면서 자료 조사해 둔 것을 훑어보았다.
"그 일도 워낙 오래된 이야기이고 롬바르트가는 갑자기 처형당해 자세한 내용은 모릅니다. 페로하트 국립 기록실 내에도 공개된 자료가 그리 많지 않았거든요."
그의 목소리는 늘 긴장되어 있었다.
"단지 제가 알 수 있는 것은 롬바르트 백작이 서둘러 셀레스몬 백작가와 자신의 외동딸을 혼인시키고 그로부터 한 달쯤 후에 페로하트에서 추방당했다는 내용 정도입니다."

에클레르는 침 발라 수첩 뒤를 넘기며 이어 말했다.

"에른스트 엘 롬바르트 백작께서 최대한 화가 미치기 전에 딸에게 안전한 보금자리를 마련해 주고 싶으셔서였을까요? 어쨌거나, 롬바르트가 출신 중 거의 화를 입지 않은 것은 따님뿐이었습니다."

염소를 따라가다 보니 한 농부를 만날 수 있었다.

"아니, 이 근방에 인가라곤 없는데 여기까지는 웬일이십니까? 저는 밭이라도 갈러 온다지만."

농부가 그들을 보고 깜짝 놀라 말했다.

루카스가 그에게 다가가 명함 속 주소를 가리키며 말했다.

"정말 이 근방에 인가가 하나도 없습니까? 혹시 이 주소가 가리키는 곳이 어디인지 아십니까?"

농부는 루카스가 내미는 주소를 한참 들여다보다가 말했다.

"저기 말하는 건가? 저도 잘 모르겠습니다만 저 언덕배기 넘어가면 오두막 하나가 있기는 합니다. 하지만 사람이 사는지는 모르겠군요."

농부의 말대로 언덕배기를 넘어가자 다 쓰러져 가는 오두막이 하나 나타났다.

그 오두막 근처에는 비에 젖은 종이 뭉치가 가지런히 묶여 여기저기 쌓여 있었다. 그 근처로 다가가 유심히 쳐다본 루카스는 벨라에게 말했다.

"여기서 그 무단 도용된 책자를 찍어 내고 있었는지도 모릅니다."

루카스가 가리킨 것을 보자 그것은 리체의 시집 일부를 대량으로 찍어 낸 것이었다.

"그 서점 주인 자신이 그 무단 도용된 책을 직접 만들었던 건가요?"

리체의 눈이 휘둥그레졌다.

벨라는 그 종이 뭉치들을 열심히 뒤져 보았다. 방치된 지는 시간이 좀 된 것 같았다.

"급히 도망치느라 이것들을 처분 못 하고 놔두고 간 건가 본데?"

오두막의 문은 잠겨 있었으나 루카스가 그 잠긴 문을 비틀어 열자 그 안의 모습이 시야에 드러났다.

작은 인쇄소였다.

"대체 그 서점 주인은 뭐 하는 사람이지?"

벨라는 인쇄소 안에 여기저기 놓인 인쇄하다 만 문서들을 들여다보았다.

[칼데이라 공국의 흑막, 보이지 않는 검은 손.]

벨라의 눈에 띈 그것은 놀라웠다.

[에른스트 엘 롬바르트 백작, 페로하트의 황후 비비안에게 씌워진 누명이 부당하다 주장하다 추방형에 처해졌다. 그럼에도 불구하고 그는 끊임없이 이 일에는 보이지 않는 검은 손이 개입했다고 주장하다가 국가 전복을 시도하는 불온한 사상을 지닌 자로 간주되어 사형되었다.]

벨라는 그 인쇄물의 쪽수가 눈에 띄었다. 143페이지.

"리체, 그 서점에서 산 책 지금 가지고 있지?"

벨라의 말에 리체는 손에 든 가방에서 책을 꺼냈다. 서둘러 그 책을 펼쳐 보자 책에는 143, 144, 145, 146 네 페이지가 없었다.

"아무래도 그 서점 주인, 이 페이지를 책에 넣으려고 뽑았다가 차마 넣지 못한 채로 제본했나 봐."

벨라는 오두막에서 책에는 없는 145, 146페이지의 인쇄물을 찾으려고 뒤지기 시작했다.

무슨 일인가 싶어 벨라가 읽다 내려놓은 인쇄물을 빤히 들여다보던 칼리아스의 표정이 굳었다.

"비비안? 비비안은 나의 모친의 이름인데……."

그들은 한참 동안 인쇄기 근처를 뒤졌다. 책에는 없는 145, 146페이지에 해당되는 페이지가 어딘가에 있으리란 생각에서였다.

"이 사람, 이제 보니 리체의 시집 원본을 가지고 있었구나."

벨라는 책장에서 리체의 시집을 발견했다.

"어? 이거 내가 출판 맡겼던 자필 원고인데? 이걸 이 사람이 어떻게 가지고 있지?"

리체의 눈이 커다래졌다.

"이 사람이 리체 네 시집을 출판해 준 출판업자니?"

벨라의 말에 리체는 고개를 저었다.

"서점 주인 얼굴은 낯설었어. 한 번이라도 본 적이 있는 얼굴이 아니었던 거 같은데?"

"인쇄물을 뭐 이리 많이 만들었다니? 네가 산 그 책 말고도 불법으로 책을 많이 만들어서 찍었나 봐. 각종 인쇄물이 뒤섞여 있어서 뒤죽박죽이네."

리체와 벨라는 정신없이 인쇄기 근처의 종이 묶음을 뒤졌고 칼리아스 역시 보좌관 에클레르와 함께 145, 146페이지를 찾기 위해 애썼다.

"저들입니다!"

순간 오두막의 문이 벌컥 열리며 플란네르의 병사들이 뛰어들었다. 아까 이 오두막을 안내했던 농부가 벨라 일행을 손끝으로 가리키고 있었다.

"이 오두막을 찾아오는 사람이 생기면 바로 신고하라 하신 대로 했습니다."

"플란네르에 사업을 하러 왔으면 사업이나 할 것이지, 불온서적을 만들어서 몰래 공급하는 회색분자의 오두막에는 무슨 일로 왔던 건가?"

철창 밖으로 뒷짐 진 채 그들을 바라보는 군인이 있었다.

"저희도 시를 무단 도용당해서, 누가 유통시키는 건지 궁금해서 찾아와 본 거였어요!"

벨라는 열심히 변명을 해 보았다. 그러나 군인은 막무가내였다.

"저쪽은 에른스트 엘 롬바르트의 손녀이고, 롬바르트가의 적장자인데 단순한 호기심만으로 롬바르트 백작에 관련된 금지된 문서에 손을 댑니까? 이래도 그저 호기심 운운하실 겁니까?"

하필이면 일이 이렇게 꼬이려고 했는지 오해받기 딱 좋은 상황이라 벨라는 핑곗거리가 궁색해졌다.

루카스가 침착하게 말했다.

"제4 보병 연대 티베리 대령을 불러 주십시오. 그가 오기 전까지 한마디도 할 수 없습니다."

유치장에 갇혀서 그저 티베리가 오기만을 기다리며 웅크리고 앉아 있는데 벨라에게 리체가 속삭였다.

"왜 내 시에 쓰인 파랑새가 '제피르'를 상징하는 거라고 오해받았는지 이제야 알 것 같아."

벨라는 리체를 바라보았다. 리체가 의미심장한 표정으로 말했다.

"외할아버지께서 받은 혐의 중에 제피르와 연관 있다는 죄목이 있을 줄 미처 몰랐어. 내가 손녀인 데다 셀레스몬 성이 아닌 롬바르트 성으로 시집을 냈으니 당연히 할아버지의 뜻을 안다고 생각했겠지. 일부러 파랑새라는 단어를 썼다고 의심했던 것일 거야."

"정말 아무것도 모르셨습니까?"

루카스는 리체에게 물었다.

리체는 머쓱한 표정으로 벽만 한동안 바라보다가 말했다.

"엄마는 외가에 대한 언급을 늘 피하셨어요. 아버지도 결혼해 주면 지참금을 많이 해서 보내겠다는 약조를 받고 서둘러 한 결혼이라면서 자세한 이야기를 피하시더라고요. 신혼여행을 길게 다녀오고 나서 보니 외할아버지는 이미 처형당하시고 롬바르트가의 모든 자산은 몰수된 후였대요. 그저 바른말 하다 돌아가셨다고 하실 뿐이었어요."

리체는 그 말을 마치고 지난날 들은 이야기를 곱씹어 보듯 침묵에 잠겼다.

티베리보다도 데비가 먼저 감금된 그들에게 면회를 왔다.

"시간이 지나도 돌아오지 않으셔서 찾아보았습니다. 여기에 잡혀 오셨을 줄은."

"일은 어찌 되었습니까, 데비 양."

루카스의 말에 데비는 조용히 웃어 보였다.

"동생이 시킨 일 이상을 했습니다. 지금쯤 어수선할 겁니다."

"세드릭, 테드, 드디어 은혜에 보답할 시간이야."

데비는 두 남동생에게 굳은 표정으로 말했다. 데비의 두 남동생은 고개를 끄덕였다.

"이러려고 열심히 공부한 거니까, 실수 없도록 해."

세드릭은 플란네르의 경감, 페로하트로 치자면 치안감쯤 되는 지위에 있었고, 테드는 법대생이었다.

테드는 안경을 끌어 올리며 말했다.

"사법고시가 코앞이지만 설령 한 해 재수를 하는 한이 있어도 반드시 누나를 도울게."

세드릭이 굳은 표정으로 말했다.

"누나, 그런데 이 일, 플란네르에는 해가 되는 일이 아니지? 그래도 난 플란네르의 경감이라고. 절대로 조국을 배신하는 일은 할 수 없어."

데비는 웃으며 대답했다. 늘 어둡고 우울해 보이던 그녀의 표정이 그리 환한 것은 흔치 않은 일이었다.

"걱정 마. 이 일은 플란네르에 도움이 되었으면 되었지 해가 되지 않아. 페로하트에서 유사 수신 행위로 돈을 끌어모으던 사기꾼이야. 플란네르에서도 그 짓을 해서 무고한 사람들을 빚더미에 앉게 할 일을 막는 일이니 경찰로서 너의 의무에도 충실하게 될 거야. 그리고 아르티드 후작님께서 말씀하셨어. 옳은 일에는 국경이 없다고 말이야."

데비는 눈빛을 반짝이며 말했다.

"알다시피 우리는 플란네르 사람이야. 하지만 플란네르 그 어느 누구도 우리의 억울함을 알아주지 않을 때 그분만은 알아주셨어. 세드릭. 네가 경찰이 되고자 했던 이유도 다시는 억울한 일에 휘말리지 않고자 함이고, 테드 너 역시 법관이 되고 싶어 하는 이유가 바른 법 집행이 이루어지길 바라는 마음에서잖아. 우리 잊지 말자. 이 일은 우리도 아르티드 영애에게 보답하는 기회야."

세드릭은 테드에게 신신당부했다.

"테드, 그들의 범법 행위를 모두 기록해 둬. 뭐라 헛소리를 지껄이는지도. 증거가 될 만한 것은 뭐든지 남기고, 위급 시에 이 호각을 불어. 들어가서 그들의 하는 행동을 잘 감시하고 있으면 잠복하고 있던 경찰들이 내 신호에 뛰어 들어갈 거다."

테드는 흘러내리는 안경을 연신 추켜올렸다.

"그래도 아무리 맹한 멍청이로 보이려고 쓴 거라지만 이 안경 너무한걸?"

"조금만 참아."

데비는 테드의 등을 토닥였다.

테드는 약속 장소에 혼자 나가서 서 있다가, 전도유망한 사업을 함께하자며 부른 지인을 만나 번화가의 큰 건물 안으로 들어갔다.

'미래의 비전'이라 크게 현수막이 붙은 그곳에는 정계 유명한 사람들이 보낸 화환이며 꽃다발이 가득 놓여 있었다.

테드는 품에 호각을 잘 숨기고 입구에서 건달 같은 사람들이 정장을 쫙 빼입고 서서 가방을 압수하다시피 챙겨 가는 것을 보았다.

별로 친하지도 않은 사람이 앞으로 돈을 많이 벌게 해 준다며 데려온 넓은 강당엔 테이블이 빼곡하게 놓여 있었고, 거기에 각자 사수 역할을 하는 이가 새로 온 이를 맞이해 나는 직급이 다이아고 너는 직급이 사파이어고 하며 회원 유치만 해도 평생 놀고먹을 수 있다고 선전하는 광경이 펼쳐졌다.

미래니 비전이니 평생 주어지는 연금 같은 것이니 말은

휘황찬란했으나, 그 대상인 전화망 사업이 평생을 갈 그런 꿈의 사업인지는 모호하게 들렸다.

'탐욕.'

테드는 안경을 끌어 올리며 욕심에 번들거리는 사람들을 바라보았다.

"자. 한 사람을 데려오면 가입비 30베이에서 10베이를 줍니다. 제 은행 계좌로 보여 드리겠습니다. 그 한 사람이 또 회원을 데려오면 그 사람의 가입비 10베이를 주고 20베이 중 3분의 1이 내게 들어옵니다. 그 데려온 사람이 또 사람을 데려오면 20베이의 3분의 1이 뺀 금액에서 또 내게 3분의 1이 들어옵니다."

강사는 열변을 토해 냈다.

"자. 열 다리만 건너 보십시오. 각각 다들 회원 한 명만 데려오겠습니까? 아닙니다! 각자 한 명만 데려와도 이 정도인데 우리가 알고 지내는 사람이 몇 명입니까? 열 명? 사십 명? 이백 명? 이 얼마나 대단한 일입니까?"

테드는 그 모습을 보며 속으로 피식 웃었다.

'그렇게 대단한데 왜 당신은 놀고먹지 않고 현장에서 계속 뛰나? 사람이 그렇게 무한하게 많은 줄 아나? 게다가 전화망 사업이 끊임없이 사람들에게 돈을 벌어다 줄 줄 아나?'

돈 벌 생각에 이성들이 마비된 모양이라고 테드는 고개를 저었다. 문득 밖에서 기다리고 있을 데비 누나와 세드릭 형이 떠올랐다.

돈 때문에 힘들었던 지난 삶이 주마등처럼 테드의 머릿속을 스쳐 갔다.

테드의 부모님이 사기를 당했었다. 자신은 무역업을 하는데 돈을 얼마 투자하면 원금에다 이자를 크게 쳐 준다는 달콤한 꼬임이었다.

처음 몇 달간은 꼬박꼬박 이자가 나왔다. 그리고 사기꾼이 좀 더 크게 빌려 달라 말했다.

여태 비싼 이자가 예정된 날짜에 어김없이 들어왔으므로 부모님은 의심 없이 그자에게 있는 돈 없는 돈 다 털어서 투자했다.

그러자마자 사기꾼은 잠적해 버렸다.

하던 가게도 빼앗긴 부모님은 크게 충격을 받았고, 돈을 되찾으려고 백방으로 알아보다가 극단적인 선택을 해 버렸다.

떠올리기만 해도 아픈 기억에 테드는 이를 악물었다.

쉽게 돈 번다며 꼬드기는 사람들은 죄다 그때 그 사기꾼으로 보였다.

눈앞에 보이는, 지금 이 사업이 회원만 끌어다 오면 돈을 번다며 큰돈 안 들고도 평생 놀고먹는다 입에 침도 안 바르고 떠들어 대는 모습이 가증스러웠다.

그때 아무 일도 할 수 없는 어린아이였던 삼 남매는 그렇게 세상에 버려졌었다.

집에 먹을 빵 부스러기도 없었다.

고아원에 가고 싶지는 않았다. 셋이서 뿔뿔이 흩어지면, 충격으로 쓰러져 누군가 보살펴 주지 않으면 안 될 할머니는 누가 돌본단 말인가.

경찰서에 끊임없이 드나들었으나 아무도 어린 남매의 이야기에 귀 기울여 주지 않았다.

참다못한 데비는 목에 팻말을 걸고 광장을 헤맸다.

[나를 팝니다. 아무나 데려가시고 아무 일이나 시키는 대로 하겠습니다. 집에는 어린 동생과 할머니가 굶주리고 있습니다.]

사람들이 대체 네가 쓴 그 글이 무슨 의미인 줄 아느냐고 손가락질했다. 이상한 눈길로 훑어보는 사람들의 따가운 시선 속에 울며 걸었다.

구걸하는 방법도 가지가지라고, 누군가 앵벌이를 시키냐고 조사하기만 할 뿐, 아무도 도와주지 않았다.

창피해 봐야 저런 짓을 안 하지, 라고 말하는 사람도 있었다.

어느 순간 누군가가 데비의 어깨를 붙들고 강하게 흔들었다. 또 누군가가 데비를 꾸짖으려는 것인 줄로 알았다.

'무슨 일인지는 모르겠지만, 나는 너를 살 수 없다. 대신 고용하겠다. 너의 보호자가 누구냐? 일단 가서 허락부터 받자.'

플란네르에 여행 왔다는 외국인이었다.

정말로 데비를 따라 그녀의 집으로 와서 데비의 동생들을 직접 만나고 반신불수가 되어 누워 있던 데비 할머니의 손을 잡아 주었다.

'마침 우리 저택에 일손이 하나 필요하던 참인데, 와서 일하겠느냐?'

그렇게 데비는 다비드 엘 아르티드 후작의 뒤를 따라 페로하트로 갔고, 번 돈을 꼬박꼬박 플란네르의 동생들에게 부쳤다.

그 돈으로 할머니는 치료나마 받다 편히 돌아가실 수 있었고, 세드릭과 테드는 갑자기 온갖 장학금을 받으며 학교에 다닐 수 있게 되었다.

자칫 어린 나이에 어둠의 구렁텅이에 빠질 뻔했던 삼 남매는 그렇게 남부럽지 않은 삶을 살 수 있었다.

방학만 되면 갑자기 경품에 당첨되었다거나 무슨 상을 받았다며 학교로부터 페로하트로 가는 여행권을 받게 되었던 이유도 어렴풋하게 짐작이 갔다.

덕분에 방학마다 그리운 누나에게 가서 밀린 회포를 풀고 플란네르로 돌아올 수도 있었다.

누나가 약속한 기간을 다 채워 일하고도 여전히 페로하트에 남아 플란네르로 돌아오지 않았더라도 테드는 누나를 이해할 수 있었다.

지금, 그간 받았던 고마운 마음을 갚을 수 있는 순간이었다.

테드는 그들이 지껄이는 헛소리가 담긴 인쇄 자료와 강의 내용, 강의를 들은 사람들 내역을 꼼꼼히 기록해서 남겼다. 그리고 세드릭 형이 경찰들을 데리고 현장을 급습했을 때 그들 중의 우두머리 격인 사람을 몸으로 덮쳐 도망가지 못하게 했다.

"이것은 신종 사기 형태입니다."

테드는 법대생의 잘 돌아가는 머리로 자신이 대학에서 배운 법학 지식을 최대한 이용하여 이들의 불법 행위를 나열했다.

세드릭의 상관들은 테드에게 설명을 들으면서도 유사 수신 행위라는 신종 사기 수법에 대해 낯설어했다.

세드릭도 개념은 이해하지만 자신이 선뜻 나서서 상관들에게 설명을 못 하는 것을 보면 이해할 수 있었다.

"플란네르에서 한 번도 겪어 보지 못한 판매 형태라서, 이것이 과연 문제가 되는지는 의문입니다."

짐작했던 대로 뭐가 문제인지 보고서 작성부터 해야 할 경찰들이 어느 법을 적용시켜 무엇을 문제라고 제시해야 하는지 갈팡질팡하고 있었다.

"뜨거운 손의 오류라는 이론을 아십니까?"

테드는 진지한 표정으로 입을 열었다.

"흔히 겜블러의 오류라고도 하죠. 게임이란 것이 이기고 질 확률은 승 아니면 패이니 반반인 것 같죠. 계속 게임에서 진 사람이 많이 잃었으니 이번에는 꼭 딴다, 혹은 한 번 이겨 봤으니 다음에도 또 이길 것이다, 라고 생각하는 사실을 일컫습니다."

테드의 눈빛은 냉정했다.

"게임은 그렇게 단순하지 않아요. 확률, 확률 하며 과학적인 척하지만 실은 이미 짜여진 판 안에 들어갔기 때문에 그는 딸 확률이 거의 없습니다."

테드는 말을 계속 이어 갔다.

"아직 플란네르에서는 생소한 개념이지만, 페로하트에는 만연한 사기 행위입니다. 언젠가는 돈을 벌 수 있다, 지금 내가 못 버는 것은 아직 믿음이 약해서이다. 언젠가는 반드시 잭 팟이 터질 것이다. 이 심리를 교묘히 이용하는 행위란 말입니다."

테드의 말에 세드릭은 준비했던 보고서를 꺼냈다.

"지난번에 제출했던 페로하트 측 피해에 대한 보고서 외에 추가로, 페로하트에서 영사기 대여 사업이라면서 수많은 투자자를 모아 놓고 가입비로 돌려막기 하다가 잠수해 버린 희대의 사기 사건의 피해자가 직접 와서 작성한 진술서입니다."

상관은 그 보고서를 뒤적여 보았다.

"그 사건으로 인해 진 빚이 막대해 채권자들에게 쫓기는 상태라서, 신변 안전을 보장해 주면 다시 나와서 증인이 되어 주겠다고 약조했습니다. 이름은 앤드류 엘 셀레스몬입니다."

세드릭의 상관은 보고서 내용에 입을 벌렸다.

"연락을 취했으니 지금쯤 그가 여기로 와서 필요한 진술을 해 줄 겁니다. 피해자 몇 명도 함께 왔다고 했습니다. 다른 피해자들도 페로하트로부터 대거 초빙해 올 수도 있다고 했습니다. 피해자 모임 대표라더군요."

"이게 정말 사기 행위라면 엄청난데?"

세드릭은 놀라워하는 상관에게 설명을 더해 갔다.

"셀레스몬 백작, 이자가 벤자민 엘 프로스트의 사기 행각을 폭로하겠다면서 한 다수의 증언 중에서 흥미로운 것이 있는데 말입니다……."

"그게 뭔가?"

상관이 흥미를 보이자 세드릭은 준비해 온 것을 슬쩍 내보였다.

"그자가 여기서 불법 행위를 하게 된 뒷배경으로 마르쿠스 님의 아들 샬리드의 비호가 있었다고 합니다. 이것이 그가 허가받을 때 제출한 서류 내용이고, 여기 서명한 자가 샬리드 님이라는 것을 앤드류 엘 셀레스몬이란 자가 증명할 수 있다고 합니다."

"직접 목격이라도 한 것인가?"

상관이 되물었다.

"한 맺힌 피해자들이 인맥을 총동원했다더군요."

세드릭이 대답했다.

벨라는 데비의 말에 손뼉을 치며 기뻐했다.

"와, 디노르센 전투가 일어나기 전에 벤자민이 벌일 사기 사건을 막았으니 이제 우리는 금속 탄피만 확보하면 되겠네요! 이제 디데이가 2주 남짓 남았으니 서둘러야겠어요."

벨라는 칼리아스 쪽을 쳐다보며 속삭였다.

"케이 군, 디노르센 전투에서 전사하면 안 돼요. 꼭이에요. 제발 살아남으셔야 해요. 시일이 촉박하지만, 스타더스트 공장을 최대한 돌려서 빠른 시일 내에 개량된 후장식 소총을 사용할 수 있게 만들겠어요."

칼리아스는 벨라의 속삭임에 목 뒤까지 빨개졌으나 태연한 척 입을 열었다.

"어차피 그 자리 박차고 나와서 전투에 내가 나가리란 법도 없다. 일단 여기서 나가고 보자."

"일단 케이 군은 그것을 구하는 대로 페로하트로 돌아가요. 저는 여기서 몇 가지 정리하고 돌아갈게요."

그때, 경찰서에 티베리가 들어섰다.

"나의 아름다운 보랏빛 코스모스 레이디! 나를 애타게 기다렸겠군."

여전히 버터 발라 먹은 듯한 미소를 지으며 티베리는 두 팔을 벌렸다. 티베리의 보증으로 벨라 일행은 일단 추후 추가 조사를 받는 것으로 하고 풀려날 수 있었다.

"고마워요, 티베리."

벨라는 느끼하지만 신세를 졌으므로 최대한 예를 갖춰 인사를 했다.

"어딜 가시려고?"

벨라는 루카스와 함께 따로 마차를 대절해 숙소로 돌아가려 했으나 티베리가 자신이 데려온 병사들에게 손을 들어 보이자 그만 그들에게 포위되고 말았다.

"호텔로 갈 건데요?"

영문을 몰라 벨라의 눈이 커다랗게 확대되었다.

"훗. 레이디께서 가실 곳은 그곳이 아니지."

티베리는 눈을 갸름하게 뜨며 말했다.

"대체 왜 이래요?"

티베리가 자신의 손을 잡아끌자 벨라는 그를 뿌리치려 애썼다.

"실은, 제가 레이디께서 부탁하신 오르티우스 요새 탈환전을 막았습니다만?"

그의 말에 벨라는 의아한 눈으로 그를 바라보았다. 그는 눈을 게슴츠레하게 뜨며 말을 이어 갔다.

"생각해 보니, 오르티우스 요새 탈환전을 막는 가장 쉬운 방법이 있더군요."

티베리는 칼리아스를 가리켰다.

"페로하트 황가에 은밀히 전령을 보냈습니다. 당신들의 황태자가 여기 볼모로 잡혀 있다고 말입니다. 오르티우스 요새 및 오르젠 평원의 소유권이 플란네르에 있다는 사실을 인정하면 순순히 황태자를 돌려보내 드린다고 말씀드렸더니 흔쾌히 오케이 하셨다고 들었습니다."

티베리의 진한 초록색 눈이 미소로 가늘어졌다.

"오르티우스 요새도 무혈로 확실히 가졌겠다, 좀 더 생각해 보니 어떻게 모신 귀한 분인데, 그냥 보내 드리기가 아쉽지 않겠습니까? 레이디 아르티드, 황태자 전하를 사랑하신다고요? 정말로 사랑하신다면 황태자 전하께서 무사히 페로하트로 돌아가도록 도와드려야 하지 않겠습니까?"

티베리의 눈빛이 교활하게 반짝였다.

"사실, 플란네르는 전쟁 준비를 마쳤습니다. 투기 자본이 플란네르의 승리를 점치며 큰돈을 걸었다는데, 그들도 돈을 잃지 않으려면 우리를 도울 수밖에 없을 테고, 굳이 페로하트에 연연할 필요 없지 않겠습니까? 우리가 겨우 후장식 소총 하나 개량하고서 무모한 짓을 벌였겠습니까? 어차피 페로하트를 적으로 돌리는 것은 두렵지 않습니다. 다만 황태자 전하께서 무사히 페로하트로 돌아가느냐 못 돌아가느냐의 문제일 뿐이겠지요."

벨라의 입술이 바르르 떨렸다. 티베리는 붉은 혀로 날름 입맛을 다시며 말했다.

"레이디 벨라, 저와 결혼하시겠습니까? 그러면 황태자 전하의 안전을 보장하지요."

"뭐라고?"

칼리아스가 벌컥 화를 내며 움직이려는 순간 플란네르의 병사들이 칼리아스에게 총을 겨눴다.

"경찰서에서 검을 압수당하지만 않았어도!"

칼리아스는 분하다는 듯 이를 갈았다.

"자. 나의 사랑스러운 코스모스여, 대답을 해 주시지요."

티베리는 싱긋 웃었다.

"자신의 신분이 무엇인지도 모르고 소풍 나오듯 연인 따라 적국에 오는 황태자 따위, 행복을 바라며 이만 헤어져 주심이 어떠하실까요? 머저리처럼 잡아먹어 달라고 오셨으니 어찌 제가 그냥 넘어갈 수 있겠습니까?"

벨라는 입술만 꼭 깨문 채 가만히 서 있었다. 티베리는 웃으며 말을 이어 갔다.

"페로하트의 황태자는 신의 축복을 받아 모든 면에서 완벽하다는 소문은 누가 퍼뜨린 개소리인지 모르겠군요. 사랑 앞에 그저 얼뜨기일 뿐인데. 자, 레이디 아르티드, 저 얼뜨기를 죽게 놔두실 겁니까?"

"전면전이 두렵지 않으십니까?"

루카스가 말하자 티베리는 순간 들고 있던 총을 루카스의 목에 겨누었다.

"네놈에게 묻지 않았다. 나는 레이디 아르티드의 대답을 기다리고 있다."

티베리는 단순한 협박으로 총을 겨눈 것이 아니라 여차하면 정말 쏠 듯한 기세였다. 벨라의 가슴이 불길하게 고동쳤다.

"당신의 말은 시기적으로 맞지 않습니다. 첫째로, 페로하트 측에서……."

루카스는 아랑곳하지 않고 입을 열었다.

철컥.

티베리가 방아쇠만 당기면 루카스의 목이 날아갈 참이었다.

"보니까 레이디 아르티드는 자신의 고용인들을 살뜰하게 아끼더군. 참 고운 심성의 소유자이지. 얼마나 좋아, 착하지, 예쁘지, 재산도 막대하지. 이런 여자를 놓치는 것이 더 이상한 것이 아닐까? 어떠십니까? '네'라는 대답이 나올 때까지 고용인을 하나하나씩 죽여 보는 것도 재밌지 않겠습니까?"

"나쁜 놈!"

벨라는 주먹을 쥐고 그를 노려보았다.

그 말에 티베리는 칭찬이라도 들은 듯 웃었다.

"하도 자주 들어 본 말이라, 그 정도는 기분 좋은걸요, 레이디. 레이디께서 저의 애칭을 불러 주시다니 감격스럽습니다."

"저는 미성년자라 결혼할 수 없습니다."

벨라는 또박또박 힘주어 말했다.

그러나 그 역시 티베리는 웃음으로 맞받아칠 뿐이었다.

"플란네르에서는 보호자의 허락이 있다면 미성년자도 결혼이 가능합니다. 이자가 당신의 후견인 아니었습니까?"

티베리는 루카스의 목에 더욱더 세게 총구를 디밀었다. 정말로 루카스가 하찮게 죽임을 당할까 봐 벨라는 눈앞이 까매지는 듯한 기분이 들었다.

얼굴이 하얗게 질려서 덜덜 떠는 리체의 모습이 시야에 들어왔다.

티베리는 벨라의 시선이 향한 곳을 힐끔 보더니 씨익 웃으며 말했다.

"걱정 말아요, 레이디 롬바르트, 집사 놈 다음 순서는 당신이니까."

순간 벨라가 입을 열었다.

"좋아요, 당신과 결혼하겠어요."

"안 돼!"

눈이 커다래지며 칼리아스가 한 걸음 앞으로 내디딘 순간이었다.

타앙!

경고 사격이 곧바로 뒤따랐다.

"가만히 있어요. 모두들!"

벨라가 날카롭게 소리쳤다. 그러고는 티베리에게 말을 건넸다.

"대신, 이들을 모두 페로하트로 돌려보내 주면 결혼하겠어요."

"절대로 안 됩니다!"

루카스의 외침에도 벨라는 차분히 말을 이어 갔다.

"만약 이들에게 털끝이라도 손댔다가는 저는 당신과 결혼하지 않겠습니다."

"좋아, 머리 회전이 빨라서 좋군."

티베리는 만족스럽다는 듯한 표정을 지었다.

"대신!"

벨라는 힘주어 말했다.

"성년이 되는 생일날까지 나를 존중해 줘요. 아무리 플란네르의 법이 그렇다 하여도 페로하트의 법은 그러지 않아서, 미성년일 때는 내 재산을 내가 어떻게 할 수 없어요. 성년이 되어 내가 내 재산에 대해 온전히 소유권을 행사할 수 있을 때 그때 결혼하게 해 줘요. 그 이상은 나도 양보 못 해요."

칼리아스의 눈이 절망으로 흔들렸다.

"안 돼에……! 벨라!"

그 순간 칼리아스의 몸에서 화염이 일었다. 기름에 불이라도 당긴 듯 순식간에 일어난 일이라 당황한 군인들이 일제히 총구를 칼리아스에게 겨누었다.

'타앙' 하는 날카로운 파열음이 고막을 찢는 것만 같았다.

벨라의 눈이 절망에 휩싸였다.

칼리아스는 결국 어느 탄환에 의해 숨을 거두는 운명을 벗어나지 못한 것이었을까.
벨라의 눈이 눈물에 뿌옇게 흐려졌다.
그러나 칼리아스를 감싸고 있던 화염이 수증기 날리듯 사라지자 언제 사격당했냐는 듯 멀쩡한 모습이 드러났다.
당황하기는 칼리아스도 마찬가지였다.
탕—!
"윽!"
그 순간 바람을 가르는 총성에 칼리아스는 어깨에서 피를 뿜으며 비틀거렸다.
"쏘지 마! 죽이면 안 된다! 명령이다!"
티베리가 고함을 질렀다.
"대체 어떻게 된 일인가!"
티베리는 자신의 눈으로 본 것을 믿을 수가 없었다.
사람이 느닷없이 화염에 휩싸이는 것도 처음 보았고, 집중 사격을 당했음에도 총알구멍 하나 나지 않은 것도 처음 보았고, 화염이 사라진 후 쏜 총에 맞아 여느 사람처럼 피를 뿜으며 쓰러지는 것도 처음 본 것이었다.
"헛것을 본 것인가?"
티베리는 믿을 수 없다는 듯 중얼거렸다. 그의 명령에 따라 군인들이 달려들어 상처를 입은 칼리아스를 제압했다. 그러나 다시 또 화염에 휩싸일까 봐 겁을 집어먹었다.
한편 끌려가는 칼리아스도 놀라기는 마찬가지였다. 자신의 주변에 있던 병사들이 심한 화상을 입고 바닥을 나뒹굴고 있었고 그에 비하면 본인은 지나치게 멀쩡했기 때문이었다.

“인화성 물질이나 폭탄 따위는 없습니다.”

칼리아스의 몸을 수색한 군인이 외쳤다. 칼리아스의 옷 한 자락도 불에 그슬리지 않았고 머리카락도 너무 멀쩡했다.

“끌고 가서 빨리 치료하라. 황태자를 쏜 자는 발포 명령도 하지 않았는데 쏜 죄를 엄히 다스리겠다.”

순식간에 일어난 일에 벨라는 끌려가면서도 자신의 눈을 믿을 수 없었다.

그런데 루카스는 군인들에게 연행되어 가면서도 연신 하늘을 올려다보았다.

‘분명히 하늘로 불기둥이 치솟았다.’

루카스는 설명할 길이 없는 이 일을 해석해 보려고 애썼다. 이 광경이 바다 건너 페로하트에까지 보였을 줄 꿈에도 상상하지 못했다.

그날, 사람들은 하늘에 나타난 거대한 불기둥을 목격했다. 그것은 흡사 검과 같은 형태의 화염이었다. 아주 짧은 시간 나타났다가 사라졌으므로 사람들은 저마다 자신이 본 것이 무엇인지 술렁이기 시작했다.

혹자는 세상의 종말을 알리는 불길한 징조라고도 했고, 혹자는 건국 신화에 나온 구국의 영웅이자 초대 황제 페오스가 쓰던 성검의 형상 같다고 말했다.

페로하트에게 다가올 일을 경고하는 징조라 여기는 이도 있었지만, 과학으로 풀 수 있는 자연 현상이라고 말하는 이도 있었다.

—3권에서 계속

마지막은 다정하게 2

초판 인쇄 2019년 6월 18일
초판 발행 2019년 6월 28일

지은이 수레국화꽃말
펴낸이 신현호
편집부장 예숙영
책임편집 최은지
편집디자인 한방울
영업 · 관리 김민원 조인희
물류 이순우 최준혁 박찬수

펴낸곳 ㈜디앤씨미디어
출판등록 2002년 5월 1일 제117-90-51792호
주소 서울시 구로구 디지털로 26길 111 JnK디지털타워 503호
대표전화 (02)333-2513 팩스 (02)333-2514
전자우편 dncbooks@dncmedia.co.kr
디앤씨북스 블로그 http://blog.naver.com/dncbooks

ISBN 979-11-264-4807-4 (04810)
ISBN 979-11-264-4816-6 (세트)